Number the Stars

ALSO BY LOIS LOWRY

LOIS LOWRY
Number the Stars

For my friend
Annelise Platt
Tusind tak

Published in the United States by Laurel-Leaf, an imprint of Random House
Children's Books, a division of Random House, Inc., New York. Originally
published in hardcover in the United States by Houghton Mifflin Company,
Boston, in 1989. This edition published by arrangement with Houghton
Mifflin Company.

Laurel-Leaf and the colophon are trademarks of Random House, Inc.

Visit us on the Web! www.randomhouse.com/teens
Educators and librarians, for a variety of teaching tools,
visit us at www.randomhouse.com/teachers

Library of Congress Cataloging-in-Publication Data is available on request.

ISBN: 978-0-375-86476-6

RL: 5.2
Printed in the United States of America
10 9 8 7 6 5 4 3 2 1

Contents

1

Why Are You Running?

"I'll race you to the corner, Ellen!" Annemarie adjusted the thick leather pack on her back so that her schoolbooks balanced evenly. "Ready?" She looked at her best friend.

Ellen made a face. "No," she said, laughing. "You know I can't beat you—my legs aren't as long. Can't we just walk, like civilized people?" She was a stocky ten-year-old, unlike lanky Annemarie.

"We have to practice for the athletic meet on Friday—I *know* I'm going to win the girls' race this week. I was second last week, but I've been practicing every day. Come on, Ellen," Annemarie pleaded, eyeing the distance to the next corner of the Copenhagen street. "Please?"

Ellen hesitated, then nodded and shifted her own rucksack of books against her shoulders. "Oh, all right. Ready," she said.

"Go!" shouted Annemarie, and the two girls were off, racing along the residential sidewalk. Annemarie's silvery blond hair flew behind her, and Ellen's dark pigtails bounced against her shoulders.

"Wait for me!" wailed little Kirsti, left behind, but the two older girls weren't listening.

Annemarie outdistanced her friend quickly, even though one of her shoes came untied as she sped along the street called Østerbrogade, past the small shops and cafés of her neighborhood here in northeast Copenhagen. Laughing, she skirted an elderly lady in black who carried a shopping bag made of string. A young woman pushing a baby in a carriage moved aside to make way. The corner was just ahead.

Annemarie looked up, panting, just as she reached the corner. Her laughter stopped. Her heart seemed to skip a beat.

"*Halte!*" the soldier ordered in a stern voice.

The German word was as familiar as it was frightening. Annemarie had heard it often enough before, but it had never been directed at her until now.

Behind her, Ellen also slowed and stopped. Far back, little Kirsti was plodding along, her face in a pout because the girls hadn't waited for her.

Annemarie stared up. There were two of them. That meant two helmets, two sets of cold eyes glaring at her, and four tall shiny boots planted firmly on the sidewalk, blocking her path to home.

And it meant two rifles, gripped in the hands of the soldiers. She stared at the rifles first. Then, finally, she looked into the face of the soldier who had ordered her to halt.

"Why are you running?" the harsh voice asked. His Danish was very poor. Three years, Annemarie thought with contempt. Three years they've been in our country, and still they can't speak our language.

"I was racing with my friend," she answered politely. "We have races at school every Friday, and I want to do well, so I—" Her voice trailed away, the sentence unfinished. Don't talk so much, she told herself. Just answer them, that's all.

She glanced back. Ellen was motionless on the sidewalk, a few yards behind her. Farther back, Kirsti was still sulking, and walking slowly toward the corner. Nearby, a woman had come to the doorway of a shop and was standing silently, watching.

One of the soldiers, the taller one, moved toward her. Annemarie recognized him as the one she and Ellen always called, in whispers, "the Giraffe" because of his height and the long neck that extended from his stiff collar. He and his partner were always on this corner.

He prodded the corner of her backpack with the stock of his rifle. Annemarie trembled. "What is in here?" he asked loudly. From the corner of her eye, she saw the shopkeeper move quietly back into the shadows of the doorway, out of sight.

"Schoolbooks," she answered truthfully.

"Are you a good student?" the soldier asked. He seemed to be sneering.

"Yes."

"What is your name?"

"Annemarie Johansen."

"Your friend—is she a good student, too?" He was looking beyond her, at Ellen, who hadn't moved.

Annemarie looked back, too, and saw that Ellen's face, usually rosy-cheeked, was pale, and her dark eyes were wide.

She nodded at the soldier. "Better than me," she said.

"What is her name?"

"Ellen."

"And who is this?" he asked, looking to Annemarie's side. Kirsti had appeared there suddenly, scowling at everyone.

"My little sister." She reached down for Kirsti's hand, but Kirsti, always stubborn, refused it and put her hands on her hips defiantly.

The soldier reached down and stroked her little sister's short, tangled curls. Stand still, Kirsti, Annemarie ordered silently, praying that somehow the obstinate five-year-old would receive the message.

But Kirsti reached up and pushed the soldier's hand away. *"Don't,"* she said loudly.

Both soldiers began to laugh. They spoke to each

other in rapid German that Annemarie couldn't understand.

"She is pretty, like my own little girl," the tall one said in a more pleasant voice.

Annemarie tried to smile politely.

"Go home, all of you. Go study your schoolbooks. And don't run. You look like hoodlums when you run."

The two soldiers turned away. Quickly Annemarie reached down again and grabbed her sister's hand before Kirsti could resist. Hurrying the little girl along, she rounded the corner. In a moment Ellen was beside her. They walked quickly, not speaking, with Kirsti between them, toward the large apartment building where both families lived.

When they were almost home, Ellen whispered suddenly, "I was so scared."

"Me too," Annemarie whispered back.

As they turned to enter their building, both girls looked straight ahead, toward the door. They did it purposely so that they would not catch the eyes or the attention of two more soldiers, who stood with their guns on this corner as well. Kirsti scurried ahead of them through the door, chattering about the picture she was bringing home from kindergarten to show Mama. For Kirsti, the soldiers were simply part of the landscape, something that had always been there, on every corner, as unimportant as lampposts, throughout her remembered life.

"Are you going to tell your mother?" Ellen asked Annemarie as they trudged together up the stairs. "I'm not. My mother would be upset."

"No, I won't, either. Mama would probably scold me for running on the street."

She said goodbye to Ellen on the second floor, where Ellen lived, and continued on to the third, practicing in her mind a cheerful greeting for her mother: a smile, a description of today's spelling test, in which she had done well.

But she was too late. Kirsti had gotten there first.

"And he poked Annemarie's book bag with his gun, and then he grabbed my hair!" Kirsti was chattering as she took off her sweater in the center of the apartment living room. "But I wasn't scared. Annemarie was, and Ellen, too. But not me!"

Mrs. Johansen rose quickly from the chair by the window where she'd been sitting. Mrs. Rosen, Ellen's mother, was there, too, in the opposite chair. They'd been having coffee together, as they did many afternoons. Of course it wasn't really coffee, though the mothers still called it that: "having coffee." There had been no real coffee in Copenhagen since the beginning of the Nazi occupation. Not even any real tea. The mothers sipped at hot water flavored with herbs.

"Annemarie, what happened? What is Kirsti talking about?" her mother asked anxiously.

"Where's Ellen?" Mrs. Rosen had a frightened look.

"Ellen's in your apartment. She didn't realize you were here," Annemarie explained. "Don't worry. It wasn't anything. It was the two soldiers who stand on the corner of Østerbrogade—you've seen them; you know the tall one with the long neck, the one who looks like a silly giraffe?" She told her mother and Mrs. Rosen of the incident, trying to make it sound humorous and unimportant. But their uneasy looks didn't change.

"I slapped his hand and shouted at him," Kirsti announced importantly.

"No, she didn't, Mama," Annemarie reassured her mother. "She's exaggerating, as she always does."

Mrs. Johansen moved to the window and looked down to the street below. The Copenhagen neighborhood was quiet; it looked the same as always: people coming and going from the shops, children at play, the soldiers on the corner.

She spoke in a low voice to Ellen's mother. "They must be edgy because of the latest Resistance incidents. Did you read in *De Frie Danske* about the bombings in Hillerød and Nørrebro?"

Although she pretended to be absorbed in unpacking her schoolbooks, Annemarie listened, and she knew what her mother was referring to. *De Frie Danske—The Free Danes*—was an illegal newspaper; Peter Neilsen brought it to them occasionally, carefully folded and hidden among ordinary books and papers, and Mama always burned it after she and Papa had read it. But Annemarie heard Mama and Papa talk, sometimes at night, about the news they received that way: news of sabotage against the Nazis, bombs hidden and exploded in the factories that produced war materials, and industrial railroad lines damaged so that the goods couldn't be transported.

And she knew what Resistance meant. Papa had explained, when she overheard the word and asked. The Resistance fighters were Danish people—no one knew who, because they were very secret—who were determined to bring harm to the Nazis however they could. They damaged the German trucks and cars, and bombed their factories. They were very brave. Sometimes they were caught and killed.

"I must go and speak to Ellen," Mrs. Rosen said, moving toward the door. "You girls walk a different way to school tomorrow. Promise me, Annemarie. And Ellen will promise, too."

"We will, Mrs. Rosen, but what does it matter? There are German soldiers on every corner."

"They will remember your faces," Mrs. Rosen said, turning in the doorway to the hall. "It is important to be one of the crowd, always. Be one of many. Be sure that they never have reason to remember your face." She disappeared into the hall and closed the door behind her.

"He'll remember *my* face, Mama," Kirsti announced happily, "because he said I look like *his* little girl. He said I was pretty."

"If he has such a pretty little girl, why doesn't he go back to her like a good father?" Mrs. Johansen murmured, stroking Kirsti's cheek. "Why doesn't he go back to his own country?"

"Mama, is there anything to eat?" Annemarie asked, hoping to take her mother's mind away from the soldiers.

"Take some bread. And give a piece to your sister."

"With butter?" Kirsti asked hopefully.

"No butter," her mother replied. "You know that."

Kirsti sighed as Annemarie went to the breadbox in the kitchen. "I wish I could have a cupcake," she said. "A big yellow cupcake, with pink frosting."

Her mother laughed. "For a little girl, you have a long memory," she told Kirsti. "There hasn't been any butter, or sugar for cupcakes, for a long time. A year, at least."

"When will there be cupcakes again?"

"When the war ends," Mrs. Johansen said. She glanced through the window, down to the street corner where the soldiers stood, their faces impassive beneath the metal helmets. "When the soldiers leave."

2
Who Is the Man
Who Rides Past?

"Tell me a story, Annemarie," begged Kirsti as she snuggled beside her sister in the big bed they shared. "Tell me a fairy tale."

Annemarie smiled and wrapped her arms around her little sister in the dark. All Danish children grew up familiar with fairy tales. Hans Christian Andersen, the most famous of the tale-tellers, had been Danish himself.

"Do you want the one about the little mermaid?" That one had always been Annemarie's own favorite.

But Kirsti said no. "Tell one that starts with a king and a queen. And they have a beautiful daughter."

"All right. Once upon a time there was a king," Annemarie began.

"And a queen," whispered Kirsti. "Don't forget the queen."

"And a queen. They lived together in a wonderful palace, and—"

"Was the palace named Amalienborg?" Kirsti asked sleepily.

"Shhh. Don't keep interrupting or I'll never finish the story. No, it wasn't Amalienborg. It was a pretend palace."

Annemarie talked on, making up a story of a king and queen and their beautiful daughter, Princess Kirsten; she sprinkled her tale with formal balls, fabulous gold-trimmed gowns, and feasts of pink-frosted cupcakes, until Kirsti's deep, even breathing told her that her sister was sound asleep.

She stopped, waited for a moment, half expecting Kirsti to murmur "Then what happened?" But Kirsti was still. Annemarie's thoughts turned to the real king, Christian X, and the real palace, Amalienborg, where he lived, in the center of Copenhagen.

How the people of Denmark loved King Christian! He was not like fairy-tale kings, who seemed to stand on balconies giving orders to subjects, or who sat on golden thrones demanding to be entertained and looking for suitable husbands for their daughters. King Christian was a real human being, a man with a serious, kind face. She had seen him often, when she was younger. Each morning, he had come from the palace on his horse, Jubilee, and ridden alone through the streets of Copenhagen, greeting his people. Sometimes, when Annemarie was a little girl, her older sister, Lise, had taken her to stand on the sidewalk so that she could wave to King Christian. Sometimes he had waved back to the two of them, and smiled. "Now you are special forever," Lise had told her once, "because you have been greeted by a king."

Annemarie turned her head on the pillow and stared through the partly opened curtains of the window into the dim September night. Thinking of Lise, her solemn, lovely sister, always made her sad.

So she turned her thoughts again to the king, who was still alive, as Lise was not. She remembered a story that Papa had told her, shortly after the war began, shortly after Denmark had surrendered and the soldiers had moved in overnight to take their places on the corners.

One evening, Papa had told her that earlier he was on an errand near his office, standing on the corner waiting to cross the street, when King Christian came by on his morning ride. One of the German soldiers had turned, suddenly, and asked a question of a teenage boy nearby.

"Who is that man who rides past here every morning on his horse?" the German soldier had asked.

Papa said he had smiled to himself, amused that the German soldier did not know. He listened while the boy answered.

"He is our king," the boy told the soldier. "He is the King of Denmark."

"Where is his bodyguard?" the soldier had asked.

"And do you know what the boy said?" Papa had

asked Annemarie. She was sitting on his lap. She was little, then, only seven years old. She shook her head, waiting to hear the answer.

"The boy looked right at the soldier, and he said, 'All of Denmark is his bodyguard.' "

Annemarie had shivered. It sounded like a very brave answer. "Is it true, Papa?" she asked. "What the boy said?"

Papa thought for a moment. He always considered questions very carefully before he answered them. "Yes," he said at last. "It is true. Any Danish citizen would die for King Christian, to protect him."

"You too, Papa?"

"Yes."

"And Mama?"

"Mama too."

Annemarie shivered again. "Then I would too, Papa. If I had to."

They sat silently for a moment. From across the room, Mama watched them, Annemarie and Papa, and she smiled. Mama had been crocheting that evening three years ago: the lacy edging of a pillow-case, part of Lise's trousseau. Her fingers moved rapidly, turning the thin white thread into an intricate narrow border. Lise was a grown-up girl of eighteen, then, about to be married to Peter Neilsen. When Lise and Peter married, Mama said, Annemarie and Kirsti would have a brother for the very first time.

"Papa," Annemarie had said, finally, into the silence, "sometimes I wonder why the king wasn't able to protect us. Why didn't he fight the Nazis so that they wouldn't come into Denmark with their guns?"

Papa sighed. "We are such a tiny country," he said. "And they are such an enormous enemy. Our king was wise. He knew how few soldiers Denmark had. He knew that many, many Danish people would die if we fought."

"In Norway they fought," Annemarie pointed out.

Papa nodded. "They fought very fiercely in Norway. They had those huge mountains for the Norwegian soldiers to hide in. Even so, Norway was crushed."

In her mind, Annemarie had pictured Norway as she remembered it from the map at school, up above Denmark. Norway was pink on the school map. She imagined the pink strip of Norway crushed by a fist.

"Are there German soldiers in Norway now, the same as here?"

"Yes," Papa said.

"In Holland, too," Mama added from across the room, "and Belgium and France."

"But not in Sweden!" Annemarie announced, proud that she knew so much about the world. Sweden was blue on the map, and she had *seen* Sweden, even though she had never been there. Standing behind Uncle Henrik's house, north of Copenhagen, she had looked across the water—the part of the North Sea that was called the Kattegat—to the land on the other side. "That is Sweden you are seeing," Uncle Henrik had told her. "You are looking across to another country."

"That's true," Papa had said. "Sweden is still free."

And now, three years later, it was *still* true. But much else had changed. King Christian was getting old, and he had been badly injured last year in a fall from his horse, faithful old Jubilee, who had carried him around Copenhagen so many mornings. For days they thought he would die, and all of Denmark had mourned.

But he hadn't. King Christian X was still alive.

It was Lise who was not. It was her tall, beautiful sister who had died in an accident two weeks before her wedding. In the blue carved trunk in the corner of this bedroom—Annemarie could see its shape even in the dark—were folded Lise's pillowcases with their crocheted edges, her wedding dress with its hand-embroidered neckline, unworn, and the yellow dress that she had worn and danced in, with its full skirt flying, at the party celebrating her engagement to Peter.

Mama and Papa never spoke of Lise. They never

opened the trunk. But Annemarie did, from time to time, when she was alone in the apartment; alone, she touched Lise's things gently, remembering her quiet, soft-spoken sister who had looked forward so to marriage and children of her own.

Redheaded Peter, her sister's fiancé, had not married anyone in the years since Lise's death. He had changed a great deal. Once he had been like a fun-loving older brother to Annemarie and Kirsti, teasing and tickling, always a source of foolishness and pranks. Now he still stopped by the apartment often, and his greetings to the girls were warm and smiling, but he was usually in a hurry, talking quickly to Mama and Papa about things Annemarie didn't understand. He no longer sang the nonsense songs that had once made Annemarie and Kirsti shriek with laughter. And he never lingered anymore.

Papa had changed, too. He seemed much older and very tired, defeated.

The whole world had changed. Only the fairy tales remained the same.

"And they lived happily ever after," Annemarie recited, whispering into the dark, completing the tale for her sister, who slept beside her, one thumb in her mouth.

3
Where Is Mrs. Hirsch?

The days of September passed, one after the other, much the same. Annemarie and Ellen walked to school together, and home again, always now taking the longer way, avoiding the tall soldier and his partner. Kirsti dawdled just behind them or scampered ahead, never out of their sight.

The two mothers still had their "coffee" together in the afternoons. They began to knit mittens as the days grew slightly shorter and the first leaves began to fall from the trees, because another winter was coming. Everyone remembered the last one. There was no fuel now for the homes and apartments in Copenhagen, and the winter nights were terribly cold.

Like the other families in their building, the Johansens had opened the old chimney and installed a little stove to use for heat when they could find coal to burn. Mama used it too, sometimes, for cooking, because electricity was rationed now. At night they used candles for light. Sometimes Ellen's father, a teacher, complained in frustration because he couldn't see in the dim light to correct his students' papers.

"Soon we will have to add another blanket to your bed," Mama said one morning as she and Annemarie tidied the bedroom.

"Kirsti and I are lucky to have each other for warmth in the winter," Annemarie said. "Poor Ellen, to have no sisters."

"She will have to snuggle in with her mama and papa when it gets cold," Mama said, smiling.

"I remember when Kirsti slept between you and Papa. She was supposed to stay in her crib, but in the middle of the night she would climb out and get in with you," Annemarie said, smoothing the pillows on the bed. Then she hesitated and glanced at her mother, fearful that she had said the wrong thing, the thing that would bring the pained look to her mother's face. The days when little Kirsti slept in Mama and Papa's room were the days when Lise and Annemarie shared this bed.

But Mama was laughing quietly. "I remember, too," she said. "Sometimes she wet the bed in the middle of the night!"

"I did not!" Kirsti said haughtily from the bedroom doorway. "I never, *ever* did that!"

Mama, still laughing, knelt and kissed Kirsti on the cheek. "Time to leave for school, girls," she said.

She began to button Kirsti's jacket. "Oh, dear," she said suddenly. "Look. This button has broken right in half. Annemarie, take Kirsti with you, after school, to the little shop where Mrs. Hirsch sells thread and buttons. See if you can buy just one, to match the others on her jacket. I'll give you some kroner—it shouldn't cost very much."

But after school, when the girls stopped at the shop, which had been there as long as Annemarie could remember, they found it closed. There was a new padlock on the door, and a sign. But the sign was in German. They couldn't read the words.

"I wonder if Mrs. Hirsch is sick," Annemarie said as they walked away.

"I saw her Saturday," Ellen said. "She was with her husband and their son. They all looked just fine. Or at least the *parents* looked just fine—the son *always* looks like a horror." She giggled.

Annemarie made a face. The Hirsch family lived in the neighborhood, so they had seen the boy, Samuel, often. He was a tall teenager with thick glasses, stooped shoulders, and unruly hair. He rode a bicycle to school, leaning forward and squinting, wrinkling his nose to nudge his glasses into place. His bicycle had wooden wheels, now that rubber tires weren't available, and it creaked and clattered on the street.

"I think the Hirsches all went on a vacation to the seashore," Kirsti announced.

"And I suppose they took a big basket of pink-frosted cupcakes with them," Annemarie said sarcastically to her sister.

"Yes, I suppose they did," Kirsti replied.

Annemarie and Ellen exchanged looks that meant: Kirsti is so *dumb*. No one in Copenhagen had taken a vacation at the seashore since the war began. There *were* no pink-frosted cupcakes; there hadn't been for months.

Still, Annemarie thought, looking back at the shop before they turned the corner, where was Mrs. Hirsch? The Hirsch family had gone *somewhere*. Why else would they close the shop?

Mama was troubled when she heard the news. "Are you sure?" she asked several times.

"We can find another button someplace," Annemarie reassured her. "Or we can take one from the bottom of the jacket and move it up. It won't show very much."

But it didn't seem to be the jacket that worried Mama. "Are you sure the sign was in German?" she asked. "Maybe you didn't look carefully."

"Mama, it had a swastika on it."

Her mother turned away with a distracted look. "Annemarie, watch your sister for a few moments.

And begin to peel the potatoes for dinner. I'll be right back."

"Where are you going?" Annemarie asked as her mother started for the door.

"I want to talk to Mrs. Rosen."

Puzzled, Annemarie watched her mother leave the apartment. She went to the kitchen and opened the door to the cupboard where the potatoes were kept. Every night, now, it seemed, they had potatoes for dinner. And very little else.

Annemarie was almost asleep when there was a light knock on the bedroom door. Candlelight appeared as the door opened, and her mother stepped in.

"Are you asleep, Annemarie?"

"No. Why? Is something wrong?"

"Nothing's wrong. But I'd like you to get up and come out to the living room. Peter's here. Papa and I want to talk to you."

Annemarie jumped out of bed, and Kirsti grunted in her sleep. Peter! She hadn't seen him in a long time. There was something frightening about his being here at night. Copenhagen had a curfew, and no citizens were allowed out after eight o'clock. It was very dangerous, she knew, for Peter to visit at this time. But she was delighted that he was here.

Though his visits were always hurried—they almost seemed secret, somehow, in a way she couldn't quite put her finger on—still, it was a treat to see Peter. It brought back memories of happier times. And her parents loved Peter, too. They said he was like a son.

Barefoot, she ran to the living room and into Peter's arms. He grinned, kissed her cheek, and ruffled her long hair.

"You've grown taller since I saw you last," he told her. "You're all legs!"

Annemarie laughed. "I won the girls' footrace last Friday at school," she told him proudly. "Where have you been? We've missed you!"

"My work takes me all over," Peter explained. "Look, I brought you something. One for Kirsti, too." He reached into his pocket and handed her two seashells.

Annemarie put the smaller one on the table to save it for her sister. She held the other in her hands, turning it in the light, looking at the ridged, pearly surface. It was so like Peter, to bring just the right gift.

"For your mama and papa, I brought something more practical. Two bottles of beer!"

Mama and Papa smiled and raised their glasses. Papa took a sip and wiped the foam from his upper lip. Then his face became more serious.

"Annemarie," he said, "Peter tells us that the

Germans have issued orders closing many stores run by Jews."

"Jews?" Annemarie repeated. "Is Mrs. Hirsch Jewish? Is that why the button shop is closed? Why have they done that?"

Peter leaned forward. "It is their way of tormenting. For some reason, they want to torment Jewish people. It has happened in the other countries. They have taken their time here—have let us relax a little. But now it seems to be starting."

"But why the button shop? What harm is a button shop? Mrs. Hirsch is such a nice lady. Even Samuel—he's a dope, but he would never harm anyone. How could he—he can't even see, with his thick glasses!"

Then Annemarie thought of something else. "If they can't sell their buttons, how will they earn a living?"

"Friends will take care of them," Mama said gently. "That's what friends do."

Annemarie nodded. Mama was right, of course. Friends and neighbors would go to the home of the Hirsch family, would take them fish and potatoes and bread and herbs for making tea. Maybe Peter would even take them a beer. They would be comfortable until their shop was allowed to open again.

Then, suddenly, she sat upright, her eyes wide. "Mama!" she said. "Papa! The Rosens are Jewish, too!"

Her parents nodded, their faces serious and

drawn. "I talked to Sophy Rosen this afternoon, after you told me about the button shop," Mama said. "She knows what is happening. But she doesn't think that it will affect them."

Annemarie thought, and understood. She relaxed. "Mr. Rosen doesn't have a shop. He's a teacher. They can't close a whole school!" She looked at Peter with the question in her eyes. "Can they?"

"I think the Rosens will be all right," he said. "But you keep an eye on your friend Ellen. And stay away from the soldiers. Your mother told me about what happened on Østerbrogade."

Annemarie shrugged. She had almost forgotten the incident. "It was nothing. They were only bored and looking for someone to talk to, I think."

She turned to her father. "Papa, do you remember what you heard the boy say to the soldier? That all of Denmark would be the king's bodyguard?"

Her father smiled. "I have never forgotten it," he said.

"Well," Annemarie said slowly, "now I think that all of Denmark must be bodyguard for the Jews, as well."

"So we shall be," Papa replied.

Peter stood. "I must go," he said. "And you, Long-legs, it is way past your bedtime now." He hugged Annemarie again.

Later, once more in her bed beside the warm

cocoon of her sister, Annemarie remembered how her father had said, three years before, that he would die to protect the king. That her mother would, too. And Annemarie, seven years old, had announced proudly that she also would.

Now she was ten, with long legs and no more silly dreams of pink-frosted cupcakes. And now she—and all the Danes—were to be bodyguard for Ellen, and Ellen's parents, and all of Denmark's Jews.

Would she die to protect them? *Truly?* Annemarie was honest enough to admit, there in the darkness, to herself, that she wasn't sure.

For a moment she felt frightened. But she pulled the blanket up higher around her neck and relaxed. It was all imaginary, anyway—not real. It was only in the fairy tales that people were called upon to be so brave, to die for one another. Not in real-life Denmark. Oh, there were the soldiers; that was true. And the courageous Resistance leaders, who sometimes lost their lives; that was true, too.

But ordinary people like the Rosens and the Johansens? Annemarie admitted to herself, snuggling there in the quiet dark, that she was glad to be an ordinary person who would never be called upon for courage.

4
It Will Be a Long Night

Alone in the apartment while Mama was out shopping with Kirsti, Annemarie and Ellen were sprawled on the living room floor playing with paper dolls. They had cut the dolls from Mama's magazines, old ones she had saved from past years. The paper ladies had old-fashioned hairstyles and clothes, and the girls had given them names from Mama's very favorite book. Mama had told Annemarie and Ellen the entire story of *Gone With the Wind*, and the girls thought it much more interesting and romantic than the king-and-queen tales that Kirsti loved.

"Come, Melanie," Annemarie said, walking her doll across the edge of the rug. "Let's dress for the ball."

"All right, Scarlett, I'm coming," Ellen replied in a sophisticated voice. She was a talented performer; she often played the leading roles in school dramatics. Games of the imagination were always fun when Ellen played.

The door opened and Kirsti stomped in, her face

tear-stained and glowering. Mama followed her with an exasperated look and set a package down on the table.

"I won't!" Kirsti sputtered. "I won't ever, *ever* wear them! Not if you chain me in a prison and beat me with sticks!"

Annemarie giggled and looked questioningly at her mother. Mrs. Johansen sighed. "I bought Kirsti some new shoes," she explained. "She's outgrown her old ones."

"Goodness, Kirsti," Ellen said, "I wish my mother would get *me* some new shoes. I love new things, and it's so hard to find them in the stores."

"Not if you go to a *fish* store!" Kirsti bellowed. "But most mothers wouldn't make their daughters wear ugly *fish* shoes!"

"Kirsten," Mama said soothingly, "you know it wasn't a fish store. And we were lucky to find shoes at all."

Kirsti sniffed. "Show them," she commanded. "Show Annemarie and Ellen how ugly they are."

Mama opened the package and took out a pair of little girl's shoes. She held them up, and Kirsti looked away in disgust.

"You know there's no leather anymore," Mama explained. "But they've found a way to make shoes out of fish skin. I don't think these are too ugly."

Annemarie and Ellen looked at the fish-skin shoes. Annemarie took one in her hand and examined it. It was odd-looking; the fish scales were visible. But it was a shoe, and her sister needed shoes.

"It's not so bad, Kirsti," she said, lying a little.

Ellen turned the other one over in her hand. "You know," she said, "it's only the color that's ugly."

"Green!" Kirsti wailed. "I will never, *ever* wear green shoes!"

"In our apartment," Ellen told her, "my father has a jar of black, black ink. Would you like these shoes better if they were black?"

Kirsti frowned. "Maybe I would," she said, finally.

"Well, then," Ellen told her, "tonight, if your mama doesn't mind, I'll take the shoes home and ask my father to make them black for you, with his ink."

Mama laughed. "I think that would be a fine improvement. What do you think, Kirsti?"

Kirsti pondered. "Could he make them shiny?" she asked. "I want them shiny."

Ellen nodded. "I think he could. I think they'll be quite pretty, black and shiny."

Kirsti nodded. "All right, then," she said. "But you mustn't tell anyone that they're *fish*. I don't want anyone to know." She took her new shoes, holding them disdainfully, and put them on a chair. Then she looked with interest at the paper dolls.

"Can I play, too?" Kirsti asked. "Can I have a doll?" She squatted beside Annemarie and Ellen on the floor.

Sometimes, Annemarie thought, Kirsti was such a pest, always butting in. But the apartment was small. There was no other place for Kirsti to play. And if they told her to go away, Mama would scold.

"Here," Annemarie said, and handed her sister a cut-out little girl doll. "We're playing *Gone With the Wind*. Melanie and Scarlett are going to a ball. You can be Bonnie. She's Scarlett's daughter."

Kirsti danced her doll up and down happily. "I'm going to the ball!" she announced in a high, pretend voice.

Ellen giggled. "A little girl wouldn't go to a ball. Let's make them go someplace else. Let's make them go to Tivoli!"

"Tivoli!" Annemarie began to laugh. "That's in Copenhagen! *Gone With the Wind* is in America!"

"Tivoli, Tivoli, Tivoli," little Kirsti sang, twirling her doll in a circle.

"It doesn't matter, because it's only a game anyway," Ellen pointed out. "Tivoli can be over there, by that chair. 'Come, Scarlett,' " she said, using her doll voice, " 'we shall go to Tivoli to dance and watch the fireworks, and maybe there will be some handsome men there! Bring your silly daughter Bonnie, and she can ride on the carousel.' "

Annemarie grinned and walked her Scarlett toward the chair that Ellen had designated as Tivoli. She loved Tivoli Gardens, in the heart of Copenhagen; her parents had taken her there, often, when she was a little girl. She remembered the music and the brightly colored lights, the carousel and ice cream and especially the magnificent fireworks in the evenings: the huge colored splashes and bursts of lights in the evening sky.

"I remember the fireworks best of all," she commented to Ellen.

"Me too," Kirsti said. "I remember the fireworks."

"Silly," Annemarie scoffed. "You never saw the fireworks." Tivoli Gardens was closed now. The German occupation forces had burned part of it, perhaps as a way of punishing the fun-loving Danes for their lighthearted pleasures.

Kirsti drew herself up, her small shoulders stiff. "I did too," she said belligerently. "It was my birthday. I woke up in the night and I could hear the booms. And there were lights in the sky. Mama said it was fireworks for my birthday!"

Then Annemarie remembered. Kirsti's birthday was late in August. And that night, only a month before, she, too, had been awakened and frightened by the sound of explosions. Kirsti was right—the sky in the southeast had been ablaze, and Mama had comforted her by calling it a birthday celebration.

"Imagine, such fireworks for a little girl five years old!" Mama had said, sitting on their bed, holding the dark curtain aside to look through the window at the lighted sky.

The next evening's newspaper had told the sad truth. The Danes had destroyed their own naval fleet, blowing up the vessels one by one, as the Germans approached to take over the ships for their own use.

"How sad the king must be," Annemarie had heard Mama say to Papa when they read the news.

"How proud," Papa had replied.

It had made Annemarie feel sad and proud, too, to picture the tall, aging king, perhaps with tears in his blue eyes, as he looked at the remains of his small navy, which now lay submerged and broken in the harbor.

"I don't want to play anymore, Ellen," she said suddenly, and put her paper doll on the table.

"I have to go home, anyway," Ellen said. "I have to help Mama with the housecleaning. Thursday is our New Year. Did you know that?"

"Why is it yours?" asked Kirsti. "Isn't it our New Year, too?"

"No. It's the Jewish New Year. That's just for us. But if you want, Kirsti, you can come that night and watch Mama light the candles."

Annemarie and Kirsti had often been invited to

watch Mrs. Rosen light the Sabbath candles on Friday evenings. She covered her head with a cloth and said a special prayer in Hebrew as she did so. Annemarie always stood very quietly, awed, to watch; even Kirsti, usually such a chatterbox, was always still at that time. They didn't understand the words or the meaning, but they could feel what a special time it was for the Rosens.

"Yes," Kirsti agreed happily. "I'll come and watch your mama light the candles, and I'll wear my new black shoes."

But this time was to be different. Leaving for school on Thursday with her sister, Annemarie saw the Rosens walking to the synagogue early in the morning, dressed in their best clothes. She waved to Ellen, who waved happily back.

"Lucky Ellen," Annemarie said to Kirsti. "She doesn't have to go to school today."

"But she probably has to sit very, very still, like we do in church," Kirsti pointed out. "*That's* no fun."

That afternoon, Mrs. Rosen knocked at their door but didn't come inside. Instead, she spoke for a long time in a hurried, tense voice to Annemarie's mother in the hall. When Mama returned, her face was worried, but her voice was cheerful.

"Girls," she said, "we have a nice surprise. Tonight

Ellen will be coming to stay overnight and to be our guest for a few days! It isn't often we have a visitor."

Kirsti clapped her hands in delight.

"But, Mama," Annemarie said, in dismay, "it's their New Year. They were going to have a celebration at home! Ellen told me that her mother managed to get a chicken someplace, and she was going to roast it—their first roast chicken in a year or more!"

"Their plans have changed," Mama said briskly. "Mr. and Mrs. Rosen have been called away to visit some relatives. So Ellen will stay with us. Now, let's get busy and put clean sheets on your bed. Kirsti, you may sleep with Mama and Papa tonight, and we'll let the big girls giggle together by themselves."

Kirsti pouted, and it was clear that she was about to argue. "Mama will tell you a special story tonight," her mother said. "One just for you."

"About a king?" Kirsti asked dubiously.

"About a king, if you wish," Mama replied.

"All right, then. But there must be a queen, too," Kirsti said.

Though Mrs. Rosen had sent her chicken to the Johansens, and Mama made a lovely dinner large enough for second helpings all around, it was not an evening of laughter and talk. Ellen was silent at dinner. She looked frightened. Mama and Papa tried to speak of cheerful things, but it was clear that they were worried, and it made Annemarie worry, too. Only Kirsti was unaware of the quiet tension in the room. Swinging her feet in their newly blackened and shiny shoes, she chattered and giggled during dinner.

"Early bedtime tonight, little one," Mama announced after the dishes were washed. "We need extra time for the long story I promised, about the king and queen." She disappeared with Kirsti into the bedroom.

"What's happening?" Annemarie asked when she and Ellen were alone with Papa in the living room. "Something's wrong. What is it?"

Papa's face was troubled. "I wish that I could protect you children from this knowledge," he said quietly. "Ellen, you already know. Now we must tell Annemarie."

He turned to her and stroked her hair with his gentle hand. "This morning, at the synagogue, the rabbi told his congregation that the Nazis have taken the synagogue lists of all the Jews. Where they live, what their names are. Of course the Rosens were on that list, along with many others."

"Why? Why did they want those names?"

"They plan to arrest all the Danish Jews. They plan to take them away. And we have been told that they may come tonight."

"I don't understand! Take them where?"

Her father shook his head. "We don't know where, and we don't really know why. They call it 'relocation.' We don't even know what that means. We only know that it is wrong, and it is dangerous, and we must help."

Annemarie was stunned. She looked at Ellen and saw that her best friend was crying silently.

"Where are Ellen's parents? We must help them, too!"

"We couldn't take all three of them. If the Germans came to search our apartment, it would be clear that the Rosens were here. One person we can hide. Not three. So Peter has helped Ellen's parents to go elsewhere. We don't know where. Ellen doesn't know either. But they are safe."

Ellen sobbed aloud, and put her face in her hands. Papa put his arm around her. "They are safe, Ellen. I promise you that. You will see them again quite soon. Can you try hard to believe my promise?"

Ellen hesitated, nodded, and wiped her eyes with her hand.

"But, Papa," Annemarie said, looking around the small apartment, with its few pieces of furniture: the fat stuffed sofa, the table and chairs, the small bookcase against the wall. "You said that we would hide her. How can we do that? Where can she hide?"

Papa smiled. "That part is easy. It will be as your mama said: you two will sleep together in your bed, and you may giggle and talk and tell secrets to each other. And if anyone comes—"

Ellen interrupted him. "Who might come? Will it be soldiers? Like the ones on the corners?" Annemarie remembered how terrified Ellen had looked the day when the soldier had questioned them on the corner.

"I really don't think anyone will. But it never hurts to be prepared. If anyone should come, even soldiers, you two will be sisters. You are together so much, it will be easy for you to pretend that you are sisters."

He rose and walked to the window. He pulled the lace curtain aside and looked down into the street. Outside, it was beginning to grow dark. Soon they would have to draw the black curtains that all Danes had on their windows; the entire city had to be completely darkened at night. In a nearby tree, a bird was singing; otherwise it was quiet. It was the last night of September.

"Go, now, and get into your nightgowns. It will be a long night."

Annemarie and Ellen got to their feet. Papa suddenly crossed the room and put his arms around them both. He kissed the top of each head: Annemarie's blond one, which reached to his shoulder, and Ellen's dark hair, the thick curls braided as always into pigtails.

"Don't be frightened," he said to them softly. "Once I had three daughters. Tonight I am proud to have three daughters again."

5
Who Is the Dark-Haired One?

"Do you really think anyone will come?" Ellen asked nervously, turning to Annemarie in the bedroom. "Your father doesn't think so."

"Of course not. They're always threatening stuff. They just like to scare people." Annemarie took her nightgown from a hook in the closet.

"Anyway, if they did, it would give me a chance to practice acting. I'd just pretend to be Lise. I wish I were taller, though." Ellen stood on tiptoe, trying to make herself tall. She laughed at herself, and her voice was more relaxed.

"You were great as the Dark Queen in the school play last year," Annemarie told her. "You should be an actress when you grow up."

"My father wants me to be a teacher. He wants *everyone* to be a teacher, like him. But maybe I could convince him that I should go to acting school." Ellen stood on tiptoe again, and made an imperious gesture with her arm. "I am the Dark Queen," she intoned dramatically. "I have come to command the night!"

"You should try saying, 'I am Lise Johansen!' " Annemarie said, grinning. "If you told the Nazis that you were the Dark Queen, they'd haul you off to a mental institution."

Ellen dropped her actress pose and sat down, with her legs curled under her, on the bed. "They won't really come here, do you think?" she asked again.

Annemarie shook her head. "Not in a million years." She picked up her hairbrush.

The girls found themselves whispering as they got ready for bed. There was no need, really, to whisper; they were, after all, supposed to be normal sisters, and Papa had said they could giggle and talk. The bedroom door was closed.

But the night did seem, somehow, different from a normal night. And so they whispered.

"How did your sister die, Annemarie?" Ellen asked suddenly. "I remember when it happened. And I remember the funeral—it was the only time I have ever been in a Lutheran church. But I never knew just what happened."

"I don't know *exactly*," Annemarie confessed. "She and Peter were out somewhere together, and then there was a telephone call, that there had been an accident. Mama and Papa rushed to the hospital— remember, your mother came and stayed with me and Kirsti? Kirsti was already asleep and she slept right through everything, she was so little then. But I stayed up, and I was with your mother in the living room when my parents came home in the middle of the night. And they told me Lise had died."

"I remember it was raining," Ellen said sadly. "It was still raining the next morning when Mama told me. Mama was crying, and the rain made it seem as if the whole *world* was crying."

Annemarie finished brushing her long hair and handed her hairbrush to her best friend. Ellen undid her braids, lifted her dark hair away from the thin gold chain she wore around her neck—the chain that held the Star of David—and began to brush her thick curls.

"I think it was partly because of the rain. They said she was hit by a car. I suppose the streets were slippery, and it was getting dark, and maybe the driver just couldn't see," Annemarie went on, remembering. "Papa looked so angry. He made one hand into a fist, and he kept pounding it into the other hand. I remember the noise of it: slam, slam, slam."

Together they got into the wide bed and pulled up the covers. Annemarie blew out the candle and drew the dark curtains aside so that the open window near the bed let in some air. "See that blue trunk in the corner?" she said, pointing through the darkness. "Lots of Lise's things are in there. Even her wedding dress. Mama and Papa have never looked at those things, not since the day they packed them away."

Ellen sighed. "She would have looked so beautiful in her wedding dress. She had such a pretty smile. I used to pretend that she was *my* sister, too."

"She would have liked that," Annemarie told her. "She loved you."

"That's the worst thing in the world," Ellen whispered. "To be dead so young. I wouldn't want the Germans to take my family away—to make us live someplace else. But still, it wouldn't be as bad as being dead."

Annemarie leaned over and hugged her. "They won't take you away," she said. "Not your parents, either. Papa promised that they were safe, and he always keeps his promises. And you are quite safe, here with us."

For a while they continued to murmur in the dark, but the murmurs were interrupted by yawns. Then Ellen's voice stopped, she turned over, and in a minute her breathing was quiet and slow.

Annemarie stared at the window where the sky was outlined and a tree branch moved slightly in the breeze. Everything seemed very familiar, very comforting. Dangers were no more than odd imaginings, like ghost stories that children made up to frighten one another: things that couldn't possibly happen. Annemarie felt completely safe here in her own home, with her parents in the next room and her best friend asleep beside her. She yawned contentedly and closed her eyes.

It was hours later, but still dark, when she was awakened abruptly by the pounding on the apartment door.

Annemarie eased the bedroom door open quietly, only a crack, and peeked out. Behind her, Ellen was sitting up, her eyes wide.

She could see Mama and Papa in their nightclothes, moving about. Mama held a lighted candle, but as Annemarie watched, she went to a lamp and switched it on. It was so long a time since they had dared to use the strictly rationed electricity after dark that the light in the room seemed startling to Annemarie, watching through the slightly opened bedroom door. She saw her mother look automatically to the blackout curtains, making certain that they were tightly drawn.

Papa opened the front door to the soldiers.

"This is the Johansen apartment?" A deep voice asked the question loudly, in the terribly accented Danish.

"Our name is on the door, and I see you have a

flashlight," Papa answered. "What do you want? Is something wrong?"

"I understand you are a friend of your neighbors the Rosens, Mrs. Johansen," the soldier said angrily.

"Sophy Rosen is my friend, that is true," Mama said quietly. "Please, could you speak more softly? My children are asleep."

"Then you will be so kind as to tell me where the Rosens are." He made no effort to lower his voice.

"I assume they are at home, sleeping. It is four in the morning, after all," Mama said.

Annemarie heard the soldier stalk across the living room toward the kitchen. From her hiding place in the narrow sliver of open doorway, she could see the heavy uniformed man, a holstered pistol at his waist, in the entrance to the kitchen, peering in toward the sink.

Another German voice said, "The Rosens' apartment is empty. We are wondering if they might be visiting their good friends the Johansens."

"Well," said Papa, moving slightly so that he was standing in front of Annemarie's bedroom door, and she could see nothing except the dark blur of his back, "as you see, you are mistaken. There is no one here but my family."

"You will not object if we look around." The voice was harsh, and it was not a question.

"It seems we have no choice," Papa replied.

"Please don't wake my children," Mama requested again. "There is no need to frighten little ones."

The heavy, booted feet moved across the floor again and into the other bedroom. A closet door opened and closed with a bang.

Annemarie eased her bedroom door closed silently. She stumbled through the darkness to the bed.

"Ellen," she whispered urgently, "take your necklace off!"

Ellen's hands flew to her neck. Desperately she began trying to unhook the tiny clasp. Outside the bedroom door, the harsh voices and heavy footsteps continued.

"I can't get it open!" Ellen said frantically. "I never take it off—I can't even remember how to open it!"

Annemarie heard a voice just outside the door. "What is here?"

"Shhh," her mother replied. "My daughters' bedroom. They are sound asleep."

"Hold still," Annemarie commanded. "This will hurt." She grabbed the little gold chain, yanked with all her strength, and broke it. As the door opened and light flooded into the bedroom, she crumpled it into her hand and closed her fingers tightly.

Terrified, both girls looked up at the three Nazi officers who entered the room.

One of the men aimed a flashlight around the bedroom. He went to the closet and looked inside. Then with a sweep of his gloved hand he pushed to the floor several coats and a bathrobe that hung from pegs on the wall.

There was nothing else in the room except a chest of drawers, the blue decorated trunk in the corner, and a heap of Kirsti's dolls piled in a small rocking chair. The flashlight beam touched each thing in turn. Angrily the officer turned toward the bed.

"Get up!" he ordered. "Come out here!"

Trembling, the two girls rose from the bed and followed him, brushing past the two remaining officers in the doorway, to the living room.

Annemarie looked around. These three uniformed men were different from the ones on the street corners. The street soldiers were often young, sometimes ill at ease, and Annemarie remembered how the Giraffe had, for a moment, let his harsh pose slip and had smiled at Kirsti.

But these men were older and their faces were set with anger.

Her parents were standing beside each other, their faces tense, but Kirsti was nowhere in sight. Thank goodness that Kirsti slept through almost everything. If they had wakened her, she would be wailing—or worse, she would be angry, and her fists would fly.

"Your names?" the officer barked.

"Annemarie Johansen. And this is my sister—"

"Quiet! Let her speak for herself. Your name?" He was glaring at Ellen.

Ellen swallowed. "Lise," she said, and cleared her throat. "Lise Johansen."

The officer stared at them grimly.

"Now," Mama said in a strong voice, "you have seen that we are not hiding anything. May my children go back to bed?"

The officer ignored her. Suddenly he grabbed a handful of Ellen's hair. Ellen winced.

He laughed scornfully. "You have a blond child sleeping in the other room. And you have this blond daughter—" He gestured toward Annemarie with his head. "Where did you get the dark-haired one?" He twisted the lock of Ellen's hair. "From a different father? From the milkman?"

Papa stepped forward. "Don't speak to my wife in such a way. Let go of my daughter or I will report you for such treatment."

"Or maybe you got her someplace else?" the officer continued with a sneer. "From the Rosens?"

For a moment no one spoke. Then Annemarie, watching in panic, saw her father move swiftly to the small bookcase and take out a book. She saw that he was holding the family photograph album. Very quickly he searched through its pages, found what he was looking for, and tore out three pictures from three separate pages.

He handed them to the German officer, who released Ellen's hair.

"You will see each of my daughters, each with her name written on the photograph," Papa said.

Annemarie knew instantly which photographs he had chosen. The album had many snapshots—all the poorly focused pictures of school events and birthday parties. But it also contained a portrait, taken by a photographer, of each girl as a tiny infant. Mama had written, in her delicate handwriting, the name of each baby daughter across the bottom of those photographs.

She realized too, with an icy feeling, why Papa had torn them from the book. At the bottom of each page, below the photograph itself, was written the date. And the real Lise Johansen had been born twenty-one years earlier.

"Kirsten Elisabeth," the officer read, looking at Kirsti's baby picture. He let the photograph fall to the floor.

"Annemarie," he read next, glanced at her, and dropped the second photograph.

"Lise Margrete," he read finally, and stared at Ellen for a long, unwavering moment. In her mind, Annemarie pictured the photograph that he held: the baby, wide-eyed, propped against a pillow, her tiny hand holding a silver teething ring, her bare feet visible below the hem of an embroidered dress. The wispy curls. Dark.

The officer tore the photograph in half and dropped the pieces on the floor. Then he turned, the heels of his shiny boots grinding into the pictures, and left the apartment. Without a word, the other two officers followed. Papa stepped forward and closed the door behind him.

Annemarie relaxed the clenched fingers of her right hand, which still clutched Ellen's necklace. She looked down, and saw that she had imprinted the Star of David into her palm.

6

Is the Weather
Good for Fishing?

"We must think what to do," Papa said. "They are suspicious, now. To be honest, I thought that if they came here at all—and I hoped they wouldn't—that they would just glance around, see that we had no place to hide anyone, and would go away."

"I'm sorry I have dark hair," Ellen murmured. "It made them suspicious."

Mama reached over quickly and took Ellen's hand. "You have beautiful hair, Ellen, just like your mama's," she said. "Don't ever be sorry for that. Weren't we lucky that Papa thought so quickly and found the pictures? And weren't we lucky that Lise had dark hair when she was a baby? It turned blond later on, when she was two or so."

"In between," Papa added, "she was bald for a while!"

Ellen and Annemarie both smiled tentatively. For a moment their fear was eased.

Tonight was the first time, Annemarie realized

suddenly, that Mama and Papa had spoken of Lise. The first time in three years.

Outside, the sky was beginning to lighten. Mrs. Johansen went to the kitchen and began to make tea.

"I've never been up so early before," Annemarie said. "Ellen and I will probably fall asleep in school today!"

Papa rubbed his chin for a moment, thinking. "I think we must not take the risk of sending you to school today," he said. "It is possible that they will look for the Jewish children in the schools."

"Not go to school?" Ellen asked in amazement. "My parents have always told me that education is the most important thing. Whatever happens, I must get an education."

"This will only be a vacation, Ellen. For now, your safety is the most important thing. I'm sure your parents would agree. Inge?" Papa called Mama in the kitchen, and she came to the doorway with a teacup in her hand and a questioning look on her face.

"Yes?"

"We must take the girls to Henrik's. You remember what Peter told us. I think today is the day to go to your brother's."

Mrs. Johansen nodded. "I think you are right. But I will take them. You must stay here."

"Stay here and let you go alone? Of course not. I wouldn't send you on a dangerous trip alone."

Mama put a hand on Papa's arm. "If only I go with the girls, it will be safer. They are unlikely to suspect a woman and her children. But if they are watching us—if they see all of us leave? If they are aware that the apartment is empty, that you don't go to your office this morning? Then they will know. Then it will be dangerous. I am not afraid to go alone."

It was very seldom that Mama disagreed with Papa. Annemarie watched his face and knew that he was struggling with the decision. Finally he nodded, reluctantly.

"I will pack some things," Mama said. "What time is it?"

Papa looked at his watch. "Almost five," he said.

"Henrik will still be there. He leaves around five. Why don't you call him?"

Papa went to the telephone. Ellen looked puzzled. "Who is Henrik? Where does he go at five in the morning?" she asked.

Annemarie laughed. "He's my uncle—my mother's brother. And he's a fisherman. They leave very early, all the fishermen, each morning—their boats go out at sunrise.

"Oh, Ellen," she went on. "You will love it there. It is where my grandparents lived, where Mama and

Uncle Henrik grew up. It is so beautiful—right on the water. You can stand at the edge of the meadow and look across to Sweden!"

She listened while Papa spoke on the telephone to Uncle Henrik, telling him that Mama and the children were coming for a visit. Ellen had gone into the bathroom and closed the door; Mama was still in the kitchen. So only Annemarie was listening.

It was a very puzzling conversation.

"So, Henrik, is the weather good for fishing?" Papa asked cheerfully, and listened briefly.

Then he continued, "I'm sending Inge to you today with the children, and she will be bringing you a carton of cigarettes.

"Yes, just one," he said, after a moment. Annemarie couldn't hear Uncle Henrik's words. "But there are a lot of cigarettes available in Copenhagen now, if you know where to look," he went on, "and so there will be others coming to you as well, I'm sure."

But it wasn't true. Annemarie was quite certain it wasn't true. Cigarettes were the thing that Papa missed, the way Mama missed coffee. He complained often—he had complained only yesterday—that there were no cigarettes in the stores. The men in his office, he said, making a face, smoked almost anything: sometimes dried weeds rolled in paper, and the smell was terrible.

Why was Papa speaking that way, almost as if he were speaking in code? What was Mama *really* taking to Uncle Henrik?

Then she knew. It was Ellen.

The train ride north along the Danish coast was very beautiful. Again and again they could see the sea from the windows. Annemarie had made this trip often to visit her grandparents when they were alive, and later, after they were gone, to see the cheerful, suntanned, unmarried uncle whom she loved.

But the trip was new to Ellen, who sat with her face pressed to the window, watching the lovely homes along the seaside, the small farms and villages.

"Look!" Annemarie exclaimed, and pointed to the opposite side. "It's Klampenborg, and the Deer Park! Oh, I wish we could stop here, just for a little while!"

Mama shook her head. "Not today," she said. The train did stop at the small Klampenborg station, but none of the few passengers got off. "Have you ever been there, Ellen?" Mama asked, but Ellen said no.

"Well, someday you will go. Someday you will walk through the park and you will see hundreds of deer, tame and free."

Kirsti wriggled to her knees and peered through the window. "I don't see any deer!" she complained.

"They are there, I'm sure," Mama told her. "They're hiding in the trees."

The train started again. The door at the end of their car opened and two German soldiers appeared. Annemarie tensed. Not here, on the train, too? They were *everywhere*.

Together the soldiers strolled through the car, glancing at passengers, stopping here and there to ask a question. One of them had something stuck in his teeth; he probed with his tongue and distorted his own face. Annemarie watched with a kind of frightened fascination as the pair approached.

One of the soldiers looked down with a bored expression on his face. "Where are you going?" he asked.

"Gilleleje," Mama replied calmly. "My brother lives there. We are going to visit him."

The soldier turned away and Annemarie relaxed. Then, without warning, he turned back. "Are you visiting your brother for the New Year?" he asked suddenly.

Mama stared at him with a puzzled look. "New Year?" she asked. "It is only October."

"And guess what!" Kirsti exclaimed suddenly, in a loud voice, looking at the soldier.

Annemarie's heart sank and she looked at her mother. Mama's eyes were frightened. "Shhh, Kirsti," Mama said. "Don't chatter so."

But Kirsti paid no attention to Mama, as usual. She looked cheerfully at the soldier, and Annemarie knew what she was about to say: This is our friend Ellen and it's *her* New Year!

But she didn't. Instead, Kirsti pointed at her feet. "I'm going to visit my Uncle Henrik," she chirped, "and I'm wearing my brand-new shiny black shoes!"

The soldier chuckled and moved on.

Annemarie gazed through the window again. The trees, the Baltic Sea, and the cloudy October sky passed in a blur as they continued north along the coast.

"Smell the air," Mama said when they stepped off the train and made their way to the narrow street. "Isn't it lovely and fresh? It always brings back memories for me."

The air was breezy and cool, and carried the sharp, not unpleasant smell of salt and fish. High against the pale clouds, seagulls soared and cried out as if they were mourning.

Mama looked at her watch. "I wonder if Henrik will be back yet. But it doesn't matter. The house is always unlocked. Come on, girls, we'll walk. It isn't far, just a little under two miles. And it's a nice day. We'll take the path through the woods instead of the road. It's a little longer, but it's so pretty."

"Didn't you love the castle when we went through Helsingør, Ellen?" Kirsti asked. She had been talking about Kronborg Castle ever since they had seen it, sprawling massive and ancient, beside the sea, from the train. "I wish we could have stopped to visit the castle. Kings live there. And queens."

Annemarie sighed in exasperation with her little sister. "They do not," she said. "They did in the old days. But there aren't any kings there now. Denmark only *has* one king, anyway. And he lives in Copenhagen."

But Kirsti had pranced away, skipping along the sidewalk. "Kings and queens," she sang happily. "Kings and queens."

Mama shrugged and smiled. "Let her dream, Annemarie. I did the same when I was her age."

She turned, leading the way along a tiny, twisting street, heading toward the outskirts of the village. "Things have hardly changed here since I was a girl," she said. "My Aunt Gitte lived there, in that house"—she pointed—"and she's been dead for years. But the house is the same. She always had wonderful flowers in her garden." She peered over the low stone wall and looked at the few flowering bushes as they passed the house. "Maybe they still do, but it's the wrong time of year—there are just those few chrysanthemums left.

"And see, over there?" She pointed again. "My

best friend—her name was Helena—lived in that house. Sometimes I used to spend the night with her. But more often she came to my house, on weekends. It was more fun to be in the country.

"My brother Henrik always teased us, though," she continued with a chuckle. "He told us ghost stories and scared us half to death."

The sidewalk ended and Mama turned onto a dirt path bordered by trees. "When I walked each morning into town for school," she said, "my dog followed me this far. At the end of the path he turned and went back home. I guess he was a country dog and didn't like town.

"And do you know what?" she went on, smiling. "I had named him Trofast—Faithful. And it was just the right name for him, because what a faithful dog he was! Every afternoon he was always right here, waiting for me to return. He knew the right time, somehow. Sometimes, as I come around this bend, even today, I feel as if I might come upon Trofast, waiting still, with his tail wagging."

But the path was empty today. No people. No faithful dogs. Mama shifted the bag she was carrying from one hand to the other, and they walked on through the woods until the path opened to a meadow dotted with cows. Here the path skirted the edge of the field, along a fence, and beyond it they could see the gray sea, ruffled by wind. The breeze moved the high grass.

At the end of the pasture, they entered the woods again and Annemarie knew they would soon be there. Uncle Henrik's house was in a clearing beyond these woods.

"Do you mind if I run ahead?" she asked suddenly. "I want to be the first to see the house!"

"Go on," Mama told her. "Run ahead and tell the house we've come home."

Then she put her arm around Ellen's shoulders and added, "Say that we've brought a friend."

7

The House by the Sea

"Oh, Annemarie," Ellen said, with awe in her voice, "it is beautiful."

Annemarie looked around and nodded her head in agreement. The house and the meadows that surrounded it were so much a part of her childhood, a part of her life, that she didn't often look at them with fresh eyes. But now she did, seeing Ellen's pleasure. And it was true. They were beautiful.

The little red-roofed farmhouse was very old, its chimney crooked and even the small, shuttered windows tilted at angles. A bird's nest, wispy with straw, was half hidden in the corner where the roof met the wall above a bedroom window. Nearby, a gnarled tree was still speckled with a few apples now long past ripe.

Mama and Kirsti had gone inside, but Annemarie and Ellen ran across the high-grassed meadow, through the late wildflowers. From nowhere, a gray kitten appeared and ran beside them, pouncing here and there upon imagined mice, pausing to lick its paws, and then darting off again. It pretended to ignore the girls, but looked back often to be certain that they were still there, apparently pleased to have playmates.

The meadow ended at the sea, and the gray water licked there at damp brown grass flattened by the wind and bordered by smooth heavy stones.

"I have never been this close to the sea," Ellen said.

"Of course you have. You've been to the harbor in Copenhagen a million times."

Ellen laughed. "I mean the *real* sea, the way it is here. Open like this—a whole world of water."

Annemarie shook her head in amazement. To live in Denmark, a country surrounded by water, and never to have stood at its edge?

"Your parents are really city people, aren't they?"

Ellen nodded. "My mother is afraid of the ocean," she said, laughing. "She says it is too big for her. And too cold!"

The girls sat on a rock and took off their shoes and socks. They tiptoed across the damp stones and let the water touch their feet. It *was* cold. They giggled and stepped back.

Annemarie leaned down and picked up a brown leaf that floated back and forth with the movement of the water.

"Look," she said. "This leaf may have come from a

tree in Sweden. It could have blown from a tree into the sea, and floated all the way across. See over there?" she said, pointing. "See the land? Way across there? That's Sweden."

Ellen cupped one hand over her eyes and looked across the water at the misty shoreline that was another country. "It's not so very far," she said.

"Maybe," Annemarie suggested, "standing over there are two girls just our age, looking across and saying, 'That's Denmark!'"

They squinted into the hazy distance, as if they might see Swedish children standing there and looking back. But it was too far. They saw only the hazy strip of land and two small boats bobbing up and down in the gray ruffles of separating water.

"I wonder if one of those is your Uncle Henrik's boat," Ellen said.

"Maybe. I can't tell. They're too far away. Uncle Henrik's boat is named the *Ingeborg*," she told Ellen, "for Mama."

Ellen looked around. "Does he keep it right here? Does he tie it up so that it won't float away?"

Annemarie laughed. "Oh, no. In town, at the harbor, there's a big dock, and all the fishing boats go and come from there. That's where they unload their fish. You should smell it! At night they are all there, anchored in the harbor."

"Annemarie! Ellen!" Mama's voice came across

the meadow. The girls looked around, and saw her waving to them. They turned, picked up their shoes, and began walking toward the house. The kitten, who had settled comfortably on the stony shore, rose immediately and followed them.

"I took Ellen down to show her the sea," Annemarie explained when they reached the place where Mama waited. "She'd never been that close before! We started to wade, but it was too cold. I wish we had come in summer so we could swim."

"It's cold even then," Mama said. She looked around. "You didn't see anyone, did you? You didn't talk to anyone?"

Annemarie shook her head. "Just the kitten." Ellen had picked it up, and it lay purring in her arms as she stroked its small head and talked to it softly.

"I meant to warn you. You must stay away from people while we are here."

"But there's no one around here," Annemarie reminded her.

"Even so. If you see anyone at all—even someone you know, one of Henrik's friends—it is better if you come in the house. It is too difficult—maybe even dangerous—to explain who Ellen is."

Ellen looked up and bit her lip. "There aren't soldiers here, too?" she asked.

Mama sighed. "I'm afraid there are soldiers everywhere. And especially now. This is a bad time.

"Come in now and help me fix supper. Henrik will be home soon. Watch the step there; it's loose. Do you know what I have done? I found enough apples for applesauce. Even though there is no sugar, the apples are sweet. Henrik will bring home some fish and there is wood for the fire, so tonight we will be warm and well fed."

"It is not a bad time, then," Annemarie told her. "Not if there is applesauce."

Ellen kissed the kitten's head and let it leap from her arms to the ground. It darted away and disappeared in the tall grass. They followed Mama into the house.

That night, the girls dressed for bed in the small upstairs bedroom they were sharing, the same bedroom that had been Mama's when she was a little girl. Across the hall, Kirsti was already asleep in the wide bed that had once belonged to Annemarie's grandparents.

Ellen touched her neck after she had put on Annemarie's flower-sprigged nightgown, which Mama had packed.

"Where is my necklace?" she asked. "What did you do with it?"

"I hid it in a safe place," Annemarie told her. "A very secret place where no one will ever find it. And I will keep it there for you until it is safe for you to wear it again."

Ellen nodded. "Papa gave it to me when I was very small," she explained.

She sat down on the edge of the old bed and ran her fingers along the handmade quilt that covered it. The flowers and birds, faded now, had been stitched onto the quilt by Annemarie's great-grandmother many years before.

"I wish I knew where my parents are," Ellen said in a small voice as she outlined one of the appliquéd birds with her finger.

Annemarie didn't have an answer for her. She patted Ellen's hand and they sat together silently. Through the window, they could see a thin, round slice of moon appear through the clouds, against the pale sky. The Scandinavian night was not very dark yet, though soon, when winter came, the night would be not only dark but very long, night skies beginning in the late afternoon and lasting through morning.

From downstairs, they could hear Mama's voice, and Uncle Henrik's, talking, catching up on news. Mama missed her brother when she hadn't seen him for a while, Annemarie knew. They were very close. Mama always teased him gently for not marrying; she asked him, laughing, when they were together, whether he had found a good wife yet, one who would keep his house tidier. Henrik teased back, and told Mama that she should come to Gilleleje to live again so that he wouldn't have to do all the chores by himself.

For a moment, to Annemarie, listening, it seemed like all the earlier times, the happy visits to the farm in the past with summer daylight extending beyond bedtime, with the children tucked away in the bedrooms and the grown-ups downstairs talking.

But there was a difference. In the earlier times, she had always overheard laughter. Tonight there was no laughter at all.

8
There Has Been a Death

Through a haze of dreams Annemarie heard Henrik rise and leave the house, headed for the barn with his milking pail, at daybreak. Later, when she woke again, it was morning. She could hear birds calling outside, one of them close by the window in the apple tree; and she could hear Mama below, in the kitchen, talking to Kirsti.

Ellen was still asleep. The night before, so shortened by the soldiers in the Copenhagen apartment, seemed long ago. Annemarie rose quietly so that she wouldn't wake her friend. She pulled on her clothes and went down the narrow, curved staircase to find her sister kneeling on the kitchen floor trying to make the gray kitten drink water from a bowl.

"Silly," she said. "Kittens like milk, not water."

"I am teaching this one new habits," Kirsti explained importantly. "And I have named him Thor, for the God of Thunder."

Annemarie burst out laughing. She looked at the tiny kitten, who was shaking his head, irritated at his wet whiskers as Kirsti kept trying to dip his face to the water. "God of Thunder?" Annemarie said. "He looks as if he would run and *hide* if there were a thunderstorm!"

"He has a mother someplace who would comfort him, I imagine," Mama said. "And when he wants milk, he'll find his mama."

"Or he could go visit the cow," Kirsti said.

Although Uncle Henrik no longer raised crops on the farm, as his parents had, he still kept a cow, who munched happily on the meadow grass and gave a little milk each day in return. Now and then he was able to send cheese into Copenhagen to his sister's family. This morning, Annemarie noticed with delight, Mama had made oatmeal, and there was a pitcher of cream on the table. It was a very long time since she had tasted cream. At home they had bread and tea every morning.

Mama followed Annemarie's eyes to the pitcher. "Fresh from Blossom," she said. "Henrik milks her every morning before he leaves for the boat.

"And," she added, "there's butter, too. Usually not even Henrik has butter, but he managed to save a little this time."

"Save a little from what?" Annemarie asked, spooning oatmeal into a flowered bowl. "Don't tell me the soldiers try to—what's the word?—*relocate* butter, too?" She laughed at her own joke.

But it wasn't a joke at all, though Mama laughed ruefully. "They do," she said. "They relocate all the farmers' butter, right into the stomach of their army! I suppose that if they knew Henrik had kept this tiny bit, they would come with guns and march it away, down the path!"

Kirsti joined their laughter, as the three of them pictured a mound of frightened butter under military arrest. The kitten darted away when Kirsti's attention was distracted, and settled on the windowsill. Suddenly, here in this sunlit kitchen, with cream in a pitcher and a bird in the apple tree beside the door—and out in the Kattegat, where Uncle Henrik, surrounded by bright blue sky and water, pulled in his nets filled with shiny silver fish—suddenly the specter of guns and grim-faced soldiers seemed nothing more than a ghost story, a joke with which to frighten children in the dark.

Ellen appeared in the kitchen doorway, smiling sleepily, and Mama put another flowered bowl of steaming oatmeal on the old wooden table.

"*Cream,*" Annemarie said, gesturing to the pitcher with a grin.

All day long the girls played out of doors under the brilliant clear sky and sun. Annemarie took Ellen to the small pasture beyond the barn and introduced her to Blossom, who gave a lazy, rough-textured lick to the palm of Ellen's hand when she extended it timidly. The kitten scampered about and chased flying insects across the meadow. The girls picked armfuls of wildflowers dried brown, now, by the early fall chill, and arranged them in pots and pitchers until the tabletops were crowded with their bouquets.

Inside the house, Mama scrubbed and dusted, tsk-tsking at Uncle Henrik's untidy housekeeping. She took the rugs out to the clothesline and beat them with a stick, scattering dust into the air.

"He needs a wife," she said, shaking her head, and attacked the old wooden floors with a broom while the rugs aired.

"Just look at this," she said, opening the door to the little-used formal living room with its old-fashioned furniture. "He *never* dusts." And she picked up her cleaning rags.

"And, Kirsti," she added, "the God of Thunder made a very small rain shower in the corner of the kitchen floor. Keep an eye on him."

Late in the afternoon, Uncle Henrik came home. He grinned when he saw the newly cleaned and polished house, the double doors to the living room wide open, the rugs aired, and the windows washed.

"Henrik, you need a wife," Mama scolded him.

Uncle Henrik laughed and joined Mama on the steps near the kitchen door. "Why do I need a wife, when I have a sister?" he asked in his booming voice.

Mama sighed, but her eyes were twinkling. "And you need to stay home more often to take care of the house. This step is broken, and there is a leaking faucet in the kitchen. And—"

Henrik was grinning at her, shaking his head in mock dismay. "And there are mice in the attic, and my brown sweater has a big moth hole in the sleeve, and if I don't wash the windows soon—"

They laughed together.

"Anyway," Mama said, "I have opened every window, Henrik, to let the air in, and the sunlight. Thank goodness it is such a beautiful day."

"Tomorrow will be a day for fishing," Henrik said, his smile disappearing.

Annemarie, listening, recognized the odd phrase. Papa had said something like it on the telephone. "Is the weather good for fishing, Henrik?" Papa had asked. But what did it mean? Henrik went fishing every day, rain or shine. Denmark's fishermen didn't wait for sunny days to take their boats out and throw their nets into the sea. Annemarie, silent, sitting with Ellen under the apple tree, watched her uncle.

Mama looked at him. "The weather is right?" she asked.

Henrik nodded and looked at the sky. He smelled the air. "I will be going back to the boat tonight after supper. We will leave very early in the morning. I will stay on the boat all night."

Annemarie wondered what it would be like to be on a boat all night. To lie at anchor, hearing the sea slap against the sides. To see the stars from your place on the sea.

"You have prepared the living room?" Uncle Henrik asked suddenly.

Mama nodded. "It is cleaned, and I moved the furniture a bit to make room.

"And you saw the flowers," she added. "I hadn't thought of it, but the girls picked dried flowers from the meadow."

"Prepared the living room for what?" Annemarie asked. "Why did you move the furniture?"

Mama looked at Uncle Henrik. He had reached down for the kitten, scampering past, and now held it against his chest and scratched its chin gently. It arched its small back with pleasure.

"Well, girls," he said, "it is a sad event, but not *too* sad, really, because she was very, very old. There has been a death, and tonight your great-aunt Birte will be resting in the living room, in her casket, before she is buried tomorrow. It is the old custom, you know, for the dead to rest at home, and their loved ones to be with them before burial."

Kirsti was listening with a fascinated look. "Right here?" she asked. "A dead person right here?"

Annemarie said nothing. She was confused. This was the first she had heard of a death in the family. No one had called Copenhagen to say that there had been a death. No one had seemed sad.

And—most puzzling of all—she had never heard the name before. Great-aunt Birte. *Surely* she would have known if she had a relative by that name. Kirsti might not; Kirsti was little and didn't pay attention to such things.

But Annemarie did. She had always been fascinated by her mother's stories of her own childhood. She remembered the names of all the cousins, the great-aunts, and -uncles: who had been a tease, who had been a grouch, who had been such a scold that her husband had finally moved away to a different house, though they continued to have dinner together every night. Such wonderful, interesting stories, filled with the colorful personalities of her mother's family.

And Annemarie was quite, quite certain, though she said nothing. There was no Great-aunt Birte. She didn't exist.

9
Why Are You Lying?

Annemarie went outside alone after supper. Through the open kitchen window she could hear Mama and Ellen talking as they washed the dishes. Kirsti, she knew, was busy on the floor, playing with the old dolls she had found upstairs, the dolls that had been Mama's once, long ago. The kitten had fled when she tried to dress it, and disappeared.

She wandered to the barn, where Uncle Henrik was milking Blossom. He was kneeling on the straw-covered floor beside the cow, his shoulder pressed against her heavy side, his strong tanned hands rhythmically urging her milk into the spotless bucket. The God of Thunder sat alertly poised nearby, watching.

Blossom looked up at Annemarie with big brown eyes, and moved her wrinkled mouth like an old woman adjusting false teeth.

Annemarie leaned against the ancient splintery wood of the barn wall and listened to the sharp rattling sound of the streams of milk as they hit the sides of the bucket. Uncle Henrik glanced over at her and smiled without pausing in the rhythm of milking. He didn't say anything.

Through the barn windows, the pinkish light of sunset fell in irregular shapes upon the stacked hay. Flecks of dust and straw floated there, in the light.

"Uncle Henrik," Annemarie said suddenly, her voice cold, "you are lying to me. You and Mama both."

His strong hands continued, deftly pressing like a pulse against the cow. The steady streams of milk still came. He looked at her again, his deep blue eyes kind and questioning. "You are angry," he said.

"Yes. Mama has never lied to me before. Never. But I know there is no Great-aunt Birte. Never once, in all the stories I've heard, in all the old pictures I've seen, has there been a Great-aunt Birte."

Uncle Henrik sighed. Blossom looked back at him, as if to say "Almost done," and, indeed, the streams of milk lessened and slowed.

He tugged at the cow gently but firmly, pulling down the last of the milk. The bucket was half full, frothy on the top. Finally he set it aside and washed the cow's udder with a clean damp cloth. Then he lifted the bucket to a shelf and covered it. He rubbed the cow's neck affectionately. At last he turned to Annemarie as he wiped his own hands with the cloth.

"How brave are you, little Annemarie?" he asked suddenly.

She was startled. And dismayed. It was a question she did not want to be asked. When she asked it of herself, she didn't like her own answer.

"Not very," she confessed, looking at the floor of the barn.

Tall Uncle Henrik knelt before her so that his face was level with hers. Behind him, Blossom lowered her head, grasped a mouthful of hay in her mouth, and drew it in with her tongue. The kitten cocked its head, waiting, still hoping for spilled milk.

"I think that is not true," Uncle Henrik said. "I think you are like your mama, and like your papa, and like me. Frightened, but determined, and if the time came to be brave, I am quite sure you would be very, very brave.

"But," he added, "it is much *easier* to be brave if you do not know everything. And so your mama does not know everything. Neither do I. We know only what we need to know.

"Do you understand what I am saying?" he asked, looking into her eyes.

Annemarie frowned. She wasn't sure. What did bravery mean? She had been very frightened the day—not long ago, though now it seemed far in the past—when the soldier had stopped her on the street and asked questions in his rough voice.

And she had not known everything then. She had not known that the Germans were going to take away the Jews. And so, when the soldier asked, looking at Ellen that day, "What is your friend's name?" she had been able to answer him, even though she was frightened. If she had known everything, it would not have been so easy to be brave.

She began to understand, just a little. "Yes," she said to Uncle Henrik, "I think I understand."

"You guessed correctly," he told her. "There is no Great-aunt Birte, and never has been. Your mama lied to you, and so did I.

"We did so," he explained, "to help you to be brave, because we love you. Will you forgive us for that?"

Annemarie nodded. She felt older, suddenly.

"And I am not going to tell you any more, not now, for the same reason. Do you understand?"

Annemarie nodded again. Suddenly there was a noise outside. Uncle Henrik's shoulders stiffened. He rose quickly, went to the window of the barn, stood in the shadows, and looked out. Then he turned back to Annemarie.

"It is the hearse," he said. "It is Great-aunt Birte,

who never was." He smiled wryly. "So, my little friend, it is time for the night of mourning to begin. Are you ready?"

Annemarie took her uncle's hand and he led her from the barn.

The gleaming wooden casket rested on supports in the center of the living room and was surrounded by the fragile, papery flowers that Annemarie and Ellen had picked that afternoon. Lighted candles stood in holders on the table and cast a soft, flickering light. The hearse had gone, and the solemn-faced men who had carried the casket indoors had gone with it, after speaking quietly to Uncle Henrik.

Kirsti had gone to bed reluctantly, complaining that she wanted to stay up with the others, that she was grown-up enough, that she had never before seen a dead person in a closed-up box, that it wasn't *fair*. But Mama had been firm, and finally Kirsti, sulking, had trudged upstairs with her dolls under one arm and the kitten under the other.

Ellen was silent, and had a sad expression. "I'm so sorry your Aunt Birte died," Annemarie heard her say to Mama, who smiled sadly and thanked her.

Annemarie had listened and said nothing. So now I, too, am lying, she thought, and to my very best friend. I could tell Ellen that it isn't true, that there is no Great-aunt Birte. I could take her aside and whisper the secret to her so that she wouldn't have to feel sad.

But she didn't. She understood that she was protecting Ellen the way her mother had protected her. Although she didn't understand what was happening, or why the casket was there—or who, in truth, was in it—she knew that it was better, *safer*, for Ellen to believe in Great-aunt Birte. So she said nothing.

Other people came as the night sky grew darker. A man and a woman, both of them dressed in dark clothing, the woman carrying a sleeping baby, appeared at the door, and Uncle Henrik gestured them inside. They nodded to Mama and to the girls. They went, following Uncle Henrik, to the living room and sat down quietly.

"Friends of Great-aunt Birte," Mama said quietly in response to Annemarie's questioning look. Annemarie knew that Mama was lying again, and she could see that Mama understood that she knew. They looked at each other for a long time and said nothing. In that moment, with that look, they became equals.

From the living room came the sound of a sleepy baby's brief wail. Annemarie glanced through the door and saw the woman open her blouse and begin to nurse the infant, who quieted.

Another man arrived: an old man, bearded.

Quietly he went to the living room and sat down, saying nothing to the others, who only glanced at him. The young woman lifted her baby's blanket, covering its face and her own breast. The old man bent his head forward and closed his eyes, as if he were praying. His mouth moved silently, forming words that no one could hear.

Annemarie stood in the doorway, watching the mourners as they sat in the candlelit room. Then she turned back to the kitchen and began to help Ellen and Mama as they prepared food.

In Copenhagen, she remembered, when Lise died, friends had come to their apartment every evening. All of them had brought food so that Mama wouldn't need to cook.

Why hadn't these people brought food? Why didn't they talk? In Copenhagen, even though the talk was sad, people had spoken softly to one another and to Mama and Papa. They had talked about Lise, remembering happier times.

Thinking about it as she sliced cheese in the kitchen, Annemarie realized that these people had nothing to talk about. They couldn't speak of happier times with Great-aunt Birte when there had never been a Great-aunt Birte at all.

Uncle Henrik came into the kitchen. He glanced at his watch and then at Mama. "It's getting late," he said. "I should go to the boat." He looked worried.

He blew out the candles so that there would be no light at all, and opened the door. He stared beyond the gnarled apple tree into the darkness.

"Good. Here they come," he said in a low, relieved voice. "Ellen, come with me."

Ellen looked questioningly toward Mama, who nodded. "Go with Henrik," she said.

Annemarie watched, still holding the wedge of firm cheese in her hand, as Ellen followed Uncle Henrik into the yard. She could hear a sharp, low cry from Ellen, and then the sound of voices speaking softly.

In a moment Uncle Henrik returned. Behind him was Peter Neilsen.

Tonight Peter went first to Mama and hugged her. Then he hugged Annemarie and kissed her on the cheek. But he said nothing. There was no playfulness to his affection tonight, just a sense of urgency, of worry. He went immediately to the living room, looked around, and nodded at the silent people there.

Ellen was still outside. But in a moment the door opened and she returned—held tightly, like a little girl, her bare legs dangling, against her father's chest. Her mother was beside them.

10
Let Us Open the Casket

"You are all here now," Uncle Henrik said, looking around the living room. "I must go."

Annemarie stood in the wide doorway, looking in from the hall. The baby slept now, and its mother looked tired. Her husband sat beside her, his arm across her shoulders. The old man's head was still bent.

Peter sat alone, leaning forward with his elbows on his knees. It was clear that he was deep in thought.

On the sofa Ellen sat between her parents, one hand clasped tightly in her mother's. She looked up at Annemarie but didn't smile. Annemarie felt a surge of sadness; the bond of their friendship had not broken, but it was as if Ellen had moved now into a different world, the world of her own family and whatever lay ahead for them.

The elderly bearded man looked up suddenly as Uncle Henrik prepared to go. "God keep you safe," he said in a firm but quiet voice.

Henrik nodded. "God keep us all safe," he

replied. Then he turned and left the room. A moment later Annemarie heard him leave the house.

Mama brought the teapot from the kitchen, and a tray of cups. Annemarie helped her pass the cups around. No one spoke.

"Annemarie," Mama whispered to her in the hall, "you may go to bed if you want to. It is very late."

Annemarie shook her head. But she was tired. She could see that Ellen was, too; her friend's head was leaning on her mother's shoulder, and her eyes closed now and then.

Finally Annemarie went to the empty rocking chair in the corner of the living room and curled there with her head against its soft, padded back. She dozed.

She was startled from her half sleep by the sudden sweep of headlights, through the sheer curtains and across the room, as a car pulled up outside. The car doors slammed. Everyone in the room tensed, but no one spoke.

She heard—as if in a recurring nightmare—the pounding on the door, and then the heavy, frighteningly familiar staccato of boots on the kitchen floor. The woman with the baby gasped and began, suddenly, to weep.

The male, accented voice from the kitchen was loud. "We have observed," he said, "that an unusual number of people have gathered at this house tonight. What is the explanation?"

"There has been a death," Mama's voice replied calmly. "It is always our custom to gather and pay our respects when a family member dies. I am sure you are familiar with our customs."

One of the officers pushed Mama ahead of him from the kitchen and entered the living room. There were others behind him. They filled the wide doorway. As always, their boots gleamed. Their guns. Their helmets. All of them gleamed in the candlelight.

Annemarie watched as the man's eyes moved around the room. He looked for a long time at the casket. Then he moved his gaze, focusing on each person in turn. When his eyes reached her, she looked back at him steadily.

"Who died?" he asked harshly.

No one answered. They watched Annemarie, and she realized that the officer was directing the question at her.

Now she knew for certain what Uncle Henrik had meant when he had talked to her in the barn. To be brave came more easily if you knew nothing.

She swallowed. "My great-aunt Birte," she lied, in a firm voice.

The officer moved forward suddenly, across the room, to the casket. He placed one gloved hand on its lid. "Poor Great-aunt Birte," he said, in a condescending voice.

"I *do* know your customs," he said, turning his

gaze toward Mama, who still stood in the doorway. "And I know it is the custom to pay one's respects by looking your loved one in the face. It seems odd to me that you have closed this coffin up so tightly." His hand was in a fist, and he rubbed it across the edge of the polished lid.

"Why is it not open?" he demanded. "Let us open it up and take one last look at Great-aunt Birte!"

Annemarie saw Peter, across the room, stiffen in his chair, lift his chin, and reach slowly with one hand toward his side.

Mama walked quickly across the room, directly to the casket, directly to the officer. "You're right," she said. "The doctor said it should be closed, because Aunt Birte died of typhus, and he said that there was a chance the germs would still be there, would still be dangerous. But what does he know—only a country doctor, and an old man at that? Surely typhus germs wouldn't linger in a dead person! And dear Aunt Birte; I have been longing to see her face, to kiss her goodbye. Of *course* we will open the casket! I am glad you suggested—"

With a swift motion the Nazi officer slapped Mama across her face. She staggered backward, and a white mark on her cheek darkened.

"You foolish woman," he spat. "To think that we have any interest in seeing the body of your diseased aunt! Open it after we leave," he said.

With one gloved thumb he pressed a candle flame into darkness. The hot wax spattered the table. "Put all these candles out," he said, "or pull the curtains."

Then he strode to the doorway and left the room. Motionless, silent, one hand to her cheek, Mama listened—they all listened—as the uniformed men left the house. In a moment they heard the car doors, the sound of its engine, and finally they heard it drive away.

"Mama!" Annemarie cried.

Her mother shook her head quickly, and glanced at the open window covered only by the sheer curtain. Annemarie understood. There might still be soldiers outside, watching, listening.

Peter stood and drew the dark curtains across the windows. He relit the extinguished candle. Then he reached for the old Bible that had always been there, on the mantel. He opened it quickly and said, "I will read a psalm."

His eyes turned to the page he had opened at random, and he began to read in a strong voice.

> O praise the Lord.
> How good it is to sing psalms to our God!
> How pleasant to praise him!
> The Lord is rebuilding Jerusalem;
> he gathers in the scattered sons of Israel.
> It is he who heals the broken in spirit

and binds up their wounds,
he who numbers the stars one by one . . .

Mama sat down and listened. Gradually they each began to relax. Annemarie could see the old man across the room, moving his lips as Peter read; he knew the ancient psalm by heart.

Annemarie didn't. The words were unfamiliar to her, and she tried to listen, tried to understand, tried to forget the war and the Nazis, tried not to cry, tried to be brave. The night breeze moved the dark curtains at the open windows. Outside, she knew, the sky was speckled with stars. How could anyone number them one by one, as the psalm said? There were too many. The sky was too big.

Ellen had said that her mother was frightened of the ocean, that it was too cold and too big.

The sky was, too, thought Annemarie. The whole *world* was: too cold, too big. And too cruel.

Peter read on, in his firm voice, though it was clear he was tired. The long minutes passed. They seemed hours.

Finally, still reading, he moved quietly to the window. He closed the Bible and listened to the quiet night. Then he looked around the room. "Now," he said, "it is time."

First he closed the windows. Then he went to the casket and opened the lid.

11

Will We See You
Again Soon, Peter?

Annemarie blinked. Across the dark room, she saw Ellen, too, peering into the narrow wooden box in surprise.

There was no one in the casket at all. Instead, it seemed to be stuffed with folded blankets and articles of clothing.

Peter began to lift the things out and distribute them to the silent people in the room. He handed heavy coats to the man and wife, and another to the old man with the beard.

"It will be very cold," he murmured. "Put them on." He found a thick sweater for Mrs. Rosen, and a woolen jacket for Ellen's father. After a moment of rummaging through the folded things, he found a smaller winter jacket, and handed it to Ellen.

Annemarie watched as Ellen took the jacket in her arms and looked at it. It was patched and worn. It was true that there had been few new clothes for anyone during the recent years; but still, Ellen's mother had always managed to make clothes for her daughter, often using old things that she was able to take apart and refashion in a way that made them seem brand-new. Never had Ellen worn anything so shabby and old.

But she put it on, pulled it around her, and buttoned the mismatched buttons.

Peter, his arms full of the odd pieces of clothing, looked toward the silent couple with the infant. "I'm sorry," he said to them. "There is nothing for a baby."

"I'll find something," Mama said quickly. "The baby must be warm." She left the room and was back in a moment with Kirsti's thick red sweater.

"Here," she said softly to the mother. "It will be much too big, but that will make it even warmer for him."

The woman spoke for the first time. "Her," she whispered. "She's a girl. Her name is Rachel."

Mama smiled and helped her direct the sleeping baby's arms into the sleeves of the sweater. Together they buttoned the heart-shaped buttons—how Kirsti loved that sweater, with its heart buttons!—until the tiny child was completely encased in the warm red wool. Her eyelids fluttered but she didn't wake.

Peter reached into his pocket and took something out. He went to the parents and leaned down toward the baby. He opened the lid of the small bottle in his hand.

"How much does she weigh?" Peter asked.

"She was seven pounds when she was born," the young woman replied. "She's gained a little, but not very much. Maybe she weighs eight pounds now, no more."

"A few drops will be enough, then. It has no taste. She won't even notice."

The mother tightened her arms around the baby and looked up at Peter, pleading. "Please, no," she said. "She always sleeps all night. Please, she doesn't need it, I promise. She won't cry."

Peter's voice was firm. "We can't take a chance," he said. He inserted the dropper of the bottle into the baby's tiny mouth, and squeezed a few drops of liquid onto her tongue. The baby yawned, and swallowed. The mother closed her eyes; her husband gripped her shoulder.

Next, Peter removed the folded blankets from the coffin, one by one, and handed them around: "Carry these with you," he said. "You will need them later, for warmth."

Annemarie's mother moved around the room and gave each person a small package of food: the cheese and bread and apples that Annemarie had helped her prepare in the kitchen hours before.

Finally, Peter took a paper-wrapped packet from the inside of his own jacket. He looked around the room, at the assembled people now dressed in the bulky winter clothing, and then motioned to Mr. Rosen, who followed him to the hall.

Annemarie could overhear their conversation. "Mr. Rosen," Peter said, "I must get this to Henrik. But I might not see him. I am going to take the others only to the harbor and they will go to the boat alone.

"I want you to deliver this. Without fail. It is of great importance." There was a moment of silence in the hall, and Annemarie knew that Peter must be giving the packet to Mr. Rosen.

Annemarie could see it protruding from Mr. Rosen's pocket when he returned to the room and sat down again. She could see, too, that Mr. Rosen had a puzzled look. He didn't know what the packet contained. He hadn't asked.

It was one more time, Annemarie realized, when they protected one another by not telling. If Mr. Rosen knew, he might be frightened. If Mr. Rosen knew, he might be in danger.

So he hadn't asked. And Peter hadn't explained.

"Now," Peter said, looking at his watch, "I will lead the first group. You, and you, and you." He gestured to the old man and to the young people with their baby.

"Inge," he said. Annemarie realized that it was the

first time that she had heard Peter Neilsen call her mother by her first name; before, it had always been "Mrs. Johansen"; or, in the old days, during the merriment and excitement of his engagement to Lise, it had been, occasionally, "Mama." Now it was Inge. It was as if he had moved beyond his own youth and had taken his place in the world of adults. Her mother nodded and waited for his instructions.

"You wait twenty minutes, and then bring the Rosens. Don't come sooner. We must be separate on the path so there is less chance of being seen."

Mrs. Johansen nodded again.

"Come directly back to the house after you have seen the Rosens safely to Henrik. Stay in the shadows and on the back path—you know that, of course.

"By the time you get the Rosens to the boat," Peter went on, "I will be gone. As soon as I deliver my group, I must move on. There is other work to be done tonight."

He turned to Annemarie. "So I will say goodbye to you now."

Annemarie went to him and gave him a hug. "But we will see you again soon?" she asked.

"I hope so," Peter said. "Very soon. Don't grow much more, or you will be taller than I am, little Longlegs!"

Annemarie smiled, but Peter's comment was no

longer the lighthearted fun of the past. It was only a brief grasp at something that had gone.

Peter kissed Mama wordlessly. Then he wished the Rosens Godspeed, and he led the others through the door.

Mama, Annemarie, and the Rosens sat in silence. There was a slight commotion outside the door, and Mama went quickly to look out. In a moment she was back.

"It's all right," she said, in response to their looks. "The old man stumbled. But Peter helped him up. He didn't seem to be hurt. Maybe just his pride," she added, smiling a bit.

It was an odd word: *pride.* Annemarie looked at the Rosens, sitting there, wearing the misshapen, illfitting clothing, holding ragged blankets folded in their arms, their faces drawn and tired. She remembered the earlier, happier times: Mrs. Rosen, her hair neatly combed and covered, lighting the Sabbath candles, saying the ancient prayer. And Mr. Rosen, sitting in the big chair in their living room, studying his thick books, correcting papers, adjusting his glasses, looking up now and then to complain good-naturedly about the lack of decent light. She remembered Ellen in the school play, moving confidently across the stage, her gestures sure, her voice clear.

All of those things, those sources of pride—the

candlesticks, the books, the daydreams of theater—
had been left behind in Copenhagen. They had
nothing with them now; there was only the clothing
of unknown people for warmth, the food from Henrik's farm for survival, and the dark path ahead,
through the woods, to freedom.

Annemarie realized, though she had not really
been told, that Uncle Henrik was going to take
them, in his boat, across the sea to Sweden. She
knew how frightened Mrs. Rosen was of the sea: its
width, its depth, its cold. She knew how frightened
Ellen was of the soldiers, with their guns and boots,
who were certainly looking for them. And she knew
how frightened they all must be of the future.

But their shoulders were as straight as they had
been in the past: in the classroom, on the stage, at
the Sabbath table. So there were other sources, too,
of pride, and they had not left everything behind.

12
Where Was Mama?

Mr. Rosen tripped on the loose step outside the kitchen door. His wife grasped his arm, and he regained his balance.

"It's very dark," Mama whispered as they stood in the yard with their blankets and bundles of food gathered in their arms, "and we can't use any kind of light. I'll go first—I know the way very well—and you follow me. Try not to stumble over the tree roots in the path. Feel carefully with your feet. The path is uneven.

"And be very, very quiet," she added, unnecessarily.

The night was quiet, too. A slight breeze moved in the tops of the trees, and from across the meadow came the sound of the sea's movement, which was a constant sound here and had always been. But no birds called or cried here now, in the night. The cow slept silently in the barn, the kitten upstairs in Kirsti's arms.

There were stars here and there, dotting the sky

among thin clouds, but no moon. Annemarie shivered, standing at the foot of the steps.

"Come," Mama murmured, and she moved away from the house.

One by one the Rosens turned and hugged Annemarie silently. Ellen came to her last; the two girls held each other.

"I'll come back someday," Ellen whispered fiercely. "I *promise.*"

"I know you will," Annemarie whispered back, holding her friend tightly.

Then they were gone, Mama and the Rosens. Annemarie was alone. She went into the house, crying suddenly, and closed the door against the night.

The lid of the casket was closed again. Now the room was empty; there was no sign of the people who had sat there for those hours. Annemarie wiped her eyes with the back of her hand. She opened the dark curtains and the windows; she curled once more in the rocker, trying to relax; she traced their route in her mind. She knew the old path, too—not as well as her mother, who had followed it almost every day of her childhood with her dog scampering behind. But Annemarie had often walked to town and back that way, and she remembered the turns, the twisted trees whose gnarled roots pushed the earth now and then into knotted clumps, and the thick bushes that often flowered in early summer.

She walked with them in her mind, feeling the way through the darkness. It would take them, she thought, half an hour to reach the place where Uncle Henrik was waiting with his boat. Mama would leave them there—pausing a minute, no more, for a final hug—and then she would turn and come home. It would be faster for Mama alone, with no need to wait as the Rosens, unfamiliar with the path, slowly felt their way along. Mama would hurry, sure-footed now, back to her children.

The clock in the hall struck once; it was two-thirty in the morning. Her mother would be home in an hour, Annemarie decided. She rocked gently back and forth in the old chair. Mama would be home by three-thirty.

She thought of Papa, back in Copenhagen alone. He would be awake, too. He would be wishing he could have come, but knowing, too, that he must come and go as always: to the corner store for the newspaper, to his office when morning came. Now he would be afraid for them, and watching the clock, waiting for word that the Rosens were safe, that Mama and the girls were here at the farm, starting a new day with the sun shining through the kitchen window and cream on their oatmeal.

It was harder for the ones who were waiting,

Annemarie knew. Less danger, perhaps, but more fear.

She yawned, and her head nodded. She fell asleep, and it was a sleep as thin as the night clouds, dotted with dreams that came and went like the stars.

Light woke her. But it was not really morning, not yet. It was only the first hint of a slightly lightening sky: a pale gleam at the edge of the meadow, a sign that far away somewhere, to the east where Sweden still slept, morning would be coming soon. Dawn would creep across the Swedish farmland and coast; then it would wash little Denmark with light and move across the North Sea to wake Norway.

Annemarie blinked in confusion, sitting up, remembering after a moment where she was and why. But it was not right, the pale light at the horizon—it should be dark still. It should still be night.

She stood stiffly, stretching her legs, and went to the hall to look at the old clock. It was past four o'clock.

Where was Mama?

Perhaps she had come home, not wanted to wake Annemarie, and had gone to bed herself. Surely that was it. Mama must have been exhausted; she had been up all night, had made the dangerous journey to the boat, and returned through the dark woods, wanting only to sleep.

Quickly Annemarie went up the narrow staircase. The door to the bedroom where she had slept with Ellen was open. The two small beds were neatly made, covered with the old quilts, and empty.

Beside it, Uncle Henrik's door was open, too; and his bed, too, was unused and empty. Despite her worry, Annemarie smiled slightly when she saw some of Henrik's clothes crumpled in a chair and a pair of shoes, caked with the barnyard dirt, lying on the floor.

He needs a wife, she said to herself, imitating Mama.

The door to the other bedroom, the one Kirsti and Mama were sharing, was closed. Quietly, not wanting to wake them, Annemarie pushed it open.

The kitten's ears moved, standing up straight; its eyes opened wide, and it raised its head and yawned. It pried itself out of Kirsti's arms, stretched, and then jumped lightly to the floor and came to Annemarie. It rubbed itself against her leg and purred.

Kirsti sighed and turned in her sleep; one arm, free now of the kitten's warmth and comfort, flung itself across the pillow.

There was no one else in the wide bed.

Annemarie moved quickly to the window, which overlooked the clearing that led to the path's entrance. The light outside was still very dim, and she peered through the dimness, trying to see, looking

for the opening in the trees where the path began,
looking for Mama hurrying home.

After a second she saw a shape there: something
unfamiliar, something that had not been there the
day before. A dark shape, no more than a blurred
heap, at the beginning of the path. Annemarie
squinted, forcing her eyes to understand, needing to
understand, not wanting to understand.

The shape moved. And she knew. It was her
mother, lying on the earth.

13
Run! As Fast As You Can!

Still moving quietly so as not to wake her sister, Annemarie sped down the stairs and through the kitchen door. Her foot caught the loose step and she faltered for a moment, righting herself, then dashed across the ground to the place where her mother lay.

"Mama!" she called desperately. "Mama!"

"Shhh," Mama said, raising her head. "I'm all right!"

"But, Mama," Annemarie asked, kneeling beside her, "what's wrong? What happened?"

Her mother pulled herself to a sitting position. She winced in pain. "I'm all right, really. Don't worry. And the Rosens are with Henrik. That's the important thing."

She smiled a little, though her face was drawn with pain and she bit her lip, the smile fading. "We got there quite quickly, even though it was still so dark and it was difficult for the Rosens, not knowing the path. Henrik was there waiting, on the boat, and he took them aboard and down below so quickly to the cabin that they were invisible in an instant. He said the others were already there; Peter got them there safely, too.

"So I turned and hurried home. I was so anxious to get back to you girls. I should have been more careful." Talking softly, she brushed some grass and dirt from her hands.

"Can you believe it? I was very nearly here—well, maybe just halfway—when I tripped over a root and went sprawling."

Mama sighed. "So clumsy," she said, as if she were scolding herself. "I'm afraid my ankle is broken, Annemarie. Thank goodness it is nothing worse. An ankle mends. And I am home, and the Rosens are with Henrik.

"You should have seen me, Annemarie," she said, shaking her head with a wry look. "Your proper mama, crawling inch by inch! I probably looked like a drunkard!"

She reached for Annemarie's arm. "Here, let me lean on you. I think if you support me on this side, I can make my way up to the house. Goodness, what a clumsy fool I am! Here, let me put my arm over your shoulders. You're such a good, strong, brave girl. Now—very slowly. There."

Mama's face was white with pain. Annemarie could see it even through the faint light of the approaching dawn. She hobbled, leaning heavily on her daughter, pausing again and again, toward the house.

"When we get inside, I'll have a cup of tea and then we'll call the doctor. I'll tell him that I fell on the stairs. You'll have to help me wash away the grass and twigs. Here, Annemarie, let me rest for a minute."

They had reached the house, and Mama sank down to the steps and sat. She took several deep breaths.

Annemarie sat beside her and held her hand. "Mama, I was so worried when you didn't come back."

Mama nodded. "I knew you would be. I thought of you, worrying, as I dragged myself along. But here I am—safe with you, now. Everything is fine. What time is it?"

"It must be four-thirty, or close to it."

"They will sail soon." Mama turned her head and gazed across the meadow to the sea and the vast sky above it. There were no stars now, only the gray, pale sky, with pinkness at its border. "Soon they will be safe, too."

Annemarie relaxed. She stroked her mother's hand and looked down at the discolored, swollen ankle.

"Mama, what is this?" she asked suddenly, reaching into the grass at the foot of the steps.

Mama looked. She gasped. "Oh, my God," she said.

Annemarie picked it up. She recognized it now, knew what it was. It was the packet that Peter had given to Mr. Rosen.

"Mr. Rosen tripped on the step, remember? It must have fallen from his pocket. We'll have to save it and give it back to Peter." Annemarie handed it to her mother. "Do you know what it is?"

Her mother didn't answer. Her face was stricken. She looked at the path and down at her ankle.

"It's important, isn't it, Mama? It was for Uncle Henrik. I remember Peter said it was very important. I heard him tell Mr. Rosen."

Her mother tried to stand, but fell back against the steps with a groan. "My God," she murmured again. "It may all have been for nothing."

Annemarie took the packet from her mother's hand and stood. "I will take it," she said. "I know the way, and it's almost light now. I can run like the wind."

Mama spoke quickly, her voice tense. "Annemarie, go into the house and get the small basket on the table. Quickly, quickly. Put an apple into it, and some cheese. Put this packet underneath; do you understand? *Hurry.*"

Annemarie did instantly as she was told. The basket. The packet, at the bottom. She covered it with a napkin. Then some wrapped cheese. An apple. She glanced around the kitchen, saw some bread, and added that. The little basket was full. She took it to where her mother was.

"You must run to the boat. If anyone should stop you—"

"Who would stop me?"

"Annemarie, you understand how dangerous this is. If any soldiers see you, if they stop you, you must pretend to be nothing more than a little girl. A silly, empty-headed little girl, taking lunch to a fisherman, a foolish uncle who forgot his bread and cheese."

"Mama, what *is* it in the bottom?"

But her mother still didn't answer the question. *"Go,"* she said firmly. "Go right now. And *run*! As fast as you can!"

Annemarie kissed her mother quickly, grabbed the basket from her mother's lap, turned, and ran toward the path.

14

On the Dark Path

Only now, entering the woods on the footpath, did Annemarie realize how cold the dawn was. She had watched and helped, earlier, as the others donned sweaters, jackets, and coats; and she had peered into the night, following them with her eyes, as they moved silently off, bulky in their garments, blankets in their arms.

But she wore only a light sweater over her cotton dress. Though the October day, later, would be warmed by sunlight, now it was gray, chilly, and damp. She shivered.

The path curved, and she could no longer look behind her and see the clearing with the farmhouse outlined against the pale sky and the lightening meadow beyond. Now there were only the dark woods ahead; underfoot, the path, latticed with thick roots hidden under the fallen leaves, was invisible. She felt her way with her feet, trying not to stumble.

The handle of the straw basket scratched her arm through her sweater. She shifted it and tried to run.

She thought of a story she had often told to Kirsti as they cuddled in bed at night.

"Once upon a time there was a little girl," she told herself silently, "who had a beautiful red cloak. Her mother had made it for her.

"She wore it so often that everyone called her Little Red Riding-Hood."

Kirsti would always interrupt there. "Why was it called a red riding hood?" Kirsti would ask. "Why didn't they just call her Little Red-Cloak?"

"Well, it had a hood that covered her head. She had beautiful curls, like you, Kirsti. Maybe someday Mama will make you a coat with a hood to cover your curls and keep you warm."

"But why," Kirsti would ask, "was it a *riding* hood? Was she riding a horse?"

"Maybe she had a horse that she rode sometimes. But not in this story. Now stop interrupting every minute."

Annemarie smiled, feeling her way through the dark, remembering how Kirsti always interrupted stories to ask questions. Often she just wanted to make the story last longer.

The story continued. "One day the little girl's mother said, 'I want you to take a basket of food to your grandmother. She is sick in bed. Come, let me tie your red cloak.' "

"The grandmother lived deep in the woods, didn't she?" Kirsti would ask. "In the dangerous woods, where wolves lived."

Annemarie heard a small noise—a squirrel perhaps, or a rabbit, scampering nearby. She paused, stood still on the path, and smiled again. Kirsti would have been frightened. She would have grabbed Annemarie's hand and said, "A wolf!" But Annemarie knew that these woods were not like the woods in the story. There were no wolves or bears or tigers, none of the beasts that populated Kirsti's vivid imagination. She hurried on.

Still, they were very dark, these woods. Annemarie had never followed this path in the dark before. She had told her mother she would run. And she tried.

Here the path turned. She knew the turning well, though it seemed different in the dark. If she turned to the left, it would take her to the road, out where it would be lighter, wider, more traveled. But more dangerous, too. Someone could see her on the road. At this time of the dawn, other fishermen would be on the road, hurrying to their boats for the long day at sea. And there might be soldiers.

She turned to the right and headed deeper into the woods. It was why Mama and Peter had needed to guide those who were strangers here—the Rosens and the others. A wrong turn would have taken them into danger.

"So Little Red Riding-Hood carried the basket of food and hurried along through the woods. It was a lovely morning, and birds were singing. Little Red Riding-Hood sang, too, as she walked."

Sometimes she changed that part of the story, telling it to Kirsti. Sometimes it was raining, or even snowing, in the woods. Sometimes it was evening, with long, frightening shadows, so that Kirsti, listening, would snuggle closer and wrap her arms around Annemarie. But now, telling it to herself, she wanted sunlight and birdsong.

Here the path widened and flattened; it was the place where the woods opened on one side and the path curved beside a meadow at the edge of the sea. Here she could run, and she did. Here, in daylight, there would be cows in the meadow, and on summer afternoons Annemarie would always stop by the fence and hold out handfuls of grass, which the curious cows would take with their rough tongues.

Here, her mother had told her, Mama would always stop, too, as a child walking to school. Her dog, Trofast, would wriggle under the fence and run about in the meadow, barking excitedly, trying to chase the cows, who always ignored him.

The meadow was empty now, and colorless in the

half light. She could hear the churning sea beyond, and see the wash of daylight to the east, over Sweden. She ran as fast as she could, searching with her eyes for the place ahead where the path would re-enter the woods in its final segment, which led to town.

Here. The bushes were overgrown and it was difficult to see the path here. But she found the entrance, beside the high blueberry bushes—how often she had stopped here, in late summer, to pick a handful of the sweet berries! Her hands and mouth would be blue afterward; Mama always laughed when she came home.

Now it was dark again, as the trees and bushes closed around her, and she had to move more slowly, though she still tried to run.

Annemarie thought of Mama: her ankle so swollen, and her face so pained. She hoped Mama had called the doctor by now. The local doctor was an old man, brusque and businesslike, though with kind eyes. He had come to the farmhouse several times during the summers of the past, his battered car noisy on the dirt road; he had come once when Kirsti, a tiny baby then, had been sick and wailing with an earache. And he had come when Lise had spilled hot grease, cooking breakfast, and burned her hand.

Annemarie turned again as the path divided once more. The left fork would take her directly to the village; it was the way they had come from the train, and the way Mama had walked to school as a girl. But Annemarie turned to the right, heading now toward the harborside, where the fishing boats lay at anchor. She had often come this way before, too, sometimes at the end of the afternoon, to pick out the *Ingeborg*, Uncle Henrik's boat, from the many returning, and to watch him and his helpers unload the day's catch of slippery, shimmering herring still flopping in their containers.

Even now, with the boats in the harbor ahead empty of fish, preparing to leave for the day's fishing, she could smell the oily, salty scent of herring, which always remained in the air here.

It wasn't far now, and it was getting lighter. She ran almost as fast as she had run at school, in the Friday footraces. Almost as fast as she had run down the Copenhagen sidewalk on the day that the soldier had stopped her with his call of *"Halte!"*

Annemarie continued the story in her head. "Suddenly, as Little Red Riding-Hood walked through the woods, she heard a noise. She heard a rustling in the bushes."

"A wolf," Kirsti would always say, shivering with fearful delight. "I know it's going to be the wolf!"

Annemarie always tried to prolong this part, to build up the suspense and tantalize her sister. "She didn't know *what* it was. She stopped on the path and listened. Something was following her, in the bushes. Little Red Riding-Hood was very, very, *very* frightened."

She would stop, would stay silent for a moment, and beside her in the bed she could feel Kirsti holding her breath.

"Then," Annemarie would go on, in a low, dread-filled voice, "she heard a *growl*."

Annemarie stopped, suddenly, and stood still on the path. There was a turn immediately ahead. Beyond it, she knew, as soon as she rounded the turn, she would see the landscape open to the sea. The woods would be behind her there, and ahead of her would be the harbor, the docks, and the countless fishing boats. Very soon it would be noisy there, with engines starting, fishermen calling to one another, and gulls crying.

But she had heard something else. She heard bushes rustling ahead. She heard footsteps. And— she was certain it was not her imagination—she heard a low growl.

Cautiously, she took a step forward. And another. She approached the turn in the path, and the noises continued.

Then they were there, in front of her. Four armed soldiers. With them, straining at taut leashes, were two large dogs, their eyes glittering, their lips curled.

15
My Dogs Smell Meat!

Annemarie's mind raced. She remembered what her mother had said. "If anyone stops you, you must pretend to be nothing more than a silly little girl."

She stared at the soldiers. She remembered how she had stared at the others, frightened, when they had stopped her on the street.

Kirsti hadn't been frightened. Kirsti had been—well, nothing more than a silly little girl, angered because the soldier had touched her hair that afternoon. She had known nothing of danger, and the soldier had been amused by her.

Annemarie willed herself, with all her being, to behave as Kirsti would.

"Good morning," she said carefully to the soldiers.

They looked her up and down in silence. Both dogs were tense and alert. The two soldiers who held the leashes wore thick gloves.

"What are you doing here?" one of them asked.

Annemarie held out her basket, with the thick loaf

of bread visible. "My uncle Henrik forgot his lunch, and I'm taking it to him. He's a fisherman."

The soldiers were looking around; their eyes glanced behind her, and scanned the bushes on either side.

"Are you alone?" one asked.

Annemarie nodded. "Yes," she said. One of the dogs growled. But she noticed that both dogs were looking at the lunch basket.

One soldier stepped forward. The other, and the two holding the dogs, remained where they were.

"You came out before daybreak just to bring a lunch? Why doesn't your uncle eat fish?"

What would Kirsti reply? Annemarie tried to giggle, the way her sister might. "Uncle Henrik doesn't even *like* fish," she said, laughing. "He says he sees too much of it, and *smells* too much of it. Anyway, he wouldn't eat it raw!" She made a face. "Well, I suppose he would if he were starving. But Uncle Henrik always has bread and cheese for lunch."

Keep chattering, she told herself, as Kirsti would. A silly little girl. "I like fish," she went on. "I like it the way my mother cooks it. Sometimes she rolls it in bread crumbs, and—"

The soldier reached forward and grabbed the crisp loaf of bread from the basket. He examined it carefully. Then he broke it in half, pulling the two halves apart with his fists.

That would enrage Kirsti, she knew. "*Don't!*" she said angrily. "That's Uncle Henrik's bread! My mother baked it!"

The soldier ignored her. He tossed the two halves of the loaf to the ground, one half in front of each dog. They consumed it, each snapping at the bread and gulping it so that it was gone in an instant.

"Have you seen anyone in the woods?" The soldier barked the question at her.

"No. Only you." Annemarie stared at him. "What are you doing in the woods, anyway? You're making me late. Uncle Henrik's boat will leave before I get there with his lunch. Or what's *left* of his lunch."

The soldier picked up the wedge of cheese. He turned it over in his hand. He turned to the three behind him and asked them something in their own language.

One of them answered "*Nein,*" in a bored tone. Annemarie recognized the word; the man had replied "No." He had probably been asked, Annemarie thought, "Do you want this?" or perhaps, "Should I give this to the dogs?"

The soldier continued to hold the cheese. He tossed it back and forth between his hands.

Annemarie gave an exasperated sigh. "Could I go now, please?" she asked impatiently.

The soldier reached for the apple. He noted its brown spots, and made a face of disgust.

"No meat?" he asked, glancing at the basket and the napkin that lay in its bottom.

Annemarie gave him a withering look. "You know we have no meat," she said insolently. "Your army eats all of Denmark's meat."

Please, please, she implored in her mind. Don't lift the napkin.

The soldier laughed. He dropped the bruised apple on the ground. One of the dogs leaned forward, pulling at his leash, sniffed the apple, and stepped back. But both dogs still looked intently at the basket, their ears alert, their mouths open. Saliva glistened on their smooth pink gums.

"My dogs smell meat," the soldier said.

"They smell squirrels in the woods," Annemarie responded. "You should take them hunting."

The soldier reached forward with the cheese in one hand, as if he were going to return it to the basket. But he didn't. Instead, he pulled out the flowered cotton napkin.

Annemarie froze.

"Your uncle has a pretty little lunch," the soldier said scornfully, crumpling the napkin around the cheese in his hand. "Like a woman," he added, with contempt.

Then his eyes locked on the basket. He handed the cheese and napkin to the soldier beside him.

"What's that? There, in the bottom?" he asked in a different, tenser voice.

What would Kirsti do? Annemarie stamped her foot. Suddenly, to her own surprise, she began to cry. "I don't know!" she said, her voice choked. "My mother's going to be angry that you stopped me and made me late. And you've completely ruined Uncle Henrik's lunch, so now *he'll* be mad at me, too!"

The dogs whined and struggled against the leashes, nosing forward to the basket. One of the other soldiers muttered something in German.

The soldier took out the packet. "Why was this so carefully hidden?" he snapped.

Annemarie wiped her eyes on the sleeve of her sweater. "It wasn't hidden, any more than the napkin was. I don't know what it is." That, she realized, was true. She had no idea what was in the packet.

The soldier tore the paper open while below him, on the ground, the dogs strained and snarled, pulling against their leashes. Their muscles were visible beneath the sleek, short-haired flesh.

He looked inside, then glared at Annemarie. "Stop crying, you idiot girl," he said harshly. "Your stupid mother has sent your uncle a handkerchief. In Germany the women have better things to do. They don't stay at home hemming handkerchiefs for their men."

He gestured with the folded white cloth and gave a short, caustic laugh. "At least she didn't stitch flowers on it."

He flung it to the ground, still half wrapped in the paper, beside the apple. The dogs lunged, sniffed at it eagerly, then subsided, disappointed again.

"Go on," the soldier said. He dropped the cheese and the napkin back into her basket. "Go on to your uncle and tell him the German dogs enjoyed his bread."

All of the soldiers pushed past her. One of them laughed, and they spoke to each other in their own language. In a moment they had disappeared down the path, in the direction from which Annemarie had just come.

Quickly she picked up the apple and the opened packet with the white handkerchief inside. She put them into the basket and ran around the bend toward the harbor, where the morning sky was now bright with early sun and some of the boat engines were starting their strident din.

The *Ingeborg* was still there, by the dock, and Uncle Henrik was there, his light hair windblown and bright as he knelt by the nets. Annemarie called to him and he came to the side, his face worried when he recognized her on the dock.

She handed the basket across. "Mama sent your lunch," she said, her voice quavering. "But soldiers stopped me, and they took your bread." She didn't dare to tell him more.

Henrik glanced quickly into the basket. She could see the look of relief on his face, and knew that it was because he saw that the packet was there, even though it was torn open.

"Thank you," he said, and the relief was evident in his voice.

Annemarie looked quickly around the familiar small boat. She could see down the passageway into the empty cabin. There was no sign of the Rosens or the others. Uncle Henrik followed her eyes and her puzzled look.

"All is well," he said softly. "Don't worry. Everything is all right.

"I wasn't sure," he said. "But now"—he eyed the basket in his hands—"because of you, Annemarie, everything is all right.

"You run home now, and tell your mama not to worry. I will see you this evening."

He grinned at her suddenly. "They took my bread, eh?" he said. "I hope they choke on it."

16
I Will Tell You
Just a Little

"Poor Blossom!" Uncle Henrik said, laughing, after dinner that evening. "It was bad enough that your mother was going to milk her, after all these years of city life. But Annemarie! To do it for the very first time! I'm surprised Blossom didn't kick you!"

Mama laughed, too. She sat in a comfortable chair that Uncle Henrik had moved from the living room and placed in a corner of the kitchen. Her leg, in a clean white cast to the knee, was on a footstool.

Annemarie didn't mind their laughing. It *had* been funny. When she had arrived back at the farmhouse—she had run along the road to avoid the soldiers who might still be in the woods; now, carrying nothing, she was in no danger—Mama and Kirsti were gone. There was a note, hastily written, from Mama, that the doctor was taking her in his car to the local hospital, that they would be back soon.

But the noise from Blossom, forgotten, unmilked, uncomfortable, in the barn, had sent Annemarie warily out with the milking bucket. She had done her best, trying to ignore Blossom's irritated snorts and tossing head, remembering how Uncle Henrik's hands had worked with a firm, rhythmic, pulling motion. And she had milked.

"I could have done it," Kirsti announced. "You only have to pull and it squirts out. I could do it *easily.*"

Annemarie rolled her eyes. I'd like to see you try, she thought.

"Is Ellen coming back?" Kirsti asked, forgetting the cow after a moment. "She said she'd make a dress for my doll."

"Annemarie and I will help you make a dress," Mama told her. "Ellen had to go with her parents. Wasn't that a nice surprise, that the Rosens came last night to get her?"

"She should have waked me up to say goodbye," Kirsti grumbled, spooning some imaginary food into the painted mouth of the doll she had propped in a chair beside her.

"Annemarie," Uncle Henrik said, getting up from the table and pushing back his chair, "if you come with me now to the barn, I'll give you a milking lesson. Wash your hands first."

"Me too," said Kirsti.

"Not you too," Mama said. "Not this time. I need your help here, since I can't walk very well. You'll have to be my nurse."

Kirsti hesitated, deciding whether to argue. Then she said, "I'm going to be a nurse when I grow up. Not a cow milker. So I have to stay here and take care of Mama."

Followed as usual by the kitten, Annemarie walked with Uncle Henrik to the barn through a fine misty rain that had begun to fall. It seemed to her that Blossom shook her head happily when she saw Henrik and knew that she would be in good hands again.

She sat on the stacked hay and watched while he milked. But her mind was not on the milking.

"Uncle Henrik," she asked, "where are the Rosens and the others? I thought you were taking them to Sweden on your boat. But they weren't there."

"They were there," he told her, leaning forward against the cow's broad side. "You shouldn't know this. You remember that I told you it was safer not to know.

"But," he went on, as his hands moved with their sure and practiced motion, "I will tell you just a little, because you were so very brave."

"Brave?" Annemarie asked, surprised. "No, I wasn't. I was very frightened."

"You risked your life."

"But I didn't even think about that! I was only thinking of—"

He interrupted her, smiling. "That's all that *brave*

means—not thinking about the dangers. Just thinking about what you must do. Of course you were frightened. I was too, today. But you kept your mind on what you had to do. So did I. Now let me tell you about the Rosens.

"Many of the fishermen have built hidden places in their boats. I have, too. Down underneath. I have only to lift the boards in the right place, and there is room to hide a few people. Peter, and others in the Resistance who work with him, bring them to me, and to the other fishermen as well. There are people who hide them and help them, along the way to Gilleleje."

Annemarie was startled. "Peter is in the Resistance? Of course! I should have known! He brings Mama and Papa the secret newspaper, *De Frei Danske*. And he always seems to be on the move. I should have figured it out myself!"

"He is a very, very brave young man," Uncle Henrik said. "They all are."

Annemarie frowned, remembering the empty boat that morning. "Were the Rosens and the others there, then, underneath, when I brought the basket?"

Uncle Henrik nodded.

"I heard nothing," Annemarie said.

"Of course not. They had to be absolutely quiet for many hours. The baby was drugged so that it wouldn't wake and cry."

"Could they hear me when I talked to you?"

"Yes. Your friend Ellen told me, later, that they heard you. And they heard the soldiers who came to search the boat."

Annemarie's eyes widened. "Soldiers came?" she asked. "I thought they went the other way after they stopped me."

"There are many soldiers in Gilleleje and all along the coast. They are searching all the boats now. They know that the Jews are escaping, but they are not sure how, and they rarely find them. The hiding places are carefully concealed, and often we pile dead fish on the deck as well. They hate getting their shiny boots dirtied!"

He turned his head toward her and grinned.

Annemarie remembered the shiny boots confronting her on the dark path.

"Uncle Henrik," she said, "I'm sure you are right, that I shouldn't know everything. But, please, would you tell me about the handkerchief? I knew it was important, the packet, and that's why I ran through the woods to take it to you. But I thought maybe it was a map. How could a handkerchief be important?"

He set the filled pail aside and began to wash the cow's udder with the damp cloth. "Very few people know about this, Annemarie," he said with a serious look. "But the soldiers are so angry about the escaping Jews—and the fact that they can't find them—that they have just started using trained dogs."

"They had dogs! The ones who stopped me on the path!"

Uncle Henrik nodded. "The dogs are trained to sniff about and find where people are hidden. It happened just yesterday on two boats. Those damn dogs, they go right through dead fish to the human scent.

"We were all very, very worried. We thought it meant the end of the escape to Sweden by boat.

"It was Peter who took the problem to scientists and doctors. Some very fine minds have worked night and day, trying to find a solution.

"And they have created a special drug. I don't know what it is. But it was in the handkerchief. It attracts the dogs, but when they sniff at it, it ruins their sense of smell. Imagine that!"

Annemarie remembered how the dogs had lunged at the handkerchief, smelled it, and then turned away.

"Now, thanks to Peter, we will each have such a handkerchief, each boat captain. When the soldiers board our boats, we will simply pull the handkerchiefs out of our pockets. The Germans will probably think we all have bad colds! The dogs will sniff about, sniff the handkerchiefs we are holding, and then roam the boat and find nothing. They will smell nothing."

"Did they bring dogs to your boat this morning?"

"Yes. Not twenty minutes after you had gone. I was about to pull away from the dock when the soldiers appeared and ordered me to halt. They came aboard, searched, found nothing. By then, of course, I had the handkerchief. If I had not, well—" His voice trailed off, and he didn't finish the sentence. He didn't need to.

If she had not found the packet where Mr. Rosen had dropped it. If she had not run through the woods. If the soldiers had taken the basket. If she had not reached the boat in time. All of the ifs whirled in Annemarie's head.

"They are safe in Sweden now?" she asked. "You're sure?"

Uncle Henrik stood, and patted the cow's head. "I saw them ashore. There were people waiting to take them to shelter. They are quite safe there."

"But what if the Nazis invade Sweden? Will the Rosens have to run away again?"

"That won't happen. For reasons of their own, the Nazis want Sweden to remain free. It is very complicated."

Annemarie's thoughts turned to her friends, hiding under the deck of the *Ingeborg*. "It must have been awful for them, so many hours there," she murmured. "Was it dark in the hiding place?"

"Dark, and cold, and very cramped. And Mrs.

Rosen was seasick, even though we were not on the water very long—it is a short distance, as you know. But they are courageous people. And none of that mattered when they stepped ashore. The air was fresh and cool in Sweden; the wind was blowing. The baby was beginning to wake as I said goodbye to them."

"I wonder if I will ever see Ellen again," Annemarie said sadly.

"You will, little one. You saved her life, after all. Someday you will find her again. Someday the war will end," Uncle Henrik said. "All wars do.

"Now then," he added, stretching, "that was quite a milking lesson, was it not?"

"Uncle Henrik!" Annemarie shrieked, and then began to laugh. "Look!" She pointed. "The God of Thunder has fallen into the milk pail!"

17
All This Long Time

The war would end. Uncle Henrik had said that, and it was true. The war ended almost two long years later. Annemarie was twelve.

Churchbells rang all over Copenhagen, early that May evening. The Danish flag was raised everywhere. People stood in the streets and wept as they sang the national anthem of Denmark.

Annemarie stood on the balcony of the apartment with her parents and sister, and watched. Up and down the street, and across on the other side, she could see flags and banners in almost every window. She knew that many of those apartments were empty. For nearly two years, now, neighbors had tended the plants and dusted the furniture and polished the candlesticks for the Jews who had fled. Her mother had done so for the Rosens.

"It is what friends do," Mama had said.

Now neighbors had entered each unoccupied, waiting apartment, opened a window, and hung a symbol of freedom there.

This evening, Mrs. Johansen's face was wet with tears. Kirsti, waving a small flag, sang; her blue eyes were bright. Even Kirsti was growing up; no longer was she a lighthearted chatterbox of a child. Now she was taller, more serious, and very thin. She looked like the pictures of Lise at seven, in the old album.

Peter Neilsen was dead. It was a painful fact to recall on this day when there was so much joy in Denmark. But Annemarie forced herself to think of her redheaded almost-brother, and how devastating the day was when they received the news that Peter had been captured and executed by the Germans in the public square at Ryvangen, in Copenhagen.

He had written a letter to them from prison the night before he was shot. It had said simply that he loved them, that he was not afraid, and that he was proud to have done what he could for his country and for the sake of all free people. He had asked, in the letter, to be buried beside Lise.

But even that was not to be for Peter. The Nazis refused to return the bodies of the young men they shot at Ryvangen. They simply buried them there where they were killed, and marked the graves only with numbers.

Later, Annemarie had gone to the place with her parents and they had laid flowers there, on the bleak, numbered ground. That night, Annemarie's parents told her the truth about Lise's death at the beginning of the war.

"She was part of the Resistance, too," Papa had explained. "Part of the group that fought for our country in whatever ways they could."

"We didn't know," Mama added. "She didn't tell us. Peter told us after she died."

"Oh, Papa!" Annemarie cried. "Mama! They didn't shoot Lise, did they? The way they did Peter, in the public square, with people watching?" She wanted to know, wanted to know it all, but wasn't certain that she could bear the knowledge.

But Papa shook his head. "She was with Peter and others in a cellar where they held secret meetings to make plans. Somehow the Nazis found out, and they raided the place that evening. They all ran different ways, trying to escape."

"Some of them *were* shot," Mama told her sadly. "Peter was shot, in the arm. Do you remember that Peter's arm was bandaged, and in a sling, at Lise's funeral? He wore a coat over it so that no one would notice. And a hat, to hide his red hair. The Nazis were looking for him."

Annemarie didn't remember. She hadn't noticed. The whole day had been a blur of grief. "But what about Lise?" she asked. "If she wasn't shot, what happened?"

"From the military car, they saw her running, and simply ran her down."

"So it was true, what you said, that she was hit by a car."

"It was true," Papa told her.

"They were all so young," Mama said, shaking her head. She blinked, closed her eyes for a moment, and took a long, deep breath. "So very, very young. With so much hope."

Now, remembering Lise, Annemarie looked from the balcony down into the street. She saw that below, amid the music, singing, and the sound of the churchbells, people were dancing. It brought back another memory, the memory of Lise so long ago, wearing the yellow dress, dancing with Peter on the night that they announced their engagement.

She turned and went to her bedroom, where the blue trunk still stood in the corner, as it had all these years. Opening it, Annemarie saw that the yellow dress had begun to fade; it was discolored at the edges where it had lain so long in folds.

Carefully she spread open the skirt of the dress and found the place where Ellen's necklace lay hidden in the pocket. The little Star of David still gleamed gold.

"Papa?" she said, returning to the balcony, where her father was standing with the others, watching the rejoicing crowd. She opened her hand and showed him the necklace. "Can you fix this? I have kept it all this long time. It was Ellen's."

Her father took it from her and examined the broken clasp. "Yes," he said. "I can fix it. When the Rosens come home, you can give it back to Ellen."

"Until then," Annemarie told him, "I will wear it myself."

Afterword

How much of Annemarie's story is true? I know I will be asked that. Let me try to tell you, here, where fact ends and fiction begins.

Annemarie Johansen is a child of my imagination, though she grew there from the stories told to me by my friend Annelise Platt, to whom this book is dedicated, who was herself a child in Copenhagen during the long years of the German occupation.

I had always been fascinated and moved by Annelise's descriptions not only of the personal deprivation that her family and their neighbors suffered during those years, and the sacrifices they made, but even more by the greater picture she drew for me of the courage and integrity of the Danish people under the leadership of the king they loved so much, Christian X.

So I created little Annemarie and her family, set them down in a Copenhagen apartment on a street where I have walked myself, and imagined their life there against the real events of 1943.

Denmark surrendered to Germany in 1940, it is true; and it was true for the reasons that Papa explained to Annemarie: the country was small and undefended, with no army of any size. The people would have been destroyed had they tried to defend themselves against the huge German forces. So—surely with great sorrow—King Christian surrendered, and overnight the soldiers moved in. From then on, for five years, they occupied the country. Visible on almost every street corner, always armed and spit-shined, they controlled the newspapers, the rail system, the government, schools, and hospitals, and the day-to-day existence of the Danish people.

But they never controlled King Christian. It is true that he rode alone on his horse from the palace every morning, unguarded, and greeted his people; and though it seems so charming as to be a flight of author's fancy, the story that Papa told Annemarie, of the soldier who asked the Danish teenager, "Who is that man?"—that story is recorded in one of the documents that still remain from that time.

It is true, too, that in August 1943 the Danes sank their own entire navy in Copenhagen harbor as the Germans approached to take over the ships for their own use. My friend Annelise remembers it, and many who were children at the time would have been awakened, as little Kirsti was, by the explosions and the fiercely lighted sky as the ships burned.

On the New Year of the Jewish High Holidays in 1943, those who gathered to worship at the synagogue in Copenhagen, as the fictional Rosens did, were warned by the rabbi that they were to be taken and "relocated" by the Germans.

The rabbi knew because a high German official told the Danish government, which passed the information along to the leaders of the Jewish community. The name of that German was G. F. Duckwitz, and I hope that even today, so many years later, there are flowers on his grave, because he was a man of compassion and courage.

And so the Jews, all but a few who didn't believe the warning, fled the first raids. They fled into the arms of the Danes, who took them in, fed them, clothed them, hid them, and helped them along to safety in Sweden.

In the weeks following the Jewish New Year, almost the entire Jewish population of Denmark— nearly seven thousand people—was smuggled across the sea to Sweden.

The little hand-hemmed linen handkerchief that Annemarie carried to her uncle? Surely something made up by an author who wanted to create a heroine out of a fictional little girl?

No. The handkerchief as well is part of history. After the Nazis began to use police dogs to sniff out hidden passengers on the fishing boats, Swedish scientists worked swiftly to prevent such detection. They created a powerful powder composed of dried rabbit's blood and cocaine; the blood attracted the dogs, and when they sniffed at it, the cocaine numbed their noses and destroyed, temporarily, their sense of smell. Almost every boat captain used such a permeated handkerchief, and many lives were saved by the device.

The secret operations that saved the Jews were orchestrated by the Danish Resistance, which, like all Resistance movements, was composed mainly of the very young and very brave. Peter Neilsen, though he is fictional, represents those courageous and idealistic young people, so many of whom died at the hands of the enemy.

In reading of the Resistance leaders in Denmark, I came across an account of a young man named Kim Malthe-Bruun, who was eventually captured and executed by the Nazis when he was only twenty-one years old. I read his story as I had read many others, turning the pages, skimming here and there: this sabotage, that tactic, this capture, that escape. After a while even courage becomes routine to the reader.

Then, quite unprepared, I turned the page and faced a photograph of Kim Malthe-Bruun. He wore a turtleneck sweater, and his thick, light hair was windblown. His eyes looked out at me, unwavering on the page.

Seeing him there, so terribly young, broke my heart. But seeing the quiet determination in his boyish eyes made me determined, too, to tell his story, and that of all the Danish people who shared his dreams.

So I would like to end this with a paragraph written by that young man, in a letter to his mother, the night before he was put to death.

. . . and I want you all to remember—that you must not dream yourselves back to the times before the war, but the dream for you all, young and old, must be to create an ideal of human decency, and not a narrow-minded and prejudiced one. That is the great gift our country hungers for, something every little peasant boy can look forward to, and with pleasure feel he is a part of— something he can work and fight for.

Surely that gift—the gift of a world of human decency—is the one that all countries hunger for still. I hope that this story of Denmark, and its people, will remind us all that such a world is possible.

ABOUT THE AUTHOR

Lois Lowry has written many popular books, including the Newbery Award winner *The Giver*. She is also the author of *Gathering Blue, Messenger, The Silent Boy,* and the Anastasia Krupnik books. She lives in Cambridge, Massachusetts.

DESPIERTA
TU HÉROE
INTERIOR

VÍCTOR HUGO MANZANILLA

DESPIERTA TU HÉROE INTERIOR

7 PASOS PARA UNA VIDA DE ÉXITO Y SIGNIFICADO

GRUPO NELSON
Una división de Thomas Nelson Publishers
Desde 1798

NASHVILLE   MÉXICO DF.   RÍO DE JANEIRO

Editora en Jefe: *Graciela Lelli*
Edición: *Marta Liana García*
Diseño: *Grupo Nivel Uno, Inc.*

ISBN: 978-0-71802-149-8

Impreso en Estados Unidos de América

15 16 17 18 19 DCI 9 8 7 6 5 4 3 2 1

CONTENIDO

CUARTA PARTE: LA RESURRECCIÓN

QUINTA PARTE: MIS CONSEJOS PARA TU JORNADA

SEXTA PARTE: PALABRAS FINALES

A mi hijo Benjamín:

Algún día vas a poder leer estas páginas. Mi mayor deseo es que te ayuden a vencer cualquier miedo que tengas y te inspiren a lanzarte a vivir una aventura única.

Tú eres el héroe de tu historia. Canta tu canción a todo pulmón; el mundo necesita oírla. Me muero por ver qué tiene Dios preparado para ti.

Te amo por siempre.

PRÓLOGO

LA VIDA ES UNA GRAN historia en la que existe un héroe, y ese
héroe eres tú.

Esa es la premisa con la que comienza a escribir este libro Víctor
Hugo Manzanilla. Hay una aventura por delante y es importantísi-
mo vivirla. Los que no lo hacen, llegan al final de su existencia con
la idea de que hay párrafos inconclusos en la sinfonía de su vida
—como que han construido el edificio equivocado, han corrido la
carrera inapropiada para los cuerpos que tienen, han cantado la canción equivocada— o, a veces, ni siquiera han aprendido a cantar.

Víctor Hugo es una estrella ascendente en el mundo de los influyentes. Decenas de miles siguen sus enseñanzas sobre liderazgo a
través de las redes sociales. Desde su posición en Procter & Gamble
ha sabido compartir con honestidad y claridad su propia jornada de
aprendizaje en el tema de liderar a otros. Esa generosidad ha sido
correspondida con admiración y cariño por parte de los miles de
líderes en los que regularmente influye.

Ahora, Víctor Hugo nos desafía a nivel personal. Nos transmite
una idea revolucionaria: cada uno de nosotros puede vivir La Jornada del Héroe. Nos anima a encontrar el propósito para nuestras vidas;
a buscar con humildad al mentor que nos acompañará a lo largo del

camino; a entender que toda historia tiene un conflicto, un peligro, una crisis que parece invencible; y a no desanimarnos frente a la adversidad, sino a vencerla y aprender de la experiencia.

Víctor Hugo nos alienta a buscar el «éxito con sentido», con significado, con propósito. Nos invita a movernos a un plano diferente en la vida, en el que desarrollemos una nueva escala de valores para nuestras metas.

La gran mayoría de la gente no vive, simplemente existe. La gran mayoría de la gente no camina, simplemente es arrastrada por sus circunstancias. La gran mayoría de la gente tiene una canción en el corazón y muere sin saber cómo expresarla.

Prepara tu bebida favorita. Elige un lugar cómodo en tu casa y disponte a leer este mapa cartográfico.

Vivamos juntos La Jornada del Héroe. Cantemos juntos en la sinfonía de la vida. Mi buen amigo, el maestro Manzanilla, viene a enseñarnos cómo cantar a viva voz lo que tenemos en el alma.

Dr. Andrés G. Panasiuk
Navidad de 2014

INTRODUCCIÓN

QUIERO CONTARTE UNA HISTORIA QUE cambió mi vida y de seguro cambiará la tuya.

Todo comenzó un domingo como cualquier otro. Ya habíamos dejado atrás el invierno infernal (a veces no sé qué es más infernal, el calor extremo o el frío del invierno en Ohio) que nos azota cinco meses al año acá en el norte. Ya volvíamos, lentamente, a ver el cielo azul y escuchar a los pájaros cantar de nuevo.

Ese día, al salir del servicio de nuestra iglesia y como acostumbrábamos, fuimos a saludar a nuestros amigos Dave y Beth.

Dave y Beth son una pareja que se convirtieron en grandes amigos cuando me mudé desde Venezuela a Cincinnati, Estados Unidos. Si alguna vez has emigrado, sabes que sales de tu pueblo, ciudad o país, siendo alguien; y de la noche a la mañana, pasas a ser un don nadie. Dave y Beth fueron esa pareja que comenzó a hacernos sentir alguien otra vez.

Dave es este tipo de persona que siempre tiene nuevas ideas. Su mente nunca deja de funcionar. Cada semana, invariablemente, él llega a mí con un nuevo proyecto, una aventura o idea de negocio. Y no para de hablar. Pareciera que su alma está negada a dejarse

domar por una vida común, por una rutina, por lo imposible. Él siempre está pensando en lo nuevo que se puede lograr.

Ese día, llegó con una invitación:

—¿Quieres ir a conocer a Donald Miller? —me preguntó.

—¿Quién es Donald Miller? —pregunté de vuelta.

—Don (como lo llaman) es un escritor muy famoso —dijo Dave—. Él escribió un libro llamado *Tal como el jazz*, que fue muy exitoso y me encantó. Hoy Don va a estar acá en Cincinnati hablando de su próximo libro y me encantaría conocerlo.

Ese tipo de invitaciones a último minuto nunca me habían gustado. Por alguna razón sentía que dañaban mi día que ya estaba planificado a la perfección. Era como si mi agenda me llevara siempre a rechazar el llamado a algo nuevo, a algo desconocido.

La verdad es que rechazar lo nuevo era común en mí. La agenda era solo la excusa.

Ese día era como cualquier otro domingo. Sin embargo, ir a ver a Don significaba unos «drásticos» cambios en lo que tenía en mente: dejar de ir a comer al lugar que acostumbrábamos a ir todos los domingos, dejar de ordenar el mismo plato que comía todos los domingos y dejar de tomarme el café que ordenaba cada domingo. ¡Ah!, por cierto, también había un riesgo alto de que no llegara a tiempo a casa para ver *Extreme Makeover: Home Edition*, un programa donde les reconstruyen las casas a personas pobres o con un problema muy grave. Yo lo veía cada domingo. Lloraba un rato al final (cuando entregaban la casa remodelada) y de alguna manera sentía que había hecho algún tipo de bien a la humanidad. No entiendo el porqué uno se siente tan bien, pero es como la manera barata de hacer bien al mundo: vemos un video o un escrito de alguna historia de bien, compasión o redención, esta toca nuestro corazón, la compartimos en las redes sociales y nos sentimos parte de esa historia aunque realmente no hayamos hecho nada y no hagamos nada diferente de ese momento en adelante. Es como que el hecho de ver, llorar un poco y compartir esas historias nos regalara un poquito de significado a nuestras vidas. Como que fuera la única manera de involucrarnos y ser parte de una gran historia.

Volviendo a la invitación de Dave, por alguna razón que todavía no entiendo, ese día acepté dejar de comer mi plato de domingo, en mi restaurante de domingo, junto a mi café de domingo, y perderme mi programa favorito de domingo, para acompañar a Dave a conocer a Don.

Ese día sucedió algo en mí que fue el punto de inflexión en la trayectoria de mi vida. Ese día Don puso una semilla en mi corazón que me llevó a cambiar. Una semilla que, luego de muchos años, germinó en este libro.

Quiero ser honesto contigo, escribí este libro con el objetivo de ayudarte a transformar tu vida para mejor. Este no es un libro para entretenerte solamente, sino más bien, un libro que tocará las fibras más profundas de tu ser con la búsqueda clara de un cambio.

Si este libro no te lleva a cambiar, entonces fracasé. Así de simple.

Este libro te confrontará pero también te abrazará, tratará temas profundos a la vez que te hará reír con trivialidades. En un segundo estaremos discutiendo temas filosóficos sobre la vida, el sufrimiento y su propósito, y de repente estaremos en los terrenos de lo práctico, de lo pragmático, de cómo hacerlo realidad en tu vida hoy. Te contaré historias que nunca habías escuchado, y todas tendrán un objetivo claro: llevarte a tomar acción.

Mi deseo es que un día, al escuchar tu historia, comentes, aunque sea sutilmente, que este libro te dio alguna revelación, inspiración o motivación que te llevó al cambio.

Si de alguna manera este libro ayuda al que no quiere cantar más, a volver cantar; o al que está a punto de dejar su matrimonio, a luchar un poco más; o al que olvidó sus sueños, a reencontrarse y reconciliarse con ellos y empezar a caminar; o al que está viviendo una vida aburrida, a encontrar su propósito y devolverle la pasión a sus días; en fin, si este libro te lleva a construir una mejor historia, una que valga la pena vivir y contar, habré logrado mi objetivo.

...Entonces me monté en el auto de Dave, que durante todo el camino no dejó de hablarme de una idea tras otra, mientras manejaba al lugar donde se presentaría Don.

¿Y qué pasó ese día que cambió mi vida?

Bienvenido a la jornada que cambiará también la tuya.

LA SILENCIOSA DESESPERACIÓN

LA SILENCIOSA DESESPERACIÓN

ESE DÍA LLEGAMOS UNOS MINUTOS tarde a la presentación de Don. Me alegré cuando entré al teatro y me percaté de que Don todavía no había comenzado.

Una cosa que debes entender es que yo no sabía quién era este Don. Yo estaba en un teatro lleno de admiradores de sus libros y charlas, pero yo no sabía qué esperar. No tenía idea.

Ese día, Don nos contó su historia, una historia que despertó una pregunta que cambió mi vida. Esto fue lo que escuché ese día:

Don era un escritor que había publicado ya varios libros con cierto éxito cuando de repente, su libro *Tal como el jazz*, el cual había publicado un año antes como parte de sus memorias, rompió las listas de los libros más vendidos de Estados Unidos.

Sin esperarlo, Don se había convertido en uno de los autores más exitosos del país.

Un tiempo después, Don recibió una llamada inesperada. Un par de directores de Hollywood querían hacer una película de su vida.

Ante tan tentadora oferta, aceptó y comenzaron las reuniones para la preparación del proyecto.

3

Ya adentrados en el proceso, estaban trabajando en la creación del guion y la historia, cuando Don se empezó a dar cuenta de que estaban cambiando ciertos detalles de su vida. Al principio, por ser trivialidades, no le dio importancia pero, cuando empezaron a ser cambios significativos, Don decidió hablar:

—No quiero ser irrespetuoso —dije [Don]—, pero ¿qué tiene de malo el Don del libro? [Refiriéndose al libro *Tal como el jazz*.] [...]

Steve se sentó con aire pensativo y puso orden a sus ideas. Se rascó la barbilla, y como buscando cierta simpatía, me dijo, como si fuera un catedrático:

—En una historia depurada hay un propósito en cada escena, en cada línea del diálogo. Una película avanza hacia un destino específico.

La última frase resonó en mis oídos como una acusación. Me sentía a la defensiva, como si las escenas de mi vida no se dirigieran a ninguna parte...

—Lo que Steve está tratando de decir —intervino Ben— es que tu verdadera vida es aburrida.

—¿Aburrida? —exclamé impulsivamente.

—Aburrida —repitió Ben.[1]

En ese momento pude escuchar cientos de risas en el auditorio. Don es una persona jocosa, y a lo largo de su presentación hubo infinitos momentos para reír, pero no este, al menos para mí.

Mientras muchos reían, a mí me estaban clavando un puñal.

Por unos segundos, que parecían horas, se proyectó en mi mente una película de mi vida. Una vida llena de rutinas, mismos lugares, mismos platos, mismos lunes y mismos viernes, mismos fines de semana, mismas rutas a la oficina, mismo piso, mismo escritorio, mismos planes predecibles, tantas mismas cosas.

¿Era mi vida aburrida?

Si recibiera la llamada de unos directores de Hollywood que me propusieran hacer una película de mi vida, ¿sería una película

cautivadora, llena de riesgo, aventura y victoria? ¿O sería una de esas películas en las que las personas se salen a la mitad?

¿La película de mi vida inspiraría a otros?

Por un segundo traté de ser menos ambicioso.

¿La película de mi vida inspiraría al menos a mi familia? ¿Estaría mi esposa, mi hijo, mis padres y más cercanos amigos impactados positivamente por la historia de mi vida? ¿O irían a ver la película como un «favor de amigos» de la misma forma que vamos nosotros al ser invitados al matrimonio de sus hijos o actos de graduación que parecieran interminables?

En ese momento ya sabía la respuesta, y no es que no hubiera logrado grandes cosas o viviera todo el día en un sofá viendo infomerciales, pero había algo dentro de mí que me confrontaba con la realidad de que yo no estaba viviendo mi vida al máximo. Que me había hecho preso de la comodidad, la rutina y lo seguro. Y que esa pasión que tenía por lo desconocido, esa unión inexplicable entre el miedo y la emoción de aventurarme a algo por primera vez, se había apagado.

Lo que me lleva a la siguiente pregunta:

¿Es tu vida aburrida?

No quiero que esta pregunta sea malinterpretada. No estoy diciendo que no hayas logrado grandes cosas y vivido hermosos momentos con las personas que amas. No estoy diciendo que no tienes personas que te admiran y a las que has impactado positivamente. Es simplemente una pregunta que tiene una respuesta muy personal. Es una pregunta mucho más profunda. Va directo al corazón. ¿Sientes que vives tu vida al máximo? ¿Sientes que, cuando reflexionas en las profundidades de tu corazón, has vivido una vida completa y sin remordimientos? ¿Has dado lo máximo de ti por la conquista de tus sueños, cada día?

Si te llamaran unos directores de Hollywood para hacer una película de tu vida, ¿cómo sería?

Una frase dura y profunda, de esas que pudieras escribir un libro entero, dice lo siguiente: «Casi todas las personas viven la vida en una silenciosa desesperación y se van a la tumba con la canción todavía en ellos».[2]

Muchos de nosotros vivimos en una «silenciosa desesperación». Sentimos en nuestro corazón un vacío. La vida que una vez soñamos no existe ya más o quizás nunca existió.

Cuando fuimos niños, nuestra vida estaba llena de expectativas, sueños y aventuras. A medida que crecimos, quizás por las expectativas de otros, los problemas en general, las complicaciones de la vida, los traumas, o la falta de guía y sabiduría, fuimos apagando esos sueños y deseos de aventura, de riesgo y de victoria.

Sin darnos cuenta, muchos terminamos en trabajos que no nos llenan, vidas de rutina, mismos lugares, mismos platos, mismos lunes y mismos viernes, mismos fines de semana, mismas rutas a la oficina, mismo piso, mismo escritorio, mismos planes predecibles, una infinidad de mismas cosas. Es como una trampa que nos construimos nosotros mismos poco a poco, y ahora no sabemos ni siquiera que estamos sumergidos en nuestra propia cárcel. La trampa se transformó en nuestro mundo real, nos acostumbramos tanto a él que se convirtió en nuestro nuevo hogar.

¿Será que es posible vivir una vida plena? ¿Será que es posible que, al llegar al final de nuestras vidas, hayamos cantado nuestra canción a todo pulmón, cada día de nuestra existencia?

Ese día Don habló un par de horas. No recuerdo mucho lo que dijo después de que contó lo de la vida aburrida.

Algo que sí recuerdo es que nos habló de que existían principios universales que hacen grandes historias. Principios que, por cientos de años, escritores, poetas y directores han utilizado para construir grandes historias; historias que conmueven y conectan. Dichas historias atraen a miles de personas que se sumergen en una narrativa de héroes con un llamado, de vidas con un propósito.

Un aspecto que me atrae de los principios universales es que funcionan siempre de la misma manera. Si funcionan en las películas y las novelas, tenían entonces que funcionar en la vida real. Lo que me llevó a la siguiente conclusión: si logramos entender el arte y la ciencia detrás de las historias; si comprendemos por qué unas historias son exitosas y conectan al nivel del corazón mientras que otras son aburridas y rápidamente olvidadas; si logramos aprender esos

principios universales; podremos entonces aplicarlos a nuestra vida para lograr vivir una vida que valga la pena vivir, una vida que valga la pena contar.

Lograremos vivir una vida en la cual cantaremos nuestra canción a tiempo y llegaremos al final habiéndolo entregado todo, sin remordimientos: una vida vivida al máximo.

GRANDES HISTORIAS

EN EL AÑO 1997 JAMES Cameron presentó al público una película que llegó a convertirse rápidamente en la película más exitosa para el momento. Con una inversión de poco más de doscientos millones de dólares, *Titanic* salió al mercado y llegó a facturar más de dos billones de dólares.

Titanic fue la primera película de la historia en facturar más de un billón de dólares. Recuerdo haber ido al cine a verla, no una, sino tres veces. Esta película fue una sensación como ninguna otra.

Lo interesante es que era una película histórica. Toda persona que fue a verla sabía el final. Sabía que el barco se iba a hundir. (Imagino que cuando la viste nunca esperaste que el barco lograría evitar el *iceberg* y llegara a salvo a tierra firme).

¿Cómo es posible que una película en la que todo el mundo sabe el final, llegara a tener tanto éxito? ¿Por qué las personas fueron a verla una y otra vez sabiendo exactamente lo que iba a pasar?

La realidad es que *Titanic* no fue una historia sobre el hundimiento de un barco. *Titanic* fue una historia de lo que sucedió en el medio de la tragedia. Ni siquiera fue una historia de amor entre Jack y Rose. *Titanic* fue una historia de libertad. La libertad de Rose.

Por eso conectó con nosotros: por el tema libertad.

La película comienza mostrando a una joven llamada Rose que está siendo obligada a vivir una vida que no quiere vivir, casarse con un hombre del que no está enamorada solo para poder asegurar el futuro financiero de una familia que se encuentra al borde de la quiebra.

En medio de su desesperación, aparece Jack, un muchacho pobre pero apasionado por vivir la vida al máximo, un joven con una vida libre. Ellos conectan, se enamoran y comienzan a vivir una aventura nueva para Rose, una aventura que cambiará su vida para siempre.

Rose, acostumbrada a la riqueza y una vida casi de la realeza, empieza a darse cuenta de que no es realmente libre. Mientras Jack, sin dinero pero con un espíritu aventurero, está realmente viviendo una vida en libertad.

A pesar de haber vivido una historia de amor intensa, solo duró unos cuantos días. Pero las repercusiones de esa experiencia transformaron el futuro de una vida que resucitó, una vida que se le escapó a la muerte (y no me refiero a la muerte física).

Al final de *Titanic* se presenta una escena en la cual no sabemos si Rose, ya muy anciana, duerme o parte de este mundo. En ese momento la cámara cambia su enfoque y comienza a mostrar unas fotos que se encuentran en la mesa de noche de Rose; los momentos más preciados de su vida.

Vemos a Rose lista para volar un avión, montando un caballo, con su familia, graduándose de la universidad. Vemos a una Rose feliz, una Rose que vivió su vida como la decidió vivir.

Jack había salvado a Rose.

La película *Titanic* no fue sobre un barco. El hundimiento del barco fue simplemente la excusa para presentarte una historia más profunda. Una historia que conectara contigo a un nivel superior.

En contraste con esta historia, casi diez años más tarde salió al público la película *Poseidón*. Esta película relataba una historia similar sobre una tragedia de un barco.

Poseidón tuvo un presupuesto similar al de *Titanic* pero mucha mejor tecnología porque fue filmada diez años después. Los resultados fueron decepcionantes.

Poseidón solo facturó cerca de ciento ochenta millones de dólares, once veces menos que *Titanic*.

¿Cómo puede ser que dos películas similares, con presupuestos de producción similares, con tecnología casi similar llegaran tan disparejas al final de la jornada; una facturara dos billones de dólares y la otra ciento ochenta millones?

La diferencia está en la historia. Mientras *Poseidón* se enfocó en la historia del desastre de un barco con una magnífica ejecución de efectos especiales, *Titanic* se enfocó en una historia más poderosa, una historia de libertad.

Lo que me lleva a la siguiente conclusión: dos personas pueden tener los mismos recursos, la misma educación, pueden inclusive venir de la misma familia, pero la manera en que definan y vivan su historia hará la gran diferencia.

¿Cómo quieres vivir tu historia? ¿Cómo quieres ser recordado?

Esta pregunta movió a todo un ejército escocés, desesperanzado, a luchar por su libertad contra el yugo inglés en el siglo XIV.

En la película *Corazón valiente*[1] se muestra la entrada a escena de un guerrero escocés que lucha por la libertad de su nación. Para ese momento, Escocia ha estado bajo el dominio inglés por siglos. Su último rey, Eduardo Piernas Largas, ha actuado como uno de los peores y más tiranos reyes que se hayan visto jamás. Ha destruido a la nación, violado a mujeres y asesinado a miles de hombres.

Tristemente, la nobleza de Escocia, que debería proteger a su pueblo, ha hecho tratos a escondidas con Inglaterra para proteger su riqueza y estatus personal.

Ahí es cuando aparece William Wallace, el primer guerrero que decide desafiar a Eduardo Piernas Largas. Este, indignado, envía una gran cantidad de soldados del ejército inglés al campo de Stirling para destruir a los rebeldes de una vez por todas.

En ese momento miles de habitantes bajan al terreno de batalla y están listos para comenzar la confrontación. Los líderes escoceses (nobles cobardes con una agenda personal) quieren evitar la batalla. Bajo la excusa de la diferencia de tamaños entre los dos ejércitos,

deciden ir a negociar. Estos líderes saben que una buena negociación les dará más tierras y poder.

Los escoceses, al ver el tamaño del ejército inglés y ver a sus líderes buscando una negociación, empiezan a descorazonarse y dejar el terreno de batalla poco a poco. Al principio se retiran de uno en uno, pero luego empiezan a desertar por grupos.

En ese momento aparece William Wallace. Viendo que los nobles quieren negociar y que parte del pueblo está desertando, se para frente al ejército escocés y pronuncia uno de los discursos más poderosos que he escuchado alguna vez.

En ello, William Wallace trata de convencer sin éxito al ejército escocés para que se mantenga en la línea de batalla. Sin embargo, al final logra convencerlos cuando les muestra que una vida sin libertad no es una vida que vale la pena vivir. Argumenta que si no pelean en ese momento, al final de sus vidas desearán una nueva oportunidad como la que tienen ahora mismo, una oportunidad para luchar por su libertad aunque tengan que arriesgar su vida para lograrlo.

Este discurso motivó al ejército escocés a quedarse en el campo de batalla, luchar y vencer.

Ahora vuelvo a la pregunta. ¿Cómo quieres vivir tu historia? ¿Cómo quieres ser recordado? Día a día, semana a semana, año tras año, miles de personas mueren en arrepentimiento por no haber intentado todo lo que soñaron hacer. Personas que, tal como dijo William Wallace, están dispuestas a cambiar todos los días de su vida por volver atrás y modificar el rumbo que escogieron.

Creo que estas historias como *Titanic*, *Corazón valiente* y muchas otras, desarrollan una profunda conexión con nosotros porque existe dentro de nuestros corazones un profundo deseo de vivir una historia similar, una historia con propósito.

La sociedad, las expectativas de otros y lo común nos han enseñado a ser sumisos ante la posibilidad de vivir una gran historia. Han reeditado lo que significa vivir una gran historia y nos han vendido una narrativa diferente como si fuera verdadera. Nos han entrenado para vivir una vida normal, una vida común.

Y ahora vivimos en una sociedad mayormente infeliz, miles de personas en trabajos que odian, depresión, aburrimiento y vidas sin propósito.

Déjame ser honesto, una vida con propósito no es tan beneficiosa en el corto plazo para la economía mundial como lo es una narrativa que te convenza de que la próxima televisión, la nueva tableta o el nuevo auto es lo que necesitas para ser feliz; o la nueva crema, la última máquina de hacer ejercicios o la dieta de moda es lo que necesitas para estar más bella. En palabras de Steven Pressfield: «Vivimos en una cultura de consumo que es perfectamente consciente de esta falta de felicidad y ha creado un arsenal de armas para explotarla. Nos vende un producto, una droga, una distracción».[2]

Una de las películas favoritas de mi esposa es *Leyendas de otoño*. Ella dice que le encanta el argumento de la película, yo creo que es porque está protagonizada por Brad Pitt.

Esta es una historia sobre dos hermanos (eran tres pero uno muere muy joven en la batalla) y los diferentes caminos que escogen en su vida.

La narrativa ocurre en las tierras de su padre en el hermoso estado de Montana. Alfred, el hermano mayor, se va de las tierras a la ciudad y se convierte en un gran hombre de negocios y luego en un político. Alfred se vuelve un hombre muy exitoso pero con el tiempo pierde su corazón.

Por el otro lado está Tristan, el hermano del medio, que es interpretado por Brad Pitt. Sobre él, John Eldredge en su libro *Salvaje de corazón*, comenta: «Personifica el oeste: atrapa y doma al semental salvaje, lucha con un cuchillo contra el oso pardo y se gana a la mujer hermosa. Aún no he conocido a un hombre que quiera ser Alfred... Aún no he conocido a una mujer que quiera casarse con alguien así».[3]

Quiero aclarar algo, no estoy afirmando que cualquier persona que quiera ser exitosa, vivir en una ciudad o ser político está viviendo una vida vacía. Tampoco estoy diciendo que necesitamos mudarnos al medio oeste estadounidense, vivir en una carpa y combatir a los osos salvajes para vivir una vida que valga la pena.

La clave en la historia de *Leyendas de otoño* está en que Alfred perdió su corazón enamorándose del éxito, el dinero, los lujos y las «cosas», mientras que Tristan decidió vivir una vida alineada con su pasión y su llamado.

En el momento en que vemos esa historia, por alguna razón que discutiremos más adelante en este libro, nuestro corazón conecta con Tristan y no con Alfred. A pesar de eso, muchas veces luchamos por convertirnos en Alfred y no en Tristan. Preferimos dedicar toda nuestra vida al camino seguro, y olvidamos lo emocionante y llena de vida que a veces es la búsqueda de un sueño.

Desde pequeño fui entrenado para jugar seguro. No sé si fue el sistema donde crecí o simplemente el hecho de ser el primer hijo en un hogar divorciado. Pero algo me llevó a ser cauteloso, práctico y pragmático. Mi infancia no me invitaba a la aventura, el riesgo y la victoria.

A pesar de eso recuerdo haber sido un superhéroe empedernido. Por años llevaba puesto el disfraz de Superman o el de los Cazafantasmas. Los amigos de mis padres les decían que yo era «el Superman del tercer mundo» porque seguía poniéndome mi traje de Superman meses después de carnaval, ya con hoyos en las rodillas y los codos.

Como todo niño tenía grabado en mí ese deseo de aventura, riesgo y victoria. Ese deseo de ser parte de una causa más grande. Algo que fuera de bien para la humanidad.

Con el tiempo eso se durmió. Sin darme cuenta me moví al camino común y seguro: sacar buenas calificaciones, ir a la universidad, conseguir un buen empleo y tener éxito en la vida.

El problema no está en seguir este camino o aquel. No estoy juzgando algún camino en particular. El problema está en dejar de escuchar al corazón. Eso fue lo que a mí me pasó. El error está en escoger el camino común porque es el más transitado para lograr seguridad o las expectativas de otros, o para sentirte exitoso ante los ojos de los demás. Escoger siempre lo seguro mata el alma, porque el riesgo y la aventura son el oxígeno de ella.

Llegó el momento en que logré lo que se espera en el camino común: me gradué de una de las mejores universidades de mi país,

comencé a trabajar en una de las compañías más grandes del mundo donde, en menos de diez años, comencé a manejar una de sus marcas más exitosas con ventas por encima del billón de dólares. Me casé con una mujer espectacularmente hermosa y tuve a mi primer hijo, Benjamín, al que amo más que a mi vida.

Llegaron los viajes, la casa en un vecindario hermoso, los carros y las salidas a comer. Pero a pesar de todo eso, y sin deseos de aparentar ser malagradecido, continuaba sintiendo un vacío en mi corazón. Sentía que vivía una vida aburrida. Sentía que había mucho más de mí que podía dar.

Lo preocupante es que no me siento solo. Si creyera que este es un problema único y personal nunca hubiera ni intentado escribir este libro. Pero la triste realidad es que no es así. Solo con mirar a mi alrededor o conversar con los demás podía ver a personas esclavas en sus minicubículos de oficina, con su mente soñando con hacer una diferencia en otro lugar; otros obligados a trabajar en empleos mal pagados solo porque tienen que responder a una mala pasada de la vida; miles de personas maldiciendo el lunes y soñando cada día con que llegue el viernes. Todos callando su canción, su deseo de cantar, de pintar, de hablar o de escribir, de viajar y conocer, de transformar, de educar o de servir.

¿De eso se trata la vida? ¿Se trata la vida de qué tan rápido puedes callar tu canción y apagar tu historia? ¿Están las novelas y las películas hechas simplemente para darnos una ventana que satisfaga temporalmente nuestro deseo reprimido de vivir una vida plena? ¿Están la aventura, el riesgo y la victoria reservados solamente para las historias de ficción?

Yo no lo creo. Por eso escribí este libro.

¿Y cómo estoy tan seguro? Porque lo he comenzado a vivir. El simple hecho de escribir este libro es una de mis más grandes aventuras. Una aventura que me llena de miedo, pero que a la vez me hace sentir tan vivo como cuando me sumergí por una semana en las montañas de Montana, o cuando por primera vez me lancé por unos rápidos en canoa. Me hace sentir tan vivo como cuando me acuesto con mi hijo en la noche, y nos miramos a los ojos por unos segundos,

en silencio, hasta que lo veo dormir. Él se siente protegido, yo me siento protector.

Sabes, vivir una historia que valga la pena no es tan difícil. Es simplemente un proceso intencional. Si no decides vivir tu propia historia, terminarás viviendo la historia de otro.

Aquí te voy a mostrar cómo vivir tu propia historia. Una historia que, como dice mi amigo Todd Henry, te llevará a «morir vacío» porque entregaste todo lo que viniste a dar a este mundo.

LA JORNADA DEL HÉROE

LA JORNADA DEL HÉROE

AQUELLA NOCHE QUE CONOCÍ A Don, esa en la que me confronté con la realidad de que estaba viviendo una vida aburrida, mi mente estaba a mil por hora. Estaba tratando de clarificar cuál debía ser mi siguiente paso. A pesar de entender que no estaba viviendo una vida que me llenara completamente y que existían historias que conectaban con la audiencia e historias que no, no estaba claro en cómo construir la mía de una forma que valiera la pena. Es más, no tenía claridad en lo que era una historia y lo que no lo era.

En ese momento me comprometí a aprender todo lo que se pudiera sobre las historias. Me compré los libros de Donald Miller, Robert McKee, Christopher Vogler y Joseph Campbell. Asistí a cursos sobre cómo contar y crear historias. Hasta le pedí a Shane Meeker, historiador de Procter & Gamble, empresa donde trabajo, que me enseñara todo lo que sabe sobre el poder de las historias.

Permíteme contarte una historia que me ayudó a entender la manera en que se construyen grandes historias: cuando era bien pequeño, mi abuela me regaló un piano. Era un piano hermoso que todavía adorna la sala de la casa de mi papá. El deseo de mi abuela

era que yo aprendiera a tocarlo. Por alguna razón que no recuerdo muy bien, nunca lo hice.

Recuerdo haber estado en clases de música de pequeño. No sé si fue que me aburrí, no era bueno o alguna otra razón, pero en algún momento me sacaron, y las clases se acabaron para mí.

Por años el piano permaneció en la casa de mi mamá. Fue simplemente un adorno del salón. Un adorno que nunca se usó. Nunca tuve interés por aprender a tocar el piano, aunque de vez en cuando lo abría y trataba de tocar una melodía, de esas que solo le gustan a mamá, o quizás es la única que te ama lo suficiente para sentarse a escucharte tocar.

Crecí y entré a la universidad. Ahí conocí a mis dos más grandes amigos: Juan Carlos y Carlos. Ellos son de esos amigos que pareciera que la vida te regala solo una vez, porque a pesar de que conoces a nuevas personas a quienes llegas a amar muchísimo, nunca son como ellos.

Juan Carlos tocaba piano. Lo descubrí una vez que estábamos en su casa estudiando para un examen de la universidad. Pero él no solo tocaba piano, él era capaz de sacar lo más hermoso de ese instrumento. Yo diría que tenía un don especial. Había aprendido prácticamente solo, y si lo escucharas, quedarías sin aliento.

Un día estábamos en una exposición de fotografía en la universidad y de repente, sin alguna razón lógica, vimos un gran piano de cola en el centro de la exposición. Deseando experimentar el sonido de un piano de cola, Juan Carlos decidió tocar una canción.

En el momento en que empezó a tocar el instrumento, todo el salón desvió su atención de la exposición y volteó a ver de dónde salía tan hermosa melodía. Varias personas se acercaron y se recostaron en la cola del piano para poder sentir la música más de cerca. Recuerdo perfectamente que se acercaron un par de chicas que me encantaron. Y yo estaba solterito.

Por más que puse pose de Don Juan, me arreglé el cabello y las miré a los ojos, ellas nunca dejaron de ver a Juan Carlos. Estaban derretidas. Si no me lanzaba al piano en ese momento y tocaba una canción de Alejandro Fernández, no tenía oportunidad.

Ese día decidí que iba a aprender a tocar el piano. Y ese día comencé.

Recuerdo mi primera clase con Gerry Weil, uno de los mejores pianistas de jazz de Latinoamérica, que me hizo esperar más de seis meses para conseguirme un espacio en su agenda y poder aprender de él.

Este primer día Gerry me enseñó lo básico de la música. Me enseñó que la música es hermosa al oído cuando tiene forma y sigue una estructura. La música, en el fondo, es bastante matemática y predecible. Existen escalas, tiempos y armonías que hacen que sea agradable para nuestro oído. Gerry decía: «Al final es todo matemática. Si te aprendes las fórmulas estarás bien. Apréndete las fórmulas y sabrás cuándo romperlas».

Cuando empecé a aprenderme las fórmulas me impresioné de ver cómo tantas canciones famosas seguían el mismo patrón, tenían los mismos acordes y la misma estructura.

Si rompía la estructura creaba ruido, si seguía la estructura creaba música. Así de simple. Con el tiempo aprendí que si le agregabas ciertas disonancias a la estructura (levemente rompías las reglas) le agregabas sabor, hacías la música única. Pero en el fondo, si no querías hacer ruido, necesitabas seguir la estructura.

Igual son las historias. Ellas tienen una estructura predecible. Si no la sigues, simplemente vives una vida desordenada, sin sentido, o vives la vida que otro quiere que vivas. Si la aprendes y la sigues, puedes crear la narrativa que quieras, puedes cumplir tus sueños y puedes llegar a donde quieras llegar.

Al igual que la música, las historias descansan sobre estructuras, no sobre reglas. Sobre principios universales.

La definición de una historia en su forma más básica es esta: una persona (el héroe) que quiere algo y está dispuesta a atravesar el conflicto para conseguirlo.

Es decir, para comenzar a crear una historia necesitamos a una persona (a la cual llamaremos el héroe) que quiere algo (necesita tener definidos sus sueños y metas) y que está dispuesta a atravesar el conflicto (entiende que hay que pagar un precio y está dispuesta a pagarlo) para obtener lo que desea (la victoria).

Esa persona eres tú. Tú eres el héroe.

Considero que en general violamos los tres basamentos de una historia: en primer lugar, no nos vemos como héroes. En segundo lugar, no tenemos definido qué es lo que queremos de la vida. Creemos que sí lo tenemos definido, pero la realidad es que no. En tercer lugar, no vemos el conflicto, las luchas, las fuerzas antagonistas de nuestra jornada como necesarias para el desarrollo de la historia, sino más bien como golpes de la vida y mala suerte.

Quiero hacer una aclaración, a partir de ahora utilizaré el término «héroe» para identificar al protagonista de la historia, es decir, tú. Utilizaré el término para referirme a ambos géneros y así evitar complicar la narrativa del libro utilizando la palabra héroe y heroína constantemente. Con independencia de si eres una mujer o un hombre, eres el héroe de tu historia.

Esta búsqueda de la estructura en la cual se basan las grandes historias me llevó a conocer el trabajo de uno de los hombres que revolucionó el arte y la ciencia detrás de las historias.

Joseph Campbell fue un mitólogo, escritor y profesor que desde muy temprana edad estuvo fascinado con los mitos de las diferentes culturas y religiones del mundo. No conozco a nadie que haya hecho un estudio tan profundo de este tema como él.

Joseph Campbell descubrió algo muy peculiar. Él notó que los mitos y las historias de una cultura se parecían mucho a los de otras culturas. Sin importar si estaba en Asia o en el oeste americano, básicamente tenían la misma mitología pero con diferentes personajes.

Esto lo llevó a crear el concepto del «mono mito»; en sus mismas palabras, él expresa:

Sea que escuchemos con divertida indiferencia el sortilegio fantástico de un médico brujo de ojos enrojecidos del Congo, o que leamos con refinado embeleso las pálidas traducciones de las estrofas del místico Lao-Tse, o que tratemos de romper, una y otra vez, la dura cáscara de un argumento de Santo Tomás, o que captemos repentinamente el brillante significado de un extraño cuento de hadas esquimal, encontraremos siempre la misma historia de forma

variable y sin embargo maravillosamente constante, junto con una incitante y persistente sugestión de que nos queda por experimentar algo más que lo que podrá ser nunca sabido o contado.[1]

Este descubrimiento por observación lo llevó a desarrollar uno de los conceptos que más ha influido, por no decir el que más ha influido, en el proceso de creación de historias, La Jornada del Héroe.

En La Jornada del Héroe, Joseph Campbell construye una jornada con una serie de pasos claramente identificados que guían el desarrollo de la historia de un héroe. Desde la partida de un mundo ordinario (llamado por Campbell el mundo de los días comunes) hacia una aventura, pasando por las pruebas y conflictos hasta conseguir la victoria.

Años más tarde Christopher Vogler, un entonces analista de historias en Hollywood, escribió un documento de siete páginas que llevó a revolucionar la industria de Hollywood. Vogler, profundamente impactado por el trabajo de Joseph Campbell, escribió «Guía práctica de *El poder del mito*», con el objetivo inicial de ayudar a sus colegas de los estudios de Walt Disney Company, lugar donde trabajaba, a detectar y escribir grandes historias.

Al poco tiempo Vogler se dio cuenta de que su trabajo estaba realmente impactando a Hollywood. Empezó a recibir solicitudes de «Guía práctica» por diferentes estudios de Hollywood. Le llegó la información de que diferentes productores estaban dándoles copias de su guía a escritores, directores y productores.

En su libro *El viaje del escritor*, Vogler comenta que su guía práctica fue establecida como lectura obligatoria para cualquier ejecutivo de Disney.[2]

Si estudias el trabajo de Joseph Campbell y Christopher Vogler te darás cuenta de que han descubierto y organizado un patrón que define la estructura de las mejores películas de Hollywood. *La guerra de las galaxias*, *La leyenda de Bagger Vance*, *¿Conoces a Joe Black?*, *El señor de los anillos*, *Leyendas de otoño* y miles más han sido fuertemente influenciadas por el trabajo de estos dos pensadores.

La gran pregunta que me hice fue la siguiente: si Joseph Campbell y Christopher Vogler fueron capaces de idear una estructura que creara historias memorables, historias que conectan con el corazón humano, ¿podríamos entonces utilizar esta misma estructura para aplicarla a nuestra vida, y crear una vida plena, inspiradora, que valga la pena?

La respuesta afirmativa a esa pregunta es mi más profunda convicción y la razón para el nacimiento de este libro. La Jornada del Héroe será un mapa y una estructura para tu vida que te guiará a vivir la vida que siempre soñaste. Te permitirá entender en dónde te encuentras en la jornada y te dará dirección, como una brújula, hacia el siguiente paso. Te protegerá de caer en las garras casi invisibles de la complacencia, el cinismo y la dejadez. Te dará una esperanza como nunca antes.

La Jornada del Héroe es un ciclo de siete pasos que comienza y termina en el mismo lugar: un mundo ordinario. Esta es la jornada:

1. Un mundo ordinario

Como dice Joseph Campbell, es el mundo de los días comunes. Un mundo conocido, seguro y predecible. Independientemente de cómo lo percibamos, bien sea por el aburrimiento o la frustración para unos, o una máscara de éxito para otros, nuestro corazón está agonizando, necesita riesgo y aventura. Estamos en un proceso de muerte del alma.

2. El llamado a la aventura

Algo sucede que rompe la tranquilidad de nuestro mundo ordinario. En el medio de la mera supervivencia de nuestra alma, nuestro corazón agarra fuerzas de donde no hay y nos recuerda nuestra pasión, nuestro llamado, el plan de nosotros para este mundo.

3. La negación de tu llamado

La reacción natural de todo héroe es negar su llamado. Los seres humanos buscamos la comodidad, el *statu quo*, quedarnos en el mundo ordinario. El camino fácil, nuestros temores o las expectativas de otros nos llevan a negar nuestro llamado. El miedo a lo desconocido, al fracaso, a la vergüenza pública crean una fuerza que busca que evitemos lanzarnos a la aventura.

4. El incidente inductor

El incidente inductor es la acción o situación que nos fuerza como héroes a entrar en la historia. Es la puerta de no retorno. Nosotros podemos ser forzados a entrar en la historia o buscar de forma proactiva generar la situación que nos sumerja en ella. Este es el momento clave para nuestra vida como héroes; en este momento decidimos si huimos de vuelta a nuestro mundo ordinario o nos embarcarnos en lo desconocido de la aventura.

5. El conflicto

El conflicto es indispensable en cada gran historia. Las luchas, barreras y pruebas son necesarias para nuestra evo-

lución como héroes, nuestra capacidad de conectarnos con el dolor de otros y para hacer de nuestra vida una historia inspiradora. La historia será tan grande, interesante e inspiradora como el nivel del conflicto que estemos dispuestos a vencer.

6. La resurrección

Todos llegamos al momento en que las fuerzas antagonistas son tan fuertes que sentimos que vencieron. En ese momento la gran mayoría renuncia.

El héroe es el que es capaz de sacar fuerzas de donde ya no existen y levantarse para una última batalla. Este es el punto donde tú y yo decidimos de una vez por todas que no volveremos al mundo ordinario del que salimos. En este punto vencemos o vencemos.

7. La victoria

La estructura básica de toda historia es un héroe que quiere un tesoro y lucha en contra de la adversidad para obtenerlo. No existe historia sin recompensa. No existe una vida que valga la pena sin un sueño, metas y visión.

Este es el punto en que el héroe obtiene su recompensa. Ha superado los obstáculos. Ha sufrido y ha ganado.

1. De vuelta al mundo ordinario

Todo héroe merece celebración, descanso y restauración. Por eso vuelve al mundo ordinario. Sin embargo, esta etapa es riesgosa porque puede volver a instaurarle al héroe el amor por lo seguro. Luego de pasar por el proceso de restauración, el héroe necesita seguir a una nueva aventura.

Como puedes ver, La Jornada del Héroe es un ciclo que nunca acaba.

—¿Y cuándo uno se retira? —algunos me preguntan.

—Cuando desees dejar de vivir y solo existir. Simplemente mira a tu alrededor y observa —respondo—, no preguntes, sino observa. Verás a cientos de personas que se murieron de jóvenes y solo están esperando ser enterradas de viejas.

—¿Y cuándo murieron?

—Cuando se enamoraron del mundo ordinario.

CAPÍTULO 4

UN MUNDO ORDINARIO

TODA GRAN HISTORIA COMIENZA EN un mundo ordinario. Los escritores de estas historias necesitan colocar un punto de referencia para poder mostrar a través de la historia la capacidad y valentía del héroe.

Frodo en *El señor de los anillos* vive felizmente en la comarca. Bilbo en *El hobbit* comienza descansando placenteramente al frente de

su casa. Clark Kent vive tranquilamente dentro de una familia agricultora mucho antes de convertirse en Superman. Lucy en *Las crónicas de Narnia* está jugando a las escondidas con sus hermanos antes de encontrarse con el armario fantástico que la llevará a una aventura a las tierras de Narnia.

Joseph Campbell llama al mundo ordinario el «mundo de los días comunes». Es ese mundo en el que vivimos tú y yo cada día. Un mundo lleno de rutinas y vacío de lo nuevo, de lo impredecible.

Uno de los casos más claros de la fuerza del mundo ordinario lo vemos en la película traducida al español como *Cadena perpetua* o *Sueño de fuga* (*Shawshank Redemption*),[1] en la cual Brooks, un hombre viejo ya, que ha pasado en la cárcel más de cincuenta años, recibe la libertad condicional.

De una manera inesperada, al recibir la noticia de su libertad, Brooks intenta asesinar a uno de sus compañeros. Por suerte, otros amigos de Brooks logran convencerlo de que no lo haga.

¿Por qué Brooks intentó asesinar a uno de sus compañeros luego de recibir la noticia tan ahelada de su libertad?

Por miedo.

Brooks llevaba más de cincuenta años preso. Aunque teóricamente deseaba la libertad, en el momento en que la obtuvo se llenó de miedo. La cárcel se había convertido en su casa. En la cárcel él era alguien. Afuera de esas paredes era un don nadie. Fue tanto su temor que estuvo a punto de asesinar para poder continuar preso, para mantenerse en «su mundo ordinario».

Al igual que Brooks nosotros también inconscientemente luchamos por mantenernos en ese mundo de los días comunes. El cambio nos da miedo porque nos hace vulnerables. En el mundo ordinario sabemos cómo ganar, las cosas se nos hacen fáciles y son predecibles. El mundo ordinario alimenta nuestro ego. Nos hace sentir exitosos, nos hace sentir invencibles.

El poder del mundo ordinario mantiene a personas atadas a trabajos insoportables, mujeres a relaciones violentas, pueblos a un liderazgo corrupto e individuos a rutinas que hacen la vida profundamente

aburrida. Mi tendencia natural es adaptarme a las rutinas seguras y, en consecuencia, vivir una vida de aburrimiento total.

Lo interesante de todo esto es que nosotros nacemos como criaturas exploradoras. Aprendemos de ensayo y error. Desde que somos unos bebés empezamos poco a poco a crear nuestro mundo ordinario.

Desde nuestro nacimiento la vida se trata de explorar. Es más, tenemos una gran pasión por eso. A pesar de ser algunos niños más cautelosos que otros, todos, de alguna manera u otra, nos quemamos con la estufa, nos golpeamos tratando de caminar, metimos el dedo en un tomacorriente o nos lanzamos de una altura demasiado grande para nosotros.

Poco a poco comenzamos a crecer y empezamos a aprender las reacciones de nuestro alrededor ante nuestros éxitos o fracasos. Con el tiempo, dependiendo de la seguridad que tengamos en nosotros mismos, empezamos a desarrollar un miedo al fracaso y comenzamos a entender cuáles son los límites en donde tenemos éxito.

En los límites donde aprendemos a tener éxito nos queremos quedar y tratamos de evitar lugares donde el éxito no es tan seguro. Con el tiempo, comenzamos a crear unas murallas invisibles a nuestro alrededor que nos mantienen presos y no nos permiten salir a explorar nuevos horizontes.

Por esa razón, día tras día, vivimos las mismas rutinas, vamos a comer a los mismos lugares, pedimos los mismos platos, nos reunimos con las mismas personas y contamos los mismos chistes una y otra vez. Vivimos en un micromundo y llegamos a creer que ese es el mundo, pero no lo es.

Hace unos años conocí a un hombre multimillonario que nunca había salido de su pueblo y no tenía intención de salir. También conocí a otra persona que comía los mismos cuatro platos de comida siempre. Una vez supe de una mujer que volvía una y otra vez con su esposo violento solo para esperar un nuevo evento que lamentar.

El propósito de este capítulo no es darte una solución al problema del mundo ordinario, para eso están los siguientes cuatro capítulos. El objetivo de este capítulo es que llegues a la conclusión de que existe tu «mundo ordinario» y que de alguna manera puedes estar

atrapado en él. Quiero convencerte de que, a pesar de que mantenernos en el mundo ordinario nos hace sentir bien y seguros, con el tiempo nos trae la muerte del alma, porque el alma necesita aventura y riesgo. El alma se nutre de ello.

Imagina en la película *El señor de los anillos* si Frodo se quedara en la comarca. ¿Cómo sería la película *El Gladiador* si Maximus se hubiera ido a su casa tal y como se lo pidió al rey, y hubiera vivido todos los años restantes junto a su esposa e hijo? ¿Y qué de Luke Skywalker si se hubiera quedado con su tío evitando su llamado a convertirse en un Jedi? Todas las grandes historias que vemos en las salas de cine o leemos en un buen libro nos muestran a un héroe que decide salir o es expulsado del mundo ordinario. No existe gran historia en el mundo ordinario, simplemente no existe. No vinimos a este mundo a mantenernos en el mundo ordinario.

Mi deseo para ti es que no llegues al final de tus días habiendo vivido la mayoría de tu vida en el mundo ordinario. Si te estás dando cuenta de que has sido presa del mundo ordinario, necesitas comenzar a salir de él. Los siguientes capítulos te ayudarán en el proceso.

CAPÍTULO 5

UN LLAMADO A LA AVENTURA

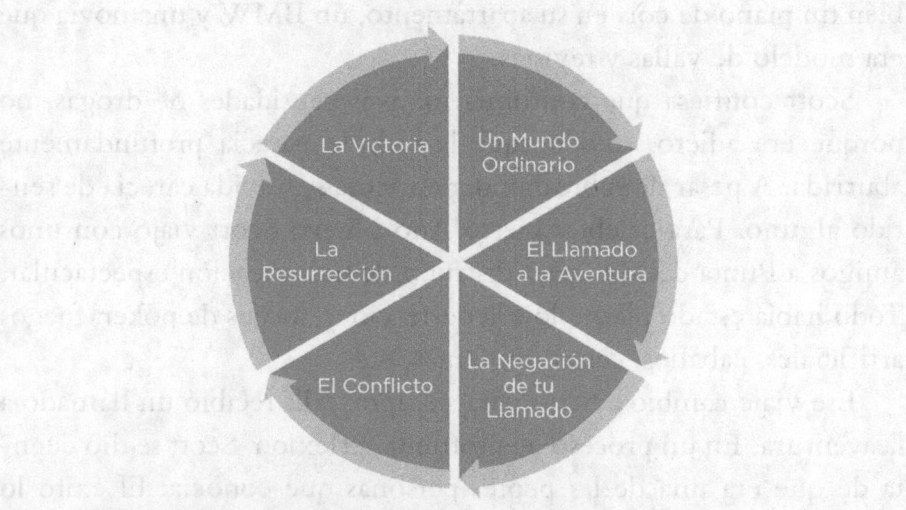

SCOTT HARRISON NACIÓ EN FILADELFIA, Estados Unidos. Formado en un hogar creyente en Dios, decidió huir a Nueva York a vivir la vida que siempre soñó. Con una banda musical que había creado en sus años de adolescente, se embarcó en un viaje con el objetivo de alcanzar el éxito.

En Nueva York su banda empezó a tener cierto éxito aunque no se dieron el suficiente tiempo para alcanzar el contrato soñado.

Scott, siendo sincero, contaba que todos se odiaban entre sí. Así que llegó el momento en que disolvieron la banda musical.

Para este momento, Scott ya estaba sumergido en bares, fiestas y alcohol. Ahora sin banda, pensaba cuál debía ser su siguiente paso. En este proceso, Scott se había dado cuenta de que el promotor de su banda estaba haciendo buen dinero. Así que decidió asociarse con él y comenzar su nueva carrera como promotor en Nueva York.

Poco a poco empezó a tener éxito. Llegó un momento en que era tan exitoso que compañías de licor le pagaban miles de dólares solo para que tomara su marca. Era tan conocido en ese mundo que había sido entrenado en cómo mover su muñeca rápidamente para que en todas las fotos que le tomaran apareciera en perfecto ángulo su Rolex de oro. A apenas veintiocho años tenía no solo su Rolex, sino también un piano de cola en su apartamento, un BMW y una novia que era modelo de vallas y revistas.

Scott confiesa que consumía masivas cantidades de drogas, no porque era adicto, sino porque la vida le parecía profundamente aburrida. A pesar de sobreabundar en «cosas», su vida carecía de sentido alguno. Para celebrar cierto Año Nuevo Scott viajó con unos amigos a Punta del Este para disfrutar de una vacación espectacular. Todo había estado planeado a la perfección: noches de póker, fuegos artificiales, caballos, cenas, sirvientes, etc.

Ese viaje cambió a Scott para siempre. Allí recibió un llamado a la aventura. En un proceso de profunda reflexión, Scott se dio cuenta de que era una de las peores personas que conocía. El éxito lo había llevado a ser arrogante y egoísta. Pudo ver claramente en sí mismo además de en las personas alrededor las consecuencias que acarreaba su oficio. Scott finalmente admitió que estaba en la quiebra emocional, espiritual y moral.[1]

Para el momento en que Scott regresa a Nueva York algo pequeño había cambiado en él. Había un llamado en su corazón para hacer algo diferente. Dijo: «¿Qué tal si decido servir a Dios? Pero no de la manera hipócrita que vi cuando era niño sino más bien... ¿Qué tal si sirvo a otros?».[2]

Ese día Scott tomó la decisión de dar un año de su vida a alguna causa humanitaria. Dejó todo lo que tenía atrás y comenzó la búsqueda de su aventura.

Así como en el caso de Scott, normalmente el llamado a la aventura no llega claramente definido, pero sí es algo que sentimos dentro. Es algo que nos llama. Es como si hubiéramos nacido para ello. Para algunas personas el llamado es algo gigante que cambiará su vida en ciento ochenta grados para siempre. Para otros, serán pequeños pasos que te llevarán a comenzar a narrar la historia que jamás imaginaste. Independientemente de cuál sea el caso, podemos empezar a detectarlo si reflexionamos en nuestra pasión.

La pasión

¿Cómo podemos detectar lo que nos apasiona? Esta es una pregunta que me hice por muchos años y constantemente la recibo de parte de los seguidores de mi blog y podcast.

Existe una conexión clara entre llamado y pasión. La pasión es como esa pequeña pista, esa pequeña linterna que nos alumbra tan solo unos metros cuando nos adentramos en la neblina de una noche oscura. Si queremos detectar nuestro llamado necesitamos seguir nuestra pasión.

Uno de los mayores problemas que he visto es que las personas no saben claramente lo que significa la palabra «pasión». Para muchos, la pasión es como una inclinación, preferencia o deseo muy vivo por alguna persona o cosa. Así conocemos la pasión.

Tengo pasión por aventurarme en las montañas y estar en contacto directo con la naturaleza y mi creador. Tengo pasión por un juego o me apasiona comer costillas de cerdo a la barbacoa cada vez que tengo la oportunidad. Algunos se apasionan por correr mientras otros se apasionan por jugar con su perro. Unos tienen pasión por traer justicia al necesitado mientras otros están apasionados por revisar su perfil en las redes sociales.

Si la pasión es simplemente una inclinación, preferencia o deseo muy vivo, ¿cómo diferenciamos la pasión que conecta con nuestro llamado frente a la pasión por las costillas a la barbacoa, o por hacer

ejercicios, o por ver nuestro programa favorito? El concepto de pasión, el que quiero definir en este libro, tiene que ser más elevado, más amplio, más inspirador.

¿Recuerdan a mi amigo Dave, el que me llevó a conocer a Donald Miller? Él siempre anda pensando en grandes ideas. Una noche que estábamos cenando juntos, decidimos hablar del concepto pasión.

—¿Que es pasión para ti, Dave? —le pregunté.

Después de su respuesta predecible, en la que me explicaba con clichés que pasión era lo que le traía vida, emoción, etc., por un segundo, reflexionó y me dijo:

—Mi pasión no solo viene de lo que me gusta hacer, mi pasión viene también de lo que odio más profundamente.

Ahora sí veía venir algo interesante. Algo digno de colocar en un libro.

—Sabes —me dijo—, yo siento odio, rabia por muchas cosas. Algunas de esas cosas son insignificantes, no tienen importancia. Son como cuando me atasco en el tráfico o se me acaba la batería de mi celular. Pero hay otras, ¡hummm!, hay otras —ya le podía ver el fuego en los ojos como si fuera a aniquilarme en una película de X-Men— que no las soporto. No las soporto a tal punto, que necesito hacer algo para que cambien. Pobreza extrema, esclavitud sexual, falta de servicios básicos como agua, comida y educación en países del tercer mundo. Eso hace que me hierva la sangre.

Gracias a esa pasión, Dave decidió utilizar su empresa distribuidora de café no solo para vender un excelente café y hacer una utilidad, sino también para educar a aldeas en Centroamérica en la forma correcta de la producción del café con el fin de que puedan autosustentarse, desarrollarse como comunidad y escapar de la pobreza.

Entonces la pasión tiene que ver con un deseo o inclinación por lo que está bien, pero también tiene que ver con rabia y rechazo hacia lo que está mal.

Pero aún había algo que no terminaba de cerrar. ¿Por qué tantas personas tenemos un deseo o inclinación hacia algo, o como Dave, una rabia o rechazo hacia otra cosa, e igual no actuamos ni hacemos una diferencia?

Yo creo que tiene que haber algo en el concepto de pasión que clarifique el hecho de que si no te lleva a la acción, a hacer una diferencia, entonces no es pasión.

Lo que me lleva a otro amigo, Todd Henry.

A Todd lo conocí por esos milagros del destino. Un amigo de un amigo del hermano de un amigo, cuando supo que estaba por escribir un libro, me presentó a él.

Todd era el director creativo de la iglesia más grande de Cincinnati, a donde semanalmente asisten entre quince mil y veinte mil personas. Todd, como creativo, es un profundo pensador. Por un deseo vehemente de educar a otros y celebrar el proceso creativo del ser humano, comenzó un podcast que creció inmensamente, y que luego lo llevó a ser escritor y orador a tiempo completo.

Todd es un experto en el área de la pasión. De hecho, en su libro *Die Empty: Unleash Your Best Work Every Day* [Muere vacío: entrega lo mejor de ti cada día] dedica un capítulo completo a discutir lo que él denomina pasión productiva.

Pasión productiva es una pasión que invariablemente te lleva a la acción. Al conversar con él me dijo: «Pasión no es solo emoción y entusiasmo. La pasión tiene otro ángulo: el del sufrimiento». Basta con buscar la definición de la palabra «pasión» en el diccionario para encontrar dos definiciones que parecerían diametralmente opuestas: «deseo e inclinación» por un lado, y «padecimiento y sufrimiento» por el otro.

En las palabras de Todd: «Pasión es algo por lo cual estás dispuesto a sufrir para lograrlo».

Ahora sí tenemos una definición correcta de pasión. La pasión viene de un deseo muy vivo o una inclinación; también puede nacer de la rabia y el rechazo por las cosas incorrectas e injustas de este mundo; pero al final, necesitamos estar dispuestos a sufrir.

Necesitas definir tu pasión.

Existen determinadas preguntas que te ayudarán en el proceso. ¿Por qué o cuál cosa tienes una preferencia o deseo vivo? ¿Qué sientes que más que un trabajo, es un llamado? ¿Alguna vez has sentido que hubieras nacido para algo? ¿Existe algo que te dé rabia, que rechaces rotundamente?

Después de que hayas respondido alguna de estas preguntas o todas, verifica preguntándote lo siguiente:

Cuando estoy haciendo lo que definí como pasión, ¿sigo entusiasmado y pensando en lo que tengo que hacer mañana? ¿Mi pasión motiva a mi imaginación? Si heredara un millón de dólares, ¿continuaría haciendo lo que definí como pasión?

Definir tu pasión es un paso sumamente importante. Las personas por lo general lo evitan porque creen que saben lo que quieren. La realidad es que resulta un proceso de mucha introspección y no es sencillo. Recuerda que tu pasión es como la linterna que te alumbra en la neblina de la noche. Si no la tienes definida, saldrás a tu aventura sin linterna y podrás terminar frustrado en donde nunca soñaste estar.

Ahora bien, definir tu pasión no es el único paso. Muchos motivadores baratos te convencen de que la pasión es lo único que necesitas para cumplir tus sueños. «Simplemente haz lo que te da pasión y serás feliz», dicen muchos.

Eso es verdad si tienes un padre millonario que te mantenga. Pero no es la realidad de la mayoría. Definir tu pasión es crucial y lo más importante, pero no lo único. Necesitas entender que tu esfuerzo tiene que estar dirigido por la intersección de tu pasión, tu capacidad y el mercado.

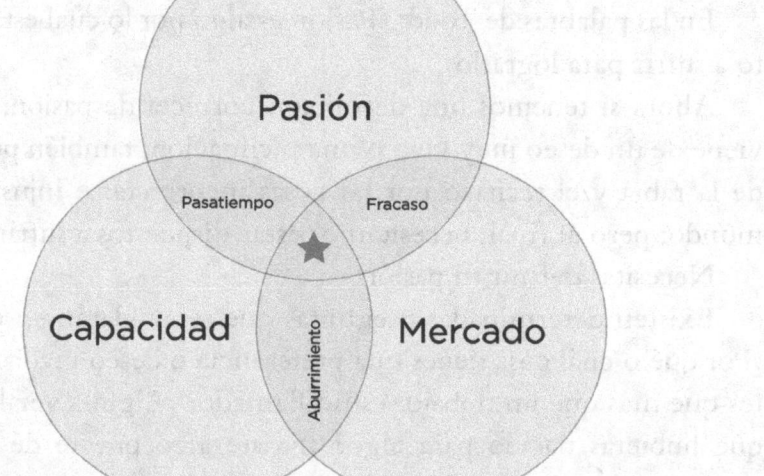

La capacidad

Luego de mi experiencia desgarradora cuando las dos jovencitas se derritieron por mi amigo Juan Carlos al escucharlo tocar el piano, y que me llevó a aprender el instrumento con el objetivo de no estar más solterito, me apasioné por la música. Ya no era por las chicas sino por el placer de crear algo que antes no existía, siguiendo las estructuras, escalas y melodías del arte musical.

Con el tiempo mejoré y mejoré pero nunca al punto de ser un pianista profesional. Llegó el momento en que tuve que decidir si esto era mi futuro o un pasatiempo hermoso, necesario y restaurador, pero al fin, un pasatiempo.

Uno de los errores más comunes que encuentro es que las personas piensan que si tienen pasión por algo, entonces automáticamente son buenas en eso. Creen que el simple hecho de tener pasión les da una ventaja competitiva en el área.

La realidad es que te da una ventaja competitiva cuando te comparas con las personas que no han trabajado en ese campo o desarrollado esa habilidad, tal como el piano me dio a mí una ventaja competitiva sobre mis amigos y familiares. Pero cuando entras al mundo de la música, cuando te comparas con pianistas que están tocando piano desde los cinco años de edad, te das cuenta de que ellos están en otra liga.

Ahora bien, sí existen cosas que te apasionan donde tú eres bueno. Es necesario que las encuentres. Este es un proceso en el cual necesitas ser brutalmente honesto contigo mismo. Para responder esta pregunta puedes apoyarte en tu familia, tus amigos o tu mentor. Necesitas reflexionar y preguntarte: *¿Cuáles son mis fortalezas? ¿Cuáles son mis debilidades? ¿En qué soy yo mejor que todo el mundo?*

Siempre recuerdo a otro de mis más grandes amigos y mi mentor, Peter Blanco. El tipo es una máquina. Recuerdo entrenar en mi bicicleta por meses para salir con él y ver cómo me vencía en una bicicleta barata y oxidada. Una vez decidí trotar una hora diaria por varios meses solo para ver cómo en segundos me dejaba atrás sin misericordia.

Peter hacía karate y siempre me decía que nunca le dolían los golpes de los otros. Por alguna razón, quizás debido a entrenar tanto desde niño o simplemente su condición genética, no le dolían los golpes. Y no estoy bromeando, a veces hacíamos competencia entre varios de pegarle en su hombro con toda nuestra fuerza solo para verlo reír y luego hacernos salir corriendo cuando él decidía partirnos en dos.

Ese tipo de habilidades son a las que me refiero. Si reflexionas, estoy seguro de que te darás cuenta de ciertas fortalezas que tienes en ti. Así como cualquier actividad física o deportiva eran pan comido para Peter, en tu caso podría ser la capacidad de negociar que tienes, o de ser empático con otros, o tu capacidad de servir sin esperar nada a cambio. A lo mejor eres cómico y alegre, a lo mejor cuando dibujas o cuando diseñas una prenda de vestir todo el mundo te admira. Tú tienes grandes fortalezas. Solo necesitas callar y escucharte.

Hace muchos años me embarqué en uno de mis más grandes riesgos. Decidí montar una tienda que daba múltiples servicios de telecomunicaciones. La inversión era gigante, así que tuve que buscar a una persona muy especial que creyó en mí.

Ya con el dinero en mano, alquilé un local y comencé la remodelación. Rápidamente pagué por los equipos de telecomunicación y empecé a planear la instalación para estar listo cuando llegaran.

Con más del ochenta por ciento del dinero invertido y sin manera de recuperar, la junta de condominio del edificio donde estaba mi local decidió, por unanimidad, no permitirme la instalación de una antena que era necesaria para el funcionamiento del local. Después de múltiples reuniones, trancazos de puerta en mi cara y cartas para adelante y para atrás, ellos decidieron someterlo a votación en una junta con el edificio.

Al llegar a la junta, increíblemente angustiado, comenzó la votación y entonces me percaté de que iba a perder casi por unanimidad, y prácticamente sin ningún tipo de negociación. En medio de mi desesperación llegó un momento en el que decidí tomar la palabra.

No recuerdo exactamente lo que dije. Pero sí recuerdo que poco a poco, mientras hablaba, las personas iban sintiendo empatía

conmigo. Pude ver cómo, de forma casi milagrosa, la posición de muchos cambió y no sé si por compasión o convicción, decidieron votar por mí. Esa noche gané la votación de manera inesperada.

Pero lo más importante esa noche no fue que gané la votación, lo más importante es que esa noche yo mismo no entendí qué pasó. Esa noche sentí que tenía una fortaleza en el área de la comunicación. Sentí que de alguna manera, si creía lo que decía, podía llevar a las personas a un nuevo nivel de pensamiento. Esa fue la semilla que luego germinó en muchas cosas, incluyendo mi blog, mi podcast y este libro.

Recuerda dedicar un tiempo a esta reflexión. La respuesta no está solamente en definir tu pasión. Necesitas detectar tus fortalezas, necesitas descubrir tu ventaja competitiva.

El mercado

¿Por qué necesitamos hablar de mercado? Porque si solamente tienes pasión y capacidad, pero no mercado, solo tienes un pasatiempo.

La mayoría de las personas quieren poder vivir de su pasión ¿Te imaginas que día a día vivieras, ganaras dinero haciendo lo que te apasiona? ¿Qué sería de tu vida si tu pasión fuera una realidad?

Esta es una pregunta que necesitas responderte. No es nada malo tener un pasatiempo. Pero si quieres vivir de tu pasión, necesitas asegurarte de que haya una necesidad en el mercado.

Ahora bien, no necesariamente estoy diciendo que tienes que monetizar tu pasión. Puede ser que desees hacerlo como voluntario. Pero al final, siempre hay una necesidad en el mercado que tú suplirás con tu servicio, tu arte, tu consultoría, tu tiempo, etc.

Es por esto que las compañías invierten millones de dólares en investigación de mercado. Ellas necesitan asegurarse de que existe un mercado que resonará con el producto o servicio que están diseñando. Estas compañías se han dado cuenta de que a veces, por estar tan alejadas de su consumidor, una idea que apasiona al liderazgo de la empresa puede ser totalmente inútil ante los ojos de su cliente.

Hace unos años tuve la oportunidad de conocer personalmente a Gary Vaynerchuk, una celebridad que se hizo multimillonario en internet, y conocer de primera mano la historia que lo llevó al éxito.

Gary nació en la ex Unión Soviética pero creció en Nueva Jersey, Estados Unidos. Desde pequeño, tuvo la oportunidad de trabajar ayudando en la licorería de su padre. En esos años descubrió algo muy particular. Gary descubrió que los clientes que venían a comprar vinos se comportaban totalmente diferente de los clientes que venían a comprar cualquier otro tipo de licor.

Por ejemplo, si una persona venía a comprar un whisky, sin importar cuál recomendación Gary o su padre le dieran, la persona siempre compraba la marca que había decidido previamente. Por el contrario, cuando una persona venía a comprar vinos, actuaba totalmente diferente. Este tipo de cliente era un explorador, hacía preguntas, estaba abierto a probar nuevas marcas y nuevas cosechas. Desde muy temprano Gary se dio cuenta de que había un vacío en el mercado de educación sobre vinos.

Como los vinos se habían convertido en su pasión, y por su experiencia en la tienda, sabía que era bueno guiando y educando a los clientes a experimentar distintos tipos de vinos, en el año 2006 lanzó *Wine Library TV,* un show en YouTube que se convirtió en una plataforma gigantesca para educar y también distribuir vinos a sus clientes.

Gary catapultó la licorería de su padre de facturar cuatro millones de dólares al año a más de sesenta millones de dólares al año con más del cincuenta por ciento de sus ventas hechas en línea.

Todo porque descubrió una necesidad en el mercado (que repito, no eran los vinos, era la educación) y se comprometió a educar, con un lenguaje sencillo y jovial, a los amantes del vino. El resto, es historia.

Muchas veces las personas me preguntan cómo pueden determinar si hay un mercado. La respuesta es muy sencilla, piensa primero en el servicio. Si tienes pasión por algo y eres bueno, comienza a pensar en cómo puedes servir a los que tienes a tu alrededor. ¿Te apasiona la repostería y eres bueno en eso? Haz y regala algo de tu

creación a alguien necesitado y observa la reacción. ¿Te gusta enseñar a niños? Comienza haciéndolo gratis para ganar experiencia y entender si existe una necesidad de tu servicio.

Así nació mi blog, que para el momento en que escribo estas líneas, es visitado por más de un millón de personas al año. Yo descubrí que mi pasión era el liderazgo, ayudar a otros a descubrir su propósito y motivarlos en la jornada. También sentía que tenía una fortaleza en el área de la comunicación. Así lancé liderazgohoy.com.

Por varios años (y hasta el día de hoy) escribí, publiqué podcasts y videos totalmente gratis. Necesitaba saber si había un mercado para mi mensaje. Necesitaba confirmar que mi pasión resonaría con la audiencia.

Hoy tengo contratos de libros y me pagan buen dinero como orador, pero todo comenzó como un servicio a los demás. Así descubrí mi voz. Así descubrí mi mercado. Así descubrí mi nicho.

Otro de los errores más comunes que veo es que las personas alinean su plan de vida a solo dos de los tres aspectos (pasión, capacidad y mercado) que hemos discutido. Recuerda lo siguiente:

- Si tienes pasión por algo y eres bueno pero *no* existe un mercado, es un pasatiempo. No existe nada de malo con tener pasatiempos, pero es importante que seas honesto y lo definas como tal.
- Si tienes pasión por algo y existe un mercado pero *no* eres bueno, estás caminando directamente hacia la frustración, el fracaso y la mediocridad. Jamás llegarás al nivel de las personas que tienen la habilidad para eso, y vivirás una vida llena de frustración. (Quiero aclarar en este punto que cuando me refiero a que «no eres bueno» no me refiero a una habilidad que puedas desarrollar con esfuerzo y persistencia, sino más bien a una habilidad que al nivel profesional, es imposible que alcances. Por ejemplo: si yo quisiera llegar a ser, comenzando a mi edad y sin experiencia previa, un patinador sobre hielo en las olimpíadas).
- Si eres bueno en algo que tiene un mercado pero *no* tienes pasión, vivirás una vida profundamente aburrida. Este grupo es al que normalmente me refiero cuando digo que «maldicen el lunes y pasan cada día

esperando el viernes». Son buenos en lo que hacen, posiblemente les paguen bien, pero no tienen ninguna pasión por su ocupación.

Al final, la idea que necesito que te lleves es la siguiente: para seguir tu llamado, necesitas definir el área en donde se interceptan tu pasión, tu capacidad y el mercado. Ese es el secreto.

Fuentes que nutrirán tu pasión

Curtis Martin nació en el año 1973 rodeado de violencia, alcohol y drogas. Su madre tuvo que criarlo sola después de que su padre los dejara en soledad por seguir una vida de alcohol y drogas. La violencia en la que Curtis se desarrolló era tan grande que su abuela fue encontrada muerta, apuñalada, y él mismo estuvo cerca de la muerte cuando un revólver cargado y apuntando a su cabeza falló en disparar siete veces.

Martin fue considerado un gran atleta desde niño y rápidamente se convirtió en una de las estrellas del equipo de fútbol americano de su colegio. Con el tiempo llegó no solo a jugar en las ligas mayores de fútbol americano (NFL, por sus siglas en inglés), sino que se convirtió en uno de los mejores jugadores de la liga, y en el año 2012 recibió el premio como el jugador más valioso del año.

En su discurso de premiación, dejó boquiabierta a toda la audiencia cuando admitió que nunca le gustó el fútbol americano.

Permíteme colocar esta situación en perspectiva. Estados Unidos es un país profundamente fanático del fútbol americano. Cientos de miles de niños juegan este deporte desde muy pequeños con el sueño de algún día llegar al nivel profesional.

Un mínimo porcentaje de los niños puede jugar en el equipo del colegio; de ellos, un mínimo porcentaje logra jugar en la universidad. Y de esos, un mínimo porcentaje llega al nivel profesional.

Y de los que llegan al nivel profesional, solo a uno se le nombra el jugador más valioso del año. Es decir, uno solo de un mínimo porcentaje, de un mínimo porcentaje, de un mínimo porcentaje logra el premio, y a ese único, ¡no le gustó el deporte!

Luego de que Curtis Martin confesara su falta de pasión por el juego, comentó que la razón por la cual decidió jugarlo fue porque se convenció de que la plataforma que le crearía el fútbol americano podría ser utilizada para hacer bien a la humanidad.

Su pasión no estaba en el fútbol americano. Su pasión estaba en utilizar el deporte (la plataforma, la fama, el dinero) para invertirlo en causas que sí llenaban su corazón.

En su discurso, comentó: «Ese día entendí que si yo iba a ser exitoso en este juego llamado fútbol americano, necesitaba jugar por una causa más grande que el deporte mismo porque yo sabía que el amor por el juego no estaba en mi corazón».[3]

No todo el mundo tiene una pasión por lo que hace. Sin embargo, eso no quiere decir que no se tiene una pasión por el resultado o por quien se hace. Muchas veces creemos que no tenemos pasión por algo simplemente porque buscamos en una sola fuente de pasión.

Existen tres fuentes que nutrirán tu pasión: pasión por la actividad misma y lo que haces, pasión por el resultado de lo que haces y pasión por quien lo haces:

1. **Pasión por lo que haces.** Esta es la fuente de pasión más común que encontramos. ¿Te gusta lo que haces? ¿Si heredaras un millón de dólares, continuarías haciendo esta actividad? Si tus respuestas son afirmativas, probablemente esta es la fuente que nutrirá tu pasión.

Nunca olvidaré a mi amigo Daniel, de la universidad. Daniel dejó una carrera lucrativa en Procter & Gamble por seguir su pasión: enseñar a otros a bailar. Recuerdo que él vivía por bailar, respiraba bailar, comía bailar. Bailar era su mundo, su sueño y su pasión.

Todos quisiéramos dedicar nuestro día a día a una actividad que nos diera tanta pasión. Pero existen otras fuentes de pasión. A veces no nos apasiona el trabajo *per se*, pero sí el resultado que podemos obtener.

2. **Pasión por el resultado.** El año pasado tuve la oportunidad de almorzar con uno de los empresarios de multinivel más grandes del mundo. En nuestra conversación tocamos el tema de la pasión, y me comentó algo que me sorprendió:

—A mí nunca me ha gustado hacer el negocio de multinivel —me dijo—; odio las llamadas en frío, las charlas, las ventas y el rechazo. Nunca me gustó que personas que ganaban treinta veces menos que yo se pararan ante mí y me dijeran que mi negocio no funcionaba. De verdad odio todo eso.

—¿Y entonces por qué lo hiciste? —le pregunté.

—Por el resultado. Simplemente por el resultado. No conseguí otra cosa que me diera la libertad para estar con mi familia y hacer lo que yo quisiera. No quería un empleo, aunque fuera bien pagado. Quería viajar, almorzar con mis hijos. Mi pasión es mi familia y por eso lo hago.

Esta historia es bastante común. Constantemente hablo con deportistas y empresarios a quienes no les apasiona el día a día de su trabajo, o su fuerte entrenamiento en el caso de los deportistas, pero sí les apasiona profundamente las consecuencias de lo que hacen.

Al final es una decisión personal. Existen personas que tienen pasión por lo que hacen y también por el resultado. Pero de no ser así, ¿cuál es tu prioridad? ¿Pasión por lo que haces? Asegurar que te encanta lo que haces día a día ¿Pasión por el resultado? Sacrificarte en el día a día por un resultado que deseas.

Pero existe otra fuente de pasión que, como en el caso de Curtis Martin, es la más poderosa de las tres: pasión por quien lo haces.

3. Pasión por quien lo haces. Tal como expresaba Curtis en su discurso cuando ganó el premio como mejor jugador, él jugó fútbol americano para poder desarrollar la plataforma que le permitiera hacer el bien a otros. Tuvo que «jugar por una causa más grande porque el amor por el fútbol no estaba en su corazón».

Esta es una de las fuentes de pasión más poderosas que existen y también una de las más olvidadas. En este caso puede que no te apasione lo que haces y no te apasionen los resultados que obtendrás personalmente, pero sí te apasiona el resultado que le dará a alguien que amas profundamente o el cambio positivo que harás en la vida de otra persona.

Un gran ejemplo de esta fuente de pasión son las miles de personas que han dedicado su vida a luchar por la justicia social de alguna u otra forma. A muchas de ellas no les gusta el sacrificio, los bajos salarios y, en muchos casos, las precarias condiciones de los países donde tienen que viajar y trabajar. Pero ver la justicia social hecha realidad en la tierra les apasiona como nada.

Por cierto, ¿recuerdas a Scott Harrison, del que escribí al principio del capítulo? Luego de hacerse la pregunta sobre servir a Dios y a otros, se embarcó en una aventura que finalmente lo llevó a fundar charity: water.

Desde el año 2006 y hasta 2014, charity: water, una fundación sin fines de lucro que invierte el cien por ciento de sus donaciones en llevarles agua a los necesitados, ha logrado llevarles agua limpia a cuatro millones cien mil seres humanos que no tenían agua limpia que beber.

El agua limpia que ahora más de cuatro millones de personas reciben diariamente gracias a que un día Scott siguió su llamado, es mucho más que agua. Agua es vida, agua limpia significa menos enfermedades, lo que significa que los niños pueden ir a la escuela, lo que significa que pueden estudiar y graduarse. Lo que significa que el agua limpia está sacando al mundo de la pobreza.

Dios y la vida no te dejarán en el mundo ordinario sin llamarte a una aventura. No naciste para el mundo ordinario. Naciste para algo más. Hay un nuevo camino que recorrer, un nuevo puente que hay que atreverse a cruzar. Un nuevo tesoro por el que vale la pena luchar.

Tomando las palabras de mi amigo Marco Ayuso: «Descubrir tu pasión es encender tu luz. Hacer lo que te apasiona es iluminar al mundo con ella».[4]

EL TESORO

EL CONCEPTO BÁSICO DE UNA historia es un héroe que quiere algo y está dispuesto a atravesar el conflicto para obtenerlo. Ese algo que el héroe quiere tiene que ser lo suficientemente grande para que el conflicto valga la pena. Ese algo es el tesoro.

En toda película, el héroe tiene una clara razón por la que se lanza a la aventura. Rudy Ruettiger de la película *Rudy* estaba claro de que su sueño era jugar fútbol americano para el equipo de la Universidad de Notre Dame cuando decidió dejar su trabajo para intentar ser admitido en tan prestigiosa universidad. Maximus en *El gladiador* desea hacer justicia por el asesinato de su familia y del emperador Marco Aurelio. Frodo en *El señor de los anillos* quiere destruir el anillo, y William Wallace de *Corazón valiente* quiere libertar a Escocia. En una película, el porqué, el tesoro, necesita ser definido de forma clara en el momento en que ocurre el llamado a la aventura. Si la audiencia no tiene clara cuál es la razón por la que el héroe decide luchar, automáticamente pierde interés.

Ningún héroe se lanza a la aventura sin un tesoro claro. Nadie se acerca, ni remotamente, al riesgo que conlleva una aventura sin definir la posible recompensa.

Lo triste está en que muchas veces nosotros caminamos por la vida sin la claridad necesaria de hacia dónde queremos ir. Invertimos años planificando una boda, semanas planificando unas vacaciones, días planificando una fiesta de cumpleaños, y a veces no dedicamos ni un par de horas a definir lo que queremos en la vida.

Sin embargo, dedicar un poco de tiempo a definir lo que quieres de la vida hará toda la diferencia. Así actuó John Goddard cuando tenía tan solo quince años. Hace varios años leí su historia en el libro *Caldo de pollo para el alma,* de Jack Canfield y Mark Victor Hansen. John Goddard logró definir lo que quería de la vida.

John escribió una lista con ciento veintisiete sueños que cumplir. La llamó «La lista de mi vida». En su lista no escribió metas triviales, sino más bien sueños de gran envergadura, como escalar varias de las montañas más altas del mundo, visitar el Polo Norte y el Polo Sur, conocer la torre Eiffel, escribir un libro, construir un telescopio, atravesar el Gran Cañón del Colorado, leer la Biblia completa, correr una milla en menos de cinco minutos, despegar y aterrizar en un portaaviones, aprender español, francés y árabe, casarse y tener una familia.[1]

Esta lista definió el futuro de John porque lo ayudó a dirigir cada uno de sus pasos. Sobre esto, John comentaba:

> Desde muy temprano siempre soñé con convertirme en un explorador [...] De alguna manera tenía la impresión de que un explorador era aquel que vivía en la jungla con los nativos y muchos animales salvajes, ¡y nunca pude imaginarme algo mejor que eso! A diferencia de los otros niños que cambiaron de opinión sobre lo que querían ser en la vida varias veces a medida que se volvían adultos, yo nunca dudé de mi ambición.[2]

El 17 de mayo de 2013, en una batalla contra un extraño tipo de cáncer, John Goddard falleció a los ochenta y ocho años de edad. Famosos periódicos escribieron sobre la muerte de «El verdadero Indiana Jones». John había vivido una vida digna de contar.

John no solo había logrado todos los sueños que escribí anteriormente, sino que había sido el primer explorador en recorrer el río

Nilo de punta a punta en kayak, había escalado el Kilimanjaro, había roto el récord de velocidad en el avión F-111 llevándolo a más de mil quinientos kilómetros por hora, había escalado doce de la montañas más altas del mundo y visitado prácticamente todos los países del mundo. Escribió dos libros: *The Survivor* [El sobreviviente] y *Por el Nilo en kayak*. Goddard dejó seis hijos, diez nietos y dos bisnietos.

De las ciento veintisiete metas que John se puso a los quince años de edad, pudo lograr ciento nueve. Una o dos de ellas significarían «la experiencia de la vida» para muchos, pero John había logrado ciento nueve de esas.

Una vez le preguntaron a John sobre su lista, a lo cual respondió: «La mayoría de las personas dicen, "algún día" [...] y eso no significa nada. Es importante escribirlo y ponerlo donde puedas verlo cada día».[3]

Imagino que si hubiera tenido la oportunidad de conocer a John hubiera sido mágico, como dicen sus amigos. John de seguro tendría más de una historia que contar. Sería como conocer a uno de los mejores exploradores del mundo, músico, fotógrafo y escritor al mismo tiempo. Un gran esposo y un inspirador padre de familia.

La gran diferencia entre John y cualquier otro con sueños similares es que John los escribió en un pedazo de papel. John fue intencional en lo que quería lograr y lo hizo posible.

Existe un poder casi mágico en el hecho de escribir tus sueños y metas. Un efecto que ha sido comprobado ya por muchos.

Las metas deben ser específicas y con una fecha. Fallar en colocarle una fecha a tus metas transformará tus sueños en el «algún día» al que se refería John Goddard.

Escribir tus sueños y metas transformará tu vida y te dará la dirección necesaria para escribir la historia que deseas vivir y contar. Entre los aspectos positivos de escribir tus sueños y metas se encuentran:

1. Te obliga a clarificar lo que quieres. Cuando comencé mi carrera de mercadeo en Procter & Gamble descubrí uno de los aspectos más difíciles de desarrollar y que son parte de la cultura de esta organización: escribir.

En Procter & Gamble toda idea, proyecto o requisición se maneja por medio de los famosos *one pager* (documentos de una página). Desde tus planes de trabajo hasta los proyectos globales complejos, se presentan al liderazgo en documentos de una página de largo.

La cultura de la escritura en Procter & Gamble es una las más poderosas ventajas competitivas de la organización. Después de un par de años, cualquier gerente ha escrito cientos de este tipo de documentos. Hay cursos de varios días en los que te enseñan cómo escribir.

La razón por la cual la compañía hace tanto énfasis en estos *one pager* es que te obligan a organizar y definir tus ideas. No existe manera de que, al escribir una mala idea, suene como buena. El liderazgo ha entendido que el proceso de escribir ayuda a los gerentes a aprender a pensar correctamente, a organizar sus ideas, a contar una historia que tenga sentido y, finalmente, a influir en la organización. Escribir también ayuda a la organización a documentar lo acordado para así poder volver atrás en caso de dudas o malos entendidos.

Si el poder de la escritura es considerado piedra angular en una organización tan grande como Procter & Gamble, también debes considerarlo piedra angular en el desarrollo de tu vida. Los mismos beneficios obtenidos por la organización están a tu alcance.

Escribir tus metas te obliga a pensar, a organizar, a priorizar lo que quieres de la vida. Escribir tus metas te ayuda a separar lo trivial de lo importante, lo inmediato de lo que puede esperar. Otro aspecto sumamente positivo es que escribir tus metas te ayuda a tenerlas presente, a dar golpes de timón de ser necesario y a eliminar las que ya no tienen relevancia para tu vida.

2. Te ayuda a mantener el enfoque y filtrar las oportunidades.

Escribir tus sueños y metas te da enfoque. ¿Qué crees que hubiera respondido John Goddard si en sus veintes o sus treintas hubiera recibido una oferta de trabajo corporativo con alto potencial de crecimiento tanto salarial como profesional? Estoy seguro de que hubiera declinado. ¿Por qué? Porque en ninguna de sus ciento veintisiete metas aparece ser director o vicepresidente u oficial ejecutivo en jefe (CEO, por

sus siglas en inglés) de alguna corporación. Es más, esa oportunidad, aunque pudiera ser muy buena en muchos aspectos, hubiera alejado a John de sus verdaderos sueños.

Otra maravillosa historia de enfoque la vemos en la cadena más grande de cafeterías: Starbucks.

Starbucks fue fundada en 1971 y creció rápidamente en Estados Unidos y luego a nivel mundial con ya más de veintitrés mil tiendas alrededor del mundo.

Pero para Starbucks el crecimiento no fue siempre fácil. Entre el año 2005 y 2008 las ventas de las tiendas disminuyeron debido a que el rápido crecimiento de la organización les había hecho perder el enfoque. Las tiendas ya no solo vendían café, sino que una inmensa cantidad de oportunidades los habían desenfocado: la adición de desayunos, venta de CD, cafeteras, etc.

En enero del año 2008, la junta directiva decide traer de vuelta a uno de sus más brillantes CEO, Howard Schultz, con el objetivo de que la empresa regresara al nivel de crecimiento que una vez había tenido.

Una de las primeras decisiones de Schultz, necesaria pero sumamente difícil, fue cerrar todas las tiendas en Estados Unidos por un día para reentrenar al personal en cómo servir la mejor taza de café posible. Esta decisión de cerrar todas las tiendas por un día le costó a Starbucks siete millones de dólares.

El trabajo que realizó Schultz fue el de reenfocar a la organización, enseñarles que por encima de los desayunos, los CD y las cafeteras, ellos tenían que ser los mejores haciendo café. Respecto a esto, Schultz comentaba:

> Nosotros comenzamos a hacer una promesa de manera permanente para nosotros y para nuestros clientes que la calidad de todo lo que hacemos necesita ser probada en la taza de café [...]
>
> Yo creo que lo que estaba tratando de hacer era que todo el mundo entendiera que no se trataba de Howard Schultz, que no se trataba de miles de tiendas. Se trataba de una tienda, de una taza de café extraordinaria, y un compromiso [...] de hacer todo lo posible para superar las expectativas de nuestros consumidores.[4]

La historia de Starbucks es una historia de enfoque, y de cómo una compañía que perdió su enfoque, casi se destruye ella misma. Sin embargo, también es una historia de redención y de cómo, volviendo a enfocar al equipo, sales de nuevo hacia adelante.

En la medida que tienes éxito, te darás cuenta de que comenzarán a llegar a ti cada vez más oportunidades. Algunas acelerarán el logro de tus sueños y metas, pero otras te desviarán de lo que sueñas. Por eso, de la misma manera que Starbucks decidió cancelar el lanzamiento de sus desayunos calientes y otras muchas cosas con el objetivo de reenfocarse en el café, y de la misma manera que John Goddard probablemente se reiría de una oferta en un trabajo corporativo, escribir tus sueños y metas te ayudará a mantener tu norte y asegurar tu llegada a casa. Escribir tus sueños y metas te ayudará a que puedas decir «no» a muchas cosas para que puedas decir «sí» a otras.

3. Te ayuda a enfocarte en el logro, no en el proceso. El proceso, desde que te colocas una meta hasta que la logras, es duro. Más adelante nos sumergiremos en todo lo que significa el conflicto, las barreras, los golpes y las caídas. Pero el punto es que el conflicto es un proceso difícil, doloroso y está lleno de sufrimiento. Si tu sueño es suficientemente grande, tendrás que atravesar por él.

Escribir tus metas te ayudará, en el medio del conflicto, a enfocarte en la recompensa. Esto te dará las energías suficientes para seguir luchando, cada día, por el sueño de tu vida. Mientras unas personas renuncian por estar enfocadas en el conflicto (sufrimiento, golpes y caídas), otras llevan sus sueños a la realidad enfocándose en la recompensa.

¿Alguna vez, luego de proponerte hacer ejercicios o comer bien para estar más sano, has renunciado? Yo sí. Te aseguro que, si tu respuesta es afirmativa también, la razón que te ha llevado a renunciar a los ejercicios o dietas es que te enfocaste en el proceso y perdiste el enfoque de la meta.

Enfocarse en el proceso causa que toda tu energía se disipe lamentándote porque tienes que levantarte temprano para salir a correr, o porque tienes que pararte en el gimnasio al salir del trabajo

cuando ya estás cansado, o porque no te puedes comer esto o aquello. Eso es enfocarse en el proceso.

Por el contrario, enfocarse en la meta es tener presente la persona que vas a llegar a ser, la medalla que te pondrán en los hombros, el peso que la balanza marcará o los excelentes resultados que saldrán en tu examen médico. Dónde te enfocas hará la gran diferencia, y escribir tus sueños y metas te ayudará a enfocarte en lo que es correcto.

Recuerdo la vez que me propuse escalar el pico Bolívar, en Mérida, Venezuela. Este pico es el más alto de los Andes venezolanos. Una montaña majestuosa de 4978 metros donde se encuentra un busto de nuestro Gran Libertador, Simón Bolívar.

Años antes de mi aventura, mi madre me había dado una foto de mi tío, su hermano, al lado del busto de Bolívar que se encuentra en la cumbre del pico.

Esa se convirtió en mi meta. Yo soñaba con que pudiéramos colocar, una al lado de la otra, la foto de mi tío (que me lleva más de cincuenta años de edad) y la mía. Ambas fotos tomadas desde el mismo ángulo, en el mismo lugar.

Subir el pico no fue fácil, comenzó con una caminata por la ruta La Mucuy que se extendió por cinco días y que incluyó hacer la cumbre en el pico Humboldt también. Hubo mucho cansancio, inmenso dolor, hambre, frío e insomnio. Pero lo único que me movía hacia adelante era esa foto. La foto en la cima del pico al lado de nuestro Libertador.

Si el enfoque hubiera estado en el proceso, hubiera sido un infierno y probablemente la foto nunca se hubiera dado porque momentos para renunciar, hubo muchos. Pero el enfoque en la meta me mantuvo en la lucha, mirando hacia adelante hasta ese momento esperado cuando, al lado del más grande busto de Bolívar que jamás hubiera imaginado, la cámara congeló el momento para siempre.

4. Te ayuda a celebrar los pequeños éxitos. Tener la capacidad de celebrar los pequeños éxitos de una larga jornada hará toda la diferencia. Pero la única manera de poder celebrar pequeños avances es si sabes hacia dónde vas; y eso lo logras, escribiendo tus sueños y metas.

A finales de 2012 tuve la oportunidad de conocer a Andrés Gutiérrez, un reconocido experto financiero de Estados Unidos con un programa de radio sobre consejos de finanzas personales que se transmite en cada esquina del país.

Andrés tiene un plan infalible diseñado a la perfección, que te puede llevar desde una vida llena de deudas a una vida de paz financiera. Una parte de su plan es lo que se llama «bola de nieve» y es un concepto donde colocas todas tus deudas en una lista de menor a mayor (sin colocar la hipoteca) y luego de pagar los pagos mínimos en todas tus deudas, atacas fuertemente la más pequeña. Al pagar la más pequeña, unes el pago que hacías en la deuda más pequeña y se lo sumas a la segunda. En el momento que pagas la segunda, le sumas todo lo que colocabas a la tercera, y así sucesivamente.

Es un sistema que se llama «bola de nieve» porque a medida que vas pagado las pequeñas deudas, tus aportes van aumentando y logras pagar las grandes más rápido.

Pero la realidad es que este no es el sistema más rápido para salir de deudas. El sistema más rápido para salir de deudas es hacer la lista de tus deudas de la que tenga mayor interés a la que tenga menor interés, y enfocarte en pagar las de mayor interés primero.

A pesar de que el sistema enfocado en el interés bancario es el que te llevaría a salir de deudas más rápidamente y pagando menos, los estudios demuestran que el sistema que Andrés promueve es muchísimo más exitoso. Es decir, muchas más personas logran salir de deudas organizando sus deudas de menor a mayor que las personas que las organizan de mayor interés a menor interés. ¿Por qué?

La razón es muy sencilla. El problema de salir de deudas más que un problema financiero y matemático, es un problema emocional. Si las personas logran eliminar una deuda, así sea pequeña, eso les da seguridad, confianza en sí mismas y motivación para seguir a la segunda. Cuando logran cancelar la segunda deuda, esto les da aún más motivación para seguir a la tercera. Por el otro lado, muchas personas tratando de pagar una deuda por años (aunque tenga el interés más alto) finalmente pierden la motivación y renuncian.

Tal como dice Andrés: «Las finanzas personales son más personales que finanzas». Su secreto para ayudar a miles de personas a salir de sus deudas es llevarlas paso a paso a tener pequeños éxitos, celebrarlos y seguir para adelante.

Exactamente lo mismo sucede con cualquier otro sueño o meta en nuestra vida. No estamos en una lucha lógica, estamos en una batalla emocional. Y como tal, necesitamos asegurarnos de que no les damos cabida a las situaciones que nos llevarán a la desmotivación. Una de las mejores maneras de atacar la desmotivación de una forma proactiva, es celebrar nuestros pequeños éxitos.

¿Lograste trotar tus primeros treinta minutos sin parar? Celebra. ¿Lograste tocar sin errores la primera parte de tu canción favorita? Celebra. ¿Lograste tu primera venta? Celebra.

Ahora bien, cuando digo «celebra», no me refiero a una celebración como las fiestas patronales de mi país, que duran días; me refiero a que celebres por cinco minutos y sigas luchando. Lo que necesitas es una pequeña celebración, algo que te recompense por tus pequeños éxitos.

Ya cerrando la idea del capítulo quiero dejarte con esto: toda gran película, de esas que vale la pena pagar para ir al cine, nació en la mente de alguien. Ese alguien puso la idea en una hoja de papel. Luego escribió la historia, y luego el guion. Siempre en un pedazo de papel.

Después otras personas tomaron el guion y dibujaron escena por escena. Otros definieron el vestuario. Mucho después filmaron la película, la editaron y se la enviaron a tu sala de cine para que la pudieras ver.

Pero al principio, esa idea que nació en la mente de alguien, fue escrita en una hoja de papel.

Si no quieres que los vientos irregulares de la vida lleven tu barco a donde no quieres ir, escribe pues, tus sueños y tus metas.

Pero definir el tesoro de tu vida no es el final de la lucha. En muchos casos no es ni siquiera el comienzo. Porque todo héroe se

enfrentará a una de las primeras y quizás más duras de sus pruebas. La razón por la cual miles se devuelven llenos de miedo a su mundo ordinario: la negación de su llamado.

LA NEGACIÓN DE TU LLAMADO

La Victoria

Un Mundo
Ordinario

La
Resurrección

El Llamado
a la Aventura

El Conflicto

La Negación
de tu
Llamado

ES DIFÍCIL ESCOGER UNA PELÍCULA o novela como favorita. Las historias tienen diferentes significados para tu vida dependiendo de cuándo las ves y de qué está pasando en ese momento en tu vida. Las historias no son un mero entretenimiento. Ellas son una forma de arte en la cual, por medio del entretenimiento, te regalan una ventana a un mundo que debería ser. En palabras de Robert McKee: «[Las] buenas películas, novelas y obras de teatro que reflejan todas

las tonalidades de lo cómico y de lo trágico, siempre consiguen entretener al público ofreciéndole un modelo nuevo de vida cargado de significado afectivo [...] Las historias no son una huida de la realidad sino un vehículo que nos transporta en nuestra búsqueda de la realidad, nuestro mejor aliado para dar sentido a la anarquía de la existencia».[1]

Una de mis películas favoritas es *El hobbit*,[2] específicamente una escena que tocó fuertemente mi corazón en una etapa de mi vida en la que me encontraba entre «mi mundo ordinario» y una gran historia enfrente de mí que podía ser escrita. Había recibido ya el llamado a la aventura pero no estaba completamente sumergido en ella.

Estaba negando mi llamado.

En las primeras escenas de *El hobbit*, Gandalf invade la tranquilidad de Bilbo (el hobbit). Bilbo vive tranquilamente en una hermosa casa en la comarca. Esta vida se ha convertido en un mundo ordinario.

Gandalf tenía otros planes. Sin preguntar, organiza una reunión en la casa de Bilbo para planificar los siguientes pasos de su nueva aventura: recuperar la montaña solitaria que había sido tomada por el dragón Smaug. Para esa aventura, Bilbo es necesario e invitado a participar.

Bilbo, inicialmente negado a ser parte de la aventura, decide leer el contrato que necesita firmar para sumarse al grupo. Ya adentrado en los detalles del mismo, lee en voz alta los riesgos que acarrearía la aventura: posibles laceraciones, destripamiento y hasta la incineración.

Bilbo, sin entender muy bien cómo podría ser incinerado, recibe una respuesta clara por parte de Bofur, que le explica que el dragón que necesitan enfrentar lo incineraría en un abrir y cerrar de ojos.

Al entender los riesgos de su aventura, pidiendo un momento para recuperar el aire, cae desmayado del susto.

Luego de recuperarse, ya en su sofá con una taza de té caliente, Bilbo sostiene una conversación con Gandalf. Es uno de los momentos más poderosos de la historia.

En esta conversación Gandalf confronta a Bilbo con el hecho de que ha perdido su espíritu aventurero. Los adornos, las alfombras y

los platos de su madre habían reemplazado el espíritu que tuvo cuando era un pequeño hobbit, un hobbit que siempre buscaba escaparse de los límites de la comarca. Gandalf le recuerda que la vida tiene que vivirse y que el mundo está afuera, no dentro de su casa.

La conversación le trajo un poco de esperanza y motivación a Bilbo. Sin embargo, antes de tomar la decisión, le pregunta a Gandalf si él puede prometerle que llegará de vuelta sano y salvo al terminar la aventura, a lo cual Gandalf, imposibilitado, le dice que no. Sin embargo, le indica que si llega a volver, nunca será el mismo.

En ese momento Bilbo se para de la silla y sale del salón, indicándole a Gandalf que no irá, que habían escogido al hobbit equivocado.

Saltando de la película al libro original, encontré una descripción aún más poderosa de lo que estaba pasando en la mente y el corazón de Bilbo cuando tuvo la conversación con Gandalf:

> Mientras cantaban, el hobbit sintió dentro de él el amor de las cosas hermosas hechas a mano con ingenio y magia; un amor fiero y celoso, el deseo de los corazones de los enanos. Entonces algo de los Tuk renació en él: deseó salir y ver las montañas enormes, y oír los pinos y las cascadas, y explorar las cavernas, y llevar una espada en vez de un bastón. Miró por la ventana. Las estrellas asomaban fuera en el cielo oscuro, sobre los árboles. Pensó en las joyas de los enanos que brillaban en las cavernas tenebrosas. De repente, en el bosque de más allá de Delagua se alzó un fuego, —quizá alguien encendía una hoguera— y pensó en dragones devastadores que invadían la pacífica Colina envolviendo todo en llamas. Se estremeció; y en seguida volvió a ser el sencillo señor Baggins otra vez.[3]

Escenas como estas representan momentos claves de nuestras vidas. ¿No lo crees? Un amigo nos presenta un negocio que quizás nos podrá dar la libertad que soñamos. Alguien nos dice que somos excelentes fotógrafos, pintores o educadores, y una llama se enciende dentro de nosotros dándonos una esperanza, quizás por pocos segundos, de que tal vez pudiéramos dedicarnos a algo así. O vemos un

aviso en la prensa que nos promete enseñarnos a ser actores, cantantes o comediantes, y por un momento, algo espiritual que no habíamos sentido antes, nos llena de una nueva esperanza.

Y solo toma unos pocos segundos para que pensemos en dragones devastadores que envuelven todo en llamas y otra vez volvamos a ser el sencillo señor o la señora Baggins.

Aún recuerdo como si fuera ayer cuando tomé la decisión de que comenzar mi blog liderazgohoy.com era la vía para lograr mis sueños y responder a mi llamado.

Muy entusiasmado y con mi mente llena del potencial de lo que esto podía llegar a ser, me dispuse a comprar el dominio y pagar todos los servicios que necesitaba para comenzar mi blog. Había dado los primeros pasos para la constitución de este tan deseado proyecto.

Recuerdo haberme ido a acostar esa noche muy emocionado por lo que esto podía llegar a ser. Ya en mi cama, con todo oscuro y en silencio, empecé a escuchar una narrativa diferente que comenzó a dominar mis pensamientos: *¿Qué pasa si esto no funciona? ¿Qué pasa si a las personas no les gusta lo que escribo? ¿Y si se me agotan los temas y no tengo ya más que decir? ¿Te imaginas la vergüenza delante de mis amigos y familiares si esto no funciona?*

Todo sentimiento de esperanza se transformó en miedo, en pánico.

Al día siguiente, al despertar, cancelé todos los servicios que había contratado, ejecuté la devolución de mi dinero y pocas horas más tarde ya estaba tranquilo, sin miedo, nuevamente en mi mundo ordinario.

El miedo, un sentimiento que comenzamos a experimentar cuando niños, puede sumir nuestra vida en la mediocridad. El miedo en sí no es malo, el problema es cómo lo interpretamos y las acciones que tomamos a consecuencia de él.

Las primeras señales de miedo que experimentamos en nuestra niñez fueron mera supervivencia. Luego de tocar la estufa caliente o meter una llave en el enchufe de electricidad (culpable), aprendimos que para poder seguir vivos necesitábamos alejarnos de esas cosas. Era necesario caminar en la acera (después de que corriste a

la calle y tus padres te dieron una paliza), evitar asomarnos en la ventana, etc. El problema está en que crecimos creyendo que la única respuesta posible hacia el miedo era retractarse, retirarse, evitar enfrentarse.

¿Y quién mejor para enseñarnos sobre el miedo que los búfalos y las vacas?

Los búfalos y las vacas reaccionan de forma totalmente diferente en el momento en que son enfrentados a uno de sus más grandes miedos: las tormentas.

Cuando las vacas ven una tormenta en el horizonte, instintivamente huyen. Ellas comienzan a correr en la dirección contraria al lugar de donde ven venir la tormenta. Si ven la tormenta en el oeste, pues dan la vuelta y comienzan a correr hacia el este.

El problema está en que, por ser las vacas tan lentas, eventualmente son alcanzadas por la tormenta. En el momento en que esta las alcanza, ellas siguen corriendo en la misma dirección. Debido a que la tormenta y las vacas van en la misma dirección, este comportamiento solo perpetúa el tiempo en que la vaca está debajo de la tormenta.

Creyendo que huían de la tormenta perpetuaron su tiempo debajo de ella.

Por el contrario, los búfalos actúan de manera diferente. Cuando un búfalo ve una tormenta en el horizonte, él corre en dirección a la tormenta. A pesar de que pareciera no tener sentido (al menos para las vacas), lo que sucede es que por estar la tormenta y los búfalos en dirección opuesta, estos logran minimizar su tiempo debajo de la tormenta.

Huir, evitar el miedo, no es la única respuesta, también podemos enfrentarlo.

¿Sientes miedo? Déjame decirte que es una buena señal.

Steven Pressfield, es su magnífico libro *La guerra del arte* comenta: «Mientras más miedo sintamos acerca de cierto proyecto, más certeza debemos tener de que ese proyecto es importante para nosotros y el crecimiento de nuestra alma. Es por eso que sentimos tanta Resistencia».[4]

Aunque no lo creas, los artistas, los científicos, los ingenieros y cualquiera que se considere a sí mismo como un profesional, siempre están en la búsqueda de actividades y nuevos horizontes en su profesión que les causan miedo. Los verdaderos profesionales son valientes.

Las personas valientes no son las que carecen de miedo, son las que, a pesar del miedo, lo enfrentan. Por el contrario, el amateur declina lo que le da miedo. Prefiere mantenerse en lo seguro y tener «éxito» en su mundo ordinario.

Hacer este libro generó en mí un profundo temor. Especialmente hoy.

Para el momento en que escribo estas líneas, han pasado un par de meses desde que comencé a escribirlo. En el proceso de desarrollar el bosquejo, definir los capítulos y trabajar la propuesta de publicación, tomé la decisión de escribir este capítulo que estás leyendo en un momento especial.

Decidí escribirlo en el momento en que tuviera más dudas, más miedo. Sentí que para escribir este capítulo necesitaba estar inmerso en la negación de mi llamado, necesitaba estar en ese punto en el cual el miedo me estaba convenciendo de que no lo podía hacer.

Si estás leyendo estas líneas quiere decir que logré vencerlo, quiere decir que acepté mi llamado a la aventura.

Estoy seguro de que te has enfrentado a situaciones así. Me refiero a ese momento cuando estás a punto de negociar un futuro de aventura y riesgo por la seguridad que el mundo ordinario te ofrece; ese punto cuando tienes que decidir luchar por tus sueños o dedicar tu vida a buscar los sueños de otros, los sueños que la sociedad impone en ti, no los que fueron sembrados en tu corazón.

En mi proceso de comprender los principios universales que hacen las grandes historias y específicamente La Jornada del Héroe, entendí algo que me llenó de esperanza: el hecho de que hayas negado tu llamado no implica que no seas un héroe, por el contrario, lo confirma.

Negar tu llamado es una parte fundamental de tu desarrollo como héroe y necesitas pasar por esa etapa. Todo héroe pasa por un proceso de negación. Bien sea porque no se cree capaz, no cree

que realmente es «el elegido» o porque no quiere dejar su mundo ordinario.

Hoy tengo noticias para ti: tú eres el elegido de la gran historia de tu vida. Tú eres el héroe.

Ahora bien, necesitamos entender que el miedo es un sentimiento real que debemos aprender a dominar y enfrentar con valentía. Con el tiempo he desarrollado determinados pasos y estrategias que me han ayudado a enfrentar el miedo. Quiero compartirlos contigo:

1. Desarrollo de forma intencional un círculo íntimo positivo.

Hubo un momento, no hace mucho tiempo, en que me di cuenta de que había descuidado mi vida espiritual. Algo había pasado en mi vida; lentamente había perdido los hábitos y rituales que me mantenían alineado con mi creador. Ese alejamiento, por supuesto, estaba afectando otras áreas de mi vida como mi matrimonio y la relación con mi hijo.

Después de una situación que es para otro libro, comencé un profundo proceso de reflexión para entender qué había pasado en mi vida (y cuándo) que me llevó a alejarme como lo había hecho ¿Cuál había sido ese punto de inflexión en mi vida espiritual?

Por un tiempo pensé que había sido mi traslado de Venezuela a Estados Unidos, y el hecho de que había perdido mi iglesia y luego batallado tanto para conseguir una nueva para congregarme acá. Pero lo que descubrí es que el momento en que todo comenzó a desviarse, ese punto de inflexión, sucedió cuando nuestro grupo de oración se separó.

Yo era parte de un grupo que nos reuníamos una vez a la semana para aprender de Dios y orar. De ese grupo surgieron grandes amigos que todavía visito hoy en día y aprecio mucho.

Hubo un momento en el que ese grupo se separó. Por razones de peso, varios integrantes tuvieron que emigrar de Venezuela, y de la noche a la mañana paramos de reunirnos.

En el momento no fue un cambio drástico en mi vida. Pero sí perdí de la noche a la mañana a un grupo de personas que se ayudaban mutuamente a permanecer alineadas con Dios. Con el tiempo

ya no tenía ese grupo al cual rendirle cuentas, lo cual me dio cierta flexibilidad que terminó en un alejamiento importante de la persona que deseaba llegar a ser.

Esa experiencia en el área espiritual, que se aplica a cualquier otra área de tu vida, me llevó a la siguiente conclusión: después de Dios, no existe nada más importante en tu futuro que las relaciones que desarrolles en el camino y la calidad de las personas con quienes pases la mayoría de tu tiempo.

John Maxwell siempre dice en sus conferencias y libros que en cinco años serás el resultado del promedio de tu círculo íntimo.

Si tu círculo íntimo en promedio tiene un gran matrimonio, pues tendrás un gran matrimonio. Si en promedio son libres financieramente, eventualmente tú lo serás. Si en promedio son generosos, tarde o temprano te convertirás en una persona generosa también. Por el contrario, si tu círculo íntimo, las personas con las que pasas la mayoría de tu tiempo, son negativas, terminarás teniendo una actitud negativa. Si tu círculo íntimo está siempre hablando mal de tu cónyuge, pues terminarás rechazando a tu esposo o esposa. Si gastan más de lo que ganan, terminarás con cobradores de tarjetas de crédito tocándote a la puerta.

Otra cosa que he aprendido de la vida es que las personas negativas siempre tratarán de destruir tu sueño aunque se hagan llamar «tus amigos». Siempre tratarán de que te unas a su grupo negativo, chismoso y venenoso. Y harán todo lo posible para que te quedes ahí. El hecho de que tú tengas un llamado, un sueño, amenaza su más básica existencia. Ellos no pueden dejar que tengas éxito porque ese éxito revelará aún más la negatividad y dejadez de ellos.

Las personas positivas te moverán hacia adelante. Te motivarán en la búsqueda de tus sueños porque ellas están en la búsqueda de los suyos también. Las personas positivas dejaron atrás el mundo ordinario y se han sumergido en una historia de aventura, riesgo y victoria, y quieren que tú la vivas también.

Crear un círculo íntimo de las personas que tú admiras, de los individuos que tú quisieras llegar a ser, será una fuente invariable de soporte, motivación, mentoría e ilimitadas oportunidades.

2. Me hago la pregunta: *¿Qué pasa si funciona?* Hacerte esta pregunta siempre coloca tu mente en una nueva dirección y le muestra una nueva perspectiva. Hacerte esta pregunta, y darle rienda suelta a la imaginación sacarán lo más profundo de ti y te embarcarán en uno de los procesos más importantes del camino: la visualización.

Charles Duhigg en su libro *The Power of Habit* (*El poder de los hábitos*) estudió el proceso que llevó a Michael Phelps a convertirse en el mejor nadador de la historia y el mayor ganador de medallas que haya existido jamás. En su libro relata lo siguiente:

Michael Phelps empezó a nadar cuando tenía siete años para quemar un poco de energía que tenía a sus padres un poco locos. Un entrenador local llamado Bob Bowman detectó que Phelps podía llegar lejos. Su cuerpo, largo torso, piernas relativamente cortas y grandes manos, estaba diseñado para ser un gran nadador.

Pero Phelps tenía un problema, no se podía calmar antes de las carreras. Era muy nervioso.

El entrenador Bowman decidió darle algo que lo haría diferente: su ventaja competitiva. Le enseñó el poder de la visualización.

Todos los días, luego de su entrenamiento, le decía: no olvides ver el video esta noche y mañana en la mañana al despertarte.

La verdad es que no existía tal video. Bowman se refería a que Phelps tenía que visualizar la carrera en su mente. Todas las noches y cada mañana, Phelps cerraba sus ojos y se imaginaba saltando a la piscina, en cámara lenta, nadando perfectamente. Él visualizaba cada brazada, la vuelta y el final.

Michael Phelps repitió «su video» miles de veces en su mente. Llegó el momento en que cuando competía, no pensaba. Simplemente seguía un programa. Había sido programado para ganar.

El 13 de agosto de 2008 a las diez de la mañana, Michael Phelps se lanza a la piscina compitiendo por los 200 metros estilo mariposa, una de sus mayores fortalezas. Al entrar al agua sabe que algo anda mal: sus lentes se están llenando de agua.

Después de un tiempo no puede ver nada, no ve la línea a lo largo de la piscina ni la «T» que muestra el final. No sabe cuándo dar vuelta o cuándo terminar. Para la mayoría de los nadadores esta situación los llevaría al pánico y al fracaso.

Pero no para Michael Phelps, él está calmado.

Michael simplemente sigue el programa, «el video» mental. Ya ha nadado esta carrera muchas veces en su mente y ha ganado. Simplemente siguió el programa. Michael sabe el número de brazadas que tiene que hacer y cuándo dar la vuelta. Está programado para ganar.

Ese día Michael Phelps no solo ganó oro en la competencia sino que batió el récord mundial. Todo esto sin poder siquiera ver.

Él comenta al terminar la carrera: «Pasó como imaginé que pasaría. Fue una victoria adicional en una vida llena de pequeñas victorias».[5]

El poder de la visualización ha llevado a miles de personas a lograr sus sueños. Nunca olvidaré cuando mi amigo Rich Florence, que había tenido la oportunidad de conocer personalmente a Evander Holyfield, uno de los más grandes boxeadores de todos los tiempos, me comentó que Evander diariamente leía una lista que contenía todas las características que quería llegar a tener.

—¿Evander Holyfield? —le pregunté.

—Evander Holyfield —me dijo.

Él me mostró varias de las frases que tenía en su lista, y recuerdo haber leído cosas muy personales de su vida espiritual, pero también cosas relacionadas con el boxeo, su velocidad, su fuerza, etc.

Si personas como Evander Holyfield o Michael Phelps han utilizado por años ese poder que también está en tus manos, ¿no crees que sería sabio aprovecharlo?

Hacerte la pregunta sobre qué pasa si tu sueño, meta o llamado se hace realidad te pondrá en la dirección correcta y le dará a tu mente lo que necesita para comenzar el proceso de visualización.

Imagina tu vida si ese negocio que sueñas comienza a funcionar. Imagina cómo sería tu día a día si decides embarcarte en ese viaje

que siempre soñaste por los países europeos. Imagina cómo serías de feliz si diariamente dedicaras el tiempo más importante de tu día a lo que te apasiona.

Uno de los secretos que he descubierto para darle la vuelta al miedo y ponerlo a funcionar para tu beneficio es agregar la siguiente pregunta a tu proceso de visualización: ¿qué pasa si ibas a tener éxito y no lo haces? ¿Qué pasa si tu sueño, tu idea, tu pasión se iba a convertir en una realidad pero no diste el paso?

Esa pregunta pone al miedo a trabajar para ti. Aquí te dejo una gran verdad que te recomiendo le prestes atención: prefiero enfrentar el dolor del fracaso que el dolor del arrepentimiento. Prefiero intentarlo y fracasar, que preguntarme toda mi vida qué hubiera sido si me hubiera arriesgado.

Un día tomé la decisión de que prefería llegar al final de mi vida con una lista de fracasos y unas pocas victorias, que llegar al final de mis días con una lista de arrepentimientos porque nunca lo intenté.

Nunca olvides que el dolor del fracaso pasa, pero el dolor del arrepentimiento dura toda la vida.

3. Me hago la pregunta: *¿Qué pasa si no funciona?* Tal como comenté, el miedo en sí no es bueno ni malo. Lo que es bueno o malo es la reacción que tengamos ante este. Uno de los aspectos más positivos del miedo, que está ligado a la supervivencia, es que te puede guiar en un proceso de planificación para maximizar tus probabilidades de éxito.

Muchos motivadores y escritores que solo tienen el objetivo de vender charlas y libros te dirán lo que tú quieres escuchar. Normalmente es algo así: «Lánzate a tus sueños, corre detrás de tu pasión, que si haces eso, todo va a estar bien y tendrás éxito».

Yo estoy de acuerdo parcialmente en frases como esa. Sí creo que necesitas seguir tu llamado a la aventura e identificar tu pasión, pero no creo que necesariamente todo va a estar bien luego de que des el paso. Por ello es de suma importancia que hagas el trabajo correcto de planificación.

Era el año 1910 y dos exploradores, Robert Falcon Scott por Inglaterra, y Roald Amundsen por Noruega, estaban compitiendo

por conquistar una de las últimas áreas no exploradas de la tierra, el Polo Sur.

Los resultados de ambas expediciones fueron totalmente diferentes, como también la ejecución. Amundsen llegó primero al Polo Sur y volvió sin mayores inconvenientes. Falcon llegó después, y con una profunda decepción logró ver la bandera de Amundsen ya en la meta. Pero la verdadera tragedia vino después, cuando Falcon y sus hombres murieron en el regreso a la base debido al cansancio, la inanición y la exposición al frío.

La gran diferencia estuvo en la planificación. Mientras Falcon básicamente copió la trayectoria de uno de sus predecesores (Sir Ernest Shackleton, que, por cierto, nunca llegó a la meta y casi muere de regreso), Amundsen hizo su tarea. Él investigó rutas alternativas y estudió patrones de crecimiento del hielo por años. Esta ruta alternativa le permitió hacer un campamento base noventa y seis kilómetros más cerca de la meta, lo que significaba un ahorro en total de ciento noventa y tres kilómetros de recorrido.

Otra gran diferencia entre ambos fueron los métodos de transportación. Falcon llevó unas máquinas a motor, ponis, perros y por supuesto, personas. A principios de la expedición consideró que los perros no eran lo mejor y los devolvió al campo base. Con el tiempo se dio cuenta de que los ponis no podían trabajar en esas condiciones, y tuvieron que sacrificarlos. Toda la carga restante la llevaron a pie.

Por el otro lado, Amundsen decidió llevar solo perros. Tiempo antes había decidido aprender técnicas de supervivencia en el frío extremo con el fin de prepararse para esta expedición, y así aprendió sobre el poder de los perros. Los perros eran excelentes, no solo le permitían avanzar de ocho a nueve horas al día (comparado con Falcon que solamente podía avanzar de cuatro o cinco), sino que daban calor y levantaban la moral del equipo.

Falcon basó toda la preparación de su expedición en su predecesor, lo cual le dio muy poco margen de error para los imprevistos que se podían presentar. Amundsen no dejó nada al azar. Él designó sus lentes, skies, arneses de los perros, etc. Estas son unas palabras de Roald Amundsen:

Yo me atrevería a decir que este es el factor más importante —la manera en que la expedición es equipada— la manera que cada dificultad es prevista, y las precauciones tomadas para cuando la enfrentemos o la evitemos. La victoria espera a los que tienen todo en orden; las personas lo llaman «suerte». El fracaso es seguro para aquel que haya descuidado tomar las precauciones necesarias con tiempo. A esto lo llaman «mala suerte».[6]

Desear seguir tu llamado y comenzar la aventura de tu vida no implica que debes descuidar la planificación y el manejo de riesgos. Como dice el dicho: «El que fracasa en planificar, planifica fracasar».

Hacerme la pregunta: *¿Qué pasa si no funciona?* siempre me ha ayudado a definir el peor escenario. Si todo me sale mal, ¿cuáles son las consecuencias?

En la mayoría de los casos me he dado cuenta de que las consecuencias no son tan graves. En los casos en que las consecuencias fueran de gravedad, me ayuda a planificar un plan B, un C y quizás un D.

Por poner un ejemplo muy común, ¿quieres renunciar a tu trabajo para seguir tu sueño? ¿Qué tal si disminuyes tus gastos al mínimo y ahorras de seis a doce meses de gastos para que tengas un colchón financiero que te sostenga si a tu negocio le toma más tiempo en crecer de lo que esperabas? ¿Qué tal si construyes tu negocio o proyecto en tu tiempo libre (noches y fines de semana) hasta que el ingreso proveniente de este pueda reemplazar tu salario actual? ¿Quieres hacer una inversión masiva en un proyecto o negocio? ¿Qué tal si estableces un calendario de inversión donde tengas fechas claves que puedan indicarte si el progreso que está teniendo la oportunidad de ocurrir cumple tus expectativas o, por el contrario, es una bandera roja que se levanta indicándote que te salgas? ¿Vas a hacer un viaje a lo largo de tu país? ¿Qué tal si te aseguras de que tienes un neumático de repuesto? En fin, los ejemplos son infinitos. El mensaje es que necesitas hacer la tarea, necesitas planificar.

Un plan de acción claro, con sus respectivas precauciones y planes de respaldo, le dará al miedo la más fuerte estocada de muerte que te puedas imaginar.

4. Dedico tiempo a pensar en mis sueños y metas. Hace varios años mi amigo Peter Blanco me transmitió la siguiente reflexión: «El miedo es un sentimiento negativo por algo que no ha pasado. Tu sueño es un sentimiento positivo por algo que no ha pasado».

En otras palabras, el miedo y el sueño son lo mismo pero en direcciones contrarias. Ninguno de los dos ha pasado. El miedo es negativo mientras que el sueño es positivo.

Ese día Peter me dijo también: «Tienes que imaginar que en tu mente hay un perro bueno y un perro malo. Un perro es el miedo, mientras que el otro es tu sueño. ¿Cuál dominará? ¿Cuál crecerá y será más poderoso?».

El que más alimentes.

Si alimentas más al perro del miedo (personas negativas, historias de fracasos, etc.), este crecerá hasta ser tan fuerte que intimidará al otro. Por el contrario, si alimentas al perro de tus sueños, este dominará tu mente y no le dará cabida al miedo en tu vida.

Por esta razón es tan importante salir a soñar. Es el proceso más activo de visualización en el que pasas tus sueños de tu mente al terreno real. ¿Sueñas en ser un conductor de orquesta? Pues busca la manera de ir al teatro más hermoso de tu ciudad, y una noche, cuando esté vacío, párate en medio del escenario y dirige tu más deseada sinfonía. ¿Sueñas vivir en un lugar específico? Sumérgete en las fotos de ese lugar que consigas en internet. Tómate unas vacaciones y camina por sus calles como si fueras un local. ¿Estás en una reunión familiar o con tus amigos, y se están burlando de lo que quieres lograr? Pues respetuosamente párate y vete a otro lado a soñar. Cada día sé intencional al escoger a cuál perro en tu mente le vas a dar de comer.

5. Divido los grandes proyectos en pequeñas tareas. Una de las principales razones por las cuales el miedo nos domina es porque vemos la tarea que tenemos al frente de tal magnitud, que no sabemos ni siquiera por dónde comenzar y, por supuesto, mucho menos creemos que la podremos terminar. La mejor estrategia para atacar este problema es dividir el proyecto en tareas tan pequeñas, que sean sumamente fáciles de ejecutar.

En el año 2008 Procter & Gamble, empresa donde trabajo, me trasladó desde Venezuela a su casa matriz en Cincinnati, Estados Unidos, como gerente de proyectos de una de sus marcas más grandes a nivel global.

Mi trabajo era liderar proyectos de lanzamiento de nuevos productos al mercado y «gerenciar» todo el proceso y los recursos desde la concepción de la idea hasta que el producto ya estaba en los anaqueles de las tiendas.

Los primeros meses fueron sumamente duros para mí. No solo me enfrentaba a una nueva cultura, un nuevo país y nuevo idioma, sino que nunca antes había «gerenciado» proyectos de tal magnitud. Para darte una perspectiva, los proyectos que comencé a manejar significaban millones de dólares de inversión en la compañía, compra de equipos en nuestras plantas, planes de mercadeo de gran magnitud y un sin fin de procesos que necesitaban ser calificados y aprobados para asegurar que estábamos listos para lanzar al mercado exitosamente.

Hubo un período en el que sentí mucho miedo. Inclusive creí que no estaba capacitado para dar los resultados que se esperaban de mí. Siendo totalmente honesto, por un momento sentí que podía perder mi trabajo.

A los pocos días me convencí de algo. Puede ser que no esté capacitado para manejar un proyecto de esta magnitud, pero sí estoy capacitado para manejar un pequeño proyecto.

Lo que hice después fue dividir todos mis proyectos en pequeñas tareas. Tareas tan pequeñas como «llamar a Patricia en investigación y desarrollo para confirmar que la fórmula pasó la prueba de estabilidad» o «ir personalmente al director de ingeniería para que me firme la forma para la liberación del producto» o «llamar al proveedor X para asegurar que el insumo fue despachado».

Es decir, podía ser que yo no tuviera la capacidad de manejar un proyecto millonario, pero sí podía llamar a Patricia, ir personalmente al escritorio del director de ingeniería y confirmar con un proveedor. Con el tiempo me di cuenta de que ejecutando las tareas pequeñas, había llegado a «gerenciar» un proyecto gigantesco.

Divide tus más grandes proyectos en pequeñas tareas que sean sencillas de ejecutar. Verás cómo al comenzar a ejecutar esas pequeñas tareas empezarás a desarrollar confianza en ti mismo y a generar el *momentum* necesario para ir en pos de tus sueños. Te acordarás de mí cuando un día, sin darte cuenta, estés en medio de tu jornada a tus sueños y hayas logrado cosas que nunca creíste posible. Habrás vencido el miedo poco a poco.

Estos cinco pasos me han ayudado maravillosamente a vencer el miedo, y estoy seguro de que te ayudarán a ti.

El mundo ordinario es un lugar de murallas altas que están protegidas por los soldados del miedo. Pero contrario a lo esperado, estos soldados del miedo no están buscando protegerte del peligro que existe en el exterior, sino que más bien están evitando que tú salgas de allí. Los soldados del miedo se han convertido en tus carceleros. Harán lo imposible para no dejarte salir del mundo ordinario.

El miedo utilizará todo su poder para evitar que tú vivas una gran historia, para que niegues tu llamado. El miedo sabe que por cada individuo que logre vencerlo y pueda vivir una vida plena, él será cada vez más débil. Dar el paso y decidir vivir la vida que sueñas no solo te bendecirá a ti, sino que inspirará a muchos que están siendo dominados por el miedo.

Aunque... quieras o no, hay momentos que llegan, bien sea de forma intencional o fortuita, que te obligan a lanzarte a la historia. Hay momentos donde nos enfrentamos al incidente inductor.

EL INCIDENTE INDUCTOR

UNA DE LAS PELÍCULAS QUE más ha tocado mi corazón se ha traducido al español como *El camino* (*The Way*);[1] en ella se relata la experiencia transformadora de Tom Avery, un oftalmólogo que por un giro del destino decide embarcarse en una aventura nunca antes soñada: recorrer el Camino de Santiago.

El Camino de Santiago es un peregrinaje espiritual que miles de personas hacen cada año. Aunque existen varias rutas, una de las

principales comienza en los Pirineos franceses y cubre una distancia de más de ochocientos kilómetros hasta llegar a donde se cree que están los restos de Santiago, el apóstol de Jesús.

Tengo un gran amigo, Stewart Marquina, que lo hizo hace unos años y me contó que fue una experiencia espiritual que cambió su vida.

Pero la historia de Tom Avery no comienza ahí. Comienza en su mundo ordinario como un exitoso oftalmólogo con una vida que se ha sumido en el aburrimiento desde la muerte de su esposa. Aunque no dan muchos detalles, uno puede inferir que se trata de una vida predecible, tranquila y segura. Una vida que oscila entre su consultorio y los campos de golf. A leguas se puede detectar la muerte del alma.

Una de las mayores frustraciones de Tom son las decisiones de su hijo Daniel, que deja el doctorado por dedicarse a conocer el mundo. De hecho, en una conversación que tienen mientras lo lleva al aeropuerto para otro de sus viajes, Daniel, su hijo, le pide que vaya con él. Daniel le promete a su padre una aventura padre-hijo, un paseo inolvidable.

Como era de esperarse, Tom le da una serie de razones por las cuales no podría ausentarse tanto tiempo, y deja a Daniel en el aeropuerto para que comience su nueva aventura.

Lo que Tom no sabía era que un giro inesperado de la historia iba a cambiar su vida para siempre.

Unos días más tarde, en medio de uno de sus juegos de golf, Tom recibe una llamada de la policía francesa para informarle que su hijo Daniel había fallecido en un accidente en los Pirineos cuando comenzaba su peregrinación.

Inmediatamente Tom viaja a Francia con el objetivo de buscar el cuerpo de su hijo; pero por duelo y homenaje a Daniel, decide hacer el antiguo camino espiritual donde murió su hijo y llevar las cenizas con él.

Recuerdo una escena en la que, ya adentrado en la jornada, al despertarse de una de sus noches durmiendo en el camino, va donde la dueña del hostal a solicitarle que le sellara el pasaporte y le pregunta:

—¿Alguna vez has hecho el camino?

—Nunca —respondió ella—. Nunca. Cuando era joven estaba muy ocupada. Ahora estoy vieja y cansada.[2]

El Camino de Santiago cambia la vida de Tom. En el proceso hace unos amigos que en conjunto, buscan conseguirle un mayor significado a la vida. La aventura de Tom a través del camino lo lleva a tener una relación espiritual muy profunda con su hijo, a quien, en mi opinión, finalmente llega a conocer.

Luego de llegar a Santiago de Compostela, Tom es acompañado por tres de sus nuevos amigos a Muxía, donde, por último, esparce las cenizas de su hijo Daniel en el mar.

Con el morral de Daniel en la espalda, la película termina con Tom preparándose para una nueva aventura.

Igual que *Titanic* se trataba de la libertad de Rose, la historia de Tom en el Camino de Santiago se trataba también de su libertad: la libertad del mundo ordinario. Fue necesario un evento como la muerte de su hijo para forzar a Tom a lanzarse a la historia, de la misma forma que Scott Harrison de charity: water necesitaba llegar bajo para poder despertar, o Bilbo necesitaba ser confrontado por Gandalf para luego decidir unirse a la aventura.

Toda historia necesita lo que se denomina el incidente inductor.

El incidente inductor es el punto de inflexión de toda gran historia. Es un evento que fuerza al héroe a moverse; fuerza al personaje a entrar en la historia. Es como una puerta de no retorno. Después de ese momento, ya nada será igual.

Don Miller lo describe así, haciendo referencia a las ideas de Robert McKee en su libro *El guión*:

> Robert McKee dice que los humanos buscamos por naturaleza la comodidad y la estabilidad, y sin un incidente inductor que las perturbe, no vamos a meternos en la historia. Deben despedirnos del trabajo o forzarnos a inscribirnos en un maratón. Hay un anillo que tenemos que comprar o una casa que debemos vender. El personaje tiene que lanzarse hacia la historia, hacia la incomodidad y el temor, de otra manera la historia jamás ocurrirá.[3]

El incidente inductor ocurre de diferentes maneras para cada historia, pero si pudiera agruparse en dos, serían los que ocurren de una forma externa, fuera de nuestro círculo de influencia, y los que ocurren de manera interna o dentro de nuestro círculo de influencia.

Los incidentes inductores externos a nuestro círculo de influencia son las historias como la de Tom en *The Way* o cuando nos despiden de nuestro trabajo o nos diagnostican una enfermedad. Son eventos que no solo marcan sino sacuden nuestra vida. Son circunstancias que al ocurrir eliminan de una forma casi instantánea todo lo sucio y la neblina de nuestra vida y, por medio de sentimientos extremos como el dolor o la felicidad, nos muestran con claridad lo que realmente es importante en esta vida.

Este tipo de incidente inductor externo no necesariamente es negativo. Así como en la mayoría de los casos está conectado a la muerte, enfermedad o crisis en general, también sucede para algunos en momentos de experiencias positivas extremas, casos en los que el resultado es difícil de explicar sin utilizar palabras como «milagro» o «sobrenatural». Inclusive casos de profunda iluminación espiritual.

Tengo amigos que tomaron decisiones drásticas en su vida porque están profundamente convencidos de que Dios los sanó o sanó a un ser querido. Tuvieron en sus vidas una experiencia positiva que ellos consideran de intervención divina y que los llevó a cambiar el curso de su historia.

Una de las historias más impactantes es la de Pablo, que siendo uno de los líderes de la persecución de la iglesia cristiana, tuvo un encuentro divino que lo llevó a cambiar su vida en ciento ochenta grados y a convertirse en uno de los más grandes líderes jamás conocido.

Bien sea que creas en el encuentro divino de Pablo o no, es totalmente irrelevante, porque esta es la historia de él. Este evento fue tan poderoso que llevó a Pablo a sufrir hambre, prisión y mucho dolor. Independientemente de que creas en ese momento o no, la realidad es que cambió su vida rotundamente y lo transformó en uno de los líderes más grandes de la iglesia; y eso es lo que importa.

Lo que te quiero decir es que el incidente inductor es el evento que es importante para ti, no para los demás. Es ese evento que sacude tu mundo, no necesariamente el de lo demás. Puede ser que solo tú creas en él y eso está bien.

Muchas veces estamos en la búsqueda de incidentes inductores de este estilo. Queremos que un día se nos aparezca un ángel que en su gran poder nos tire al suelo y nos revele nuestro destino. Pero como comenté anteriormente, este tipo de incidentes inductores están fuera de nuestro círculo de influencia. Y por estar fuera de nuestro círculo de influencia, no podemos esperar por ellos para comenzar a vivir una gran historia.

Lo que me lleva a la siguiente pregunta, haciendo a un lado las experiencias transformadoras positivas como las de Pablo, las sanaciones milagrosas y dejando solo las dolorosas ¿De verdad quisieras esperar a que algo extremo te sucediera para moverte? ¿Es tan sabroso estar en el sofá todo el día viendo televisión que necesitas de una enfermedad, la muerte de alguien que amas o una crisis extrema para impulsarte a vivir una vida que valga la pena?

Es importante responder esta pregunta. Por desgracia, he conocido muchos así que, quizás inconscientemente, están esperando una tragedia para hacer algo inspirador con sus vidas. No necesitas necesariamente perder tus piernas para proponerte correr un maratón, no necesitas declararte en bancarrota para ayudar a otros a mejorar sus finanzas personales, no necesitas tener una enfermedad terminal para inspirar a otros a vivir. Si la vida te ha dado estos golpes u otros, y has decidido transformarlos en una inspiración, me quito el sombrero y te aplaudo; pero si no, no necesitas esperar por eso. Puedes empezar a vivir una vida inspiradora ya. Tú mismo puedes forzar el incidente inductor.

Así como existe el incidente inductor externo o fuera de tu círculo de influencia, existe también el incidente inductor interno o dentro de tu círculo de influencia. Aquí es donde puedes hacer la diferencia.

Donald Miller, a quien te mencioné al principio de este libro, creció sin un padre. Su padre lo abandonó desde muy pequeño y

prácticamente su madre nunca habló de él. Pero el silencio de su madre nunca apagó la profunda necesidad que Don tenía de conocer quién era, porque entendiendo a su padre, entendería un poco más su propia historia.

En su libro *Un largo camino de mil años* Don confiesa:

> No quería tener que decirle quién era yo sin haber obtenido alguna clase de logro físico que estuviera relacionado con el atletismo, aunque fuera remotamente. Y creo que el hecho de que nunca tuve que reunirme con él me ayudó a perdonarlo también. Sin la preocupación de cuál sería su opinión sobre mí, pude asumir que siempre quiso contactarme y que quizás me vigiló a escondidas de vez en cuando. Tal vez él me veía a lo lejos desde algún campo, cuando yo ensayaba con la banda musical. El día de mi graduación de la escuela de secundaria, recuerdo que me preguntaba si él estaría en las gradas, y sentía que sus ojos me miraban, y me atemorizaba la idea, incluso en ese entonces, de que apareciera entre las sombras.[4]

A pesar de su deseo de conocer a su padre, Don nunca lo buscó. Cada vez que sentía de nuevo la inquietud (llamado a la aventura), el miedo rápidamente tomaba el control y dominaba (la negación de tu llamado). Pero un día, algo sucedió.

Don recibió una llamada de su madre que lo invitaba a conocer a su padre. Luego de disculparse por no haber hablado de él jamás, le confesó que había conseguido unos papeles que tenían su dirección y teléfono. Don había recibido un nuevo llamado a la aventura. Respecto a esto, relata:

> Seguí conduciendo hasta la casa de mi amigo y cuando apagué el auto y puse mis dedos en la manija para bajarme, comencé a temblar. Me faltaba el aliento. No entendía aún mis emociones, pero sin duda estaba sintiendo algo. Entré a la casa, y sospecho que la gente pensó que consumía drogas, porque casi no hablé...
>
> Tenía su número de teléfono en mi billetera, pero no lo llamé. Pasó un mes, pero no lo llamé, y otro mes. Tenía programado un

viaje a Chicago y me dije a mí mismo que cuando fuera, lo llamaría e iría a Indiana para conocerlo. Sin embargo, la primera noche no lo llamé, y la segunda tampoco. Así que llegó mi último día, yo sabía que tenía que hacer algo. Sabía que necesitaba un incidente inductor, algo que me obligara a meterme en la historia. Entonces, le envié un mensaje de texto a diez de mis amigos y amigas, anunciándoles que me encontraría con mi padre, a quién no había visto en treinta años.[5]

Don estaba consumido por el miedo de ver a su padre casi por primera vez. Él necesitaba un incidente inductor y enviar esos mensajes de texto fue lo que se le ocurrió. Él sabía que al llegar de vuelta a casa todos sus amigos le preguntarían por su padre, y él no podía responderles que había sido un cobarde. El incidente inductor, creado por él, lo forzó a meterse en la historia, lo forzó a vencer el miedo y vivir la aventura.

El incidente inductor que está en tu círculo de influencia es ese evento que tú creas para forzarte a entrar en la historia. Es cuando te paras en una joyería y finalmente decides comprar el anillo de compromiso, es cuando te inscribes en el gimnasio, es cuando les dices a todos que este año vas a hacer un maratón. La capacidad de crear un incidente inductor es la diferencia entre los valientes y los cobardes. Mientras los cobardes se esconden de vuelta en el mundo ordinario, los valientes se comprometen con su historia generando un incidente inductor.

Aunque existen incidentes inductores de gran magnitud e impacto como la muerte de un ser querido, una enfermedad o un compromiso matrimonial, estos pueden ser más pequeños como un mensaje de texto a un amigo o un compromiso ante los colegas del trabajo. El objetivo principal del incidente inductor es romper la inercia.

La física es una ciencia fascinante que siempre me llamó la atención. Ella explica que la inercia es la propiedad que tienen los cuerpos de mantenerse de la misma manera (reposo o movimiento) mientras que la diferencia entre la fuerza aplicada y la resistencia sea cero. La fuerza necesaria para que un objeto salga de su estado de

reposo o cambie su trayectoria en movimiento tiene que ser mayor que la resistencia. En otras palabras, necesita romper la inercia.

¿Alguna vez has soltado las manos del manubrio de tu bicicleta a velocidad? A pesar de que seguro inicialmente sentiste temor, te habrás dado cuenta de que el volante se mantenía perfectamente alineado sin moverse a un lado o el otro, sin necesidad de sostenerlo. ¿Por qué? Por la inercia. La bicicleta (cada partícula de ella) desea mantenerse en la misma dirección que originalmente está hasta que una fuerza externa, por ejemplo una piedra en el camino, la saque de su trayectoria original (y por eso es que te caíste y te rompiste las rodillas).

¿Por qué crees que las personas exitosas se hacen cada vez más exitosas, mientras que las otras no? Es inercia. Cuando un cuerpo está en movimiento sigue en movimiento hasta que una fuerza externa cambie su dirección.

Esa fuerza externa es el incidente inductor. El objetivo principal del incidente inductor es sacarte del estado de reposo o cambiar tu dirección. Tal como comenté antes, puede ser algo grande pero también pueden ser cosas pequeñas que comiencen ese proceso de romper la inercia.

Es por eso que en el capítulo anterior recomiendo dividir los grandes proyectos en pequeñas tareas. Porque eso te ayuda a romper la inercia. Cuando los grandes proyectos te paralizan, las pequeñas y simples tareas te ayudan a romper la inercia. Abrir las puertas de tu negocio de ensueño donde vendas las más hermosas prendas de vestir que deseas, puede ser una tarea que te paralice, pero comprar el periódico o revisar en internet sobre locales disponibles es una tarea mucho más fácil. Recuerda, estás rompiendo la inercia.

Ahora bien, dividir tu proyecto en tareas pequeñas, dar pasos de bebé, mandar un mensaje de texto a nuestros amigos, nos ayudará a romper la inercia. Pero debo ser honesto contigo, va a llegar un momento en que necesitas dar un paso específico que te lanza a la historia, un paso que te compromete, la verdadera puerta de no retorno. Es cuando pasas del terreno seguro al riesgo, es cuando entregas el anillo de compromiso, es cuando renuncias a tu trabajo

para dedicarte a tu proyecto personal a tiempo completo, es cuando tocas la puerta de la casa de tu papá, a quien no has visto en treinta años. No es simplemente cuando tomas acción, sino cuando tomas La Acción que te sumerge en la historia de forma definitiva. Ese momento va a llegar y necesitas estar preparado.

A veces las personas me preguntan por qué uso tantas películas para explicar los principios que hacen grandes historias pero dejo un poco al lado las novelas. Una razón es que veo más películas que leo novelas. Pero esa no es la razón principal. La verdadera razón es la siguiente: en una novela puedes fácilmente distinguir los hechos de los pensamientos. Tú puedes dibujar una línea entre la intención y la acción. Puedes estar leyendo una novela donde un personaje, a pesar de amar profundamente a su mujer, decide irse con otra por una noche. U otro personaje puede pensar en hacer el mal a alguien, sin embargo, actuar de manera diferente.

En una película es diferente. Las películas normalmente no pueden transmitir intención, solo acción. Si tú quieres que la audiencia perciba a tu personaje como generoso, él necesita hacer un acto de generosidad. Si quieres que la audiencia lo perciba como miedoso, tiene que huir de forma cobarde de una situación. Si quieres que sea un héroe, necesita vencer el miedo y lanzarse a la historia de forma real; tiene que tomar acción, no simplemente tener la intención.

Si recuerdas la historia de Bilbo Baggins en *El hobbit*, que relaté en el capítulo anterior, existe una gran diferencia entre el libro y la película para la misma escena. En el libro, toda la lucha de Bilbo es interna: «Mientras cantaban, el hobbit sintió dentro de él el amor de las cosas hermosas hechas a mano con ingenio y magia; un amor fiero y celoso, el deseo de los corazones de los enanos. Entonces algo de los Tuk renació en él...».

Y la negación de su llamado también fue interna: «y pensó en dragones devastadores que invadían la pacífica Colina envolviendo todo en llamas. Se estremeció; y en seguida volvió a ser el sencillo señor Baggins otra vez...».[6]

Por el contrario, cuando hicieron la película tuvieron que transformar esta escena en una conversación entre Gandalf y Bilbo

porque, tal y como dije antes, en las películas no se transmite intención, solo la acción.

Y eso me gusta. Creo que al final de nuestras vidas lo importante van a ser las acciones que tomamos y no la intención que tuvimos. Yo no quiero que las personas me recuerden como el hombre que quiso ser un buen padre y esposo, que quiso ser honesto, que quiso tener dominio propio, que quiso seguir a Dios. Quiero que las personas me recuerden porque lo hice. Al final lo que importa es la acción, no la intención.

Repitiendo las palabras de Steven Pressfield refiriéndose al poder de la acción:

> Si mañana por azares del destino, todas y cada una de esas almas despertaran con el poder de dar el primer paso para cumplir sus sueños, todos los psiquiatras del mundo se quedarían desempleados. Las prisiones se vaciarían. Las industrias del alcohol y el tabaco se vendrían abajo, junto con las de la comida basura, la cirugía estética, la publicidad, por no nombrar a las compañías farmacéuticas. La violencia doméstica se acabaría, al igual que las adicciones, la obesidad, las migrañas y los problemas de caspa.[7]

Vivir una gran historia no es fácil. Lo fácil se quedó en el mundo ordinario. Vivir una gran historia tiene mucho más que ver con aventura, riesgos, batallas y victorias, con plenitud y vida, que con la búsqueda de lo fácil y el camino de menor resistencia.

El incidente inductor te lanza a la historia, y en ese proceso es que cometemos uno de los más grandes errores. Un error que tiene que ver más con expectativas que con otra cosa. Creemos que dejar el mundo ordinario por seguir el llamado a la aventura es el clímax de la historia. Creemos que renunciar a nuestro trabajo o colocarle el anillo de compromiso a nuestra amada, inscribirnos en el maratón o gritarle al mundo que has decidido dejar un vicio atrás es el clímax. Pues no lo es. El problema con esta confusión es que al creer que el incidente inductor es el clímax, entonces no entenderemos el porqué de todas las barreras, luchas y conflictos que estamos por enfrentar.

El clímax sucede después de la resurrección del héroe, más adelante, no cuando apenas decidió lanzarse a la historia.

De la misma forma que el incidente inductor te lanza a la aventura, también te lanza al conflicto, el cual será el responsable de cambiar tu vida para siempre.

EL CONFLICTO

EL CONFLICTO Y LA RESISTENCIA

PIENSA UN MOMENTO EN TUS películas favoritas, las que han conectado en tu corazón, y verás un factor en común para todas ellas: un gran conflicto. El conflicto es lo que hace que una historia tenga valor.

¿Te imaginas a Rocky sin las peleas? ¿O *La guerra de las galaxias* sin la fuerza del mal? ¿Te imaginas una historia de amor como *¿Conoces a Joe Black?* sin la tensión que causa que Joe sea la misma muerte? ¿O películas de Disney sin los dragones, maleficios o las crueles madrastras? Toda historia respira vida e inspiración a través del conflicto. No es diferente en la vida real.

La historia de tu vida será tan interesante como el nivel de conflicto que estés dispuesto a superar. Punto.

Es decir, ya no debes hacerte la pregunta: *¿Por qué me pasa esto a mí?*, sino más bien entender que las luchas, los conflictos, las caídas y barreras están ahí para hacer de tu vida una historia interesante, una de esas que vale la pena vivir y contar.

En el mundo de las historias, películas y novelas lo llaman fuerzas antagonistas. Son las fuerzas que se oponen a que el héroe logre su acometido. Son fuerzas que quieren mantenerte en el mundo

ordinario y no quieren que salgas a vivir una aventura. Y si llegas a salir, trabajan fuertemente para llevarte a un nivel de frustración tan alto, que renuncies a tu llamado y vuelvas a la seguridad del mundo ordinario.

La mejor representación de estas fuerzas las podemos ver en la película *La guerra de las galaxias,* donde existe una fuerza del mal que constantemente está contraria a la fuerza del bien. De ahí el dicho «que la fuerza te acompañe».

Creo que vivimos en un mundo donde existen claras fuerzas antagónicas. El proceso natural del desarrollo del ser humano no lo lleva al éxito y la plenitud. Por el contrario, lo hunde en la miseria. Vivimos en un mundo igual al de *La guerra de las galaxias,* donde existe una fuerza que está buscando destruir nuestra alma, está buscando neutralizarnos.

Si no me crees, simplemente ponlo a prueba. Siéntate en un almuerzo con tus colegas del trabajo y coméntales que has decidido seguir tus sueños para que veas cómo las risas y la envidia comenzarán a florecer; o proponte llevar una idea al mercado para que te des cuenta de que en los primeros intentos todo lo que podía salir mal pasa; o decide que vas a dejar la obesidad atrás para que te des cuenta de lo difícil que se pone la cuesta a los pocos días.

¿Alguna vez has visto un vicio bueno? ¿Por qué las personas desarrollan adicción solo a las cosas malas? ¿Te has puesto a pensar en eso? Jamás he visto a alguien adicto a la generosidad, al brócoli o al tofu. Inclusive las personas que son adictas a actividades como el ejercicio, es porque están llevando esa actividad a un punto que está en detrimento de su vida, sus relaciones e inclusive su salud física. Las personas no se hacen adictas al bien o a las cosas buenas. Las personas se hacen adictas al azúcar, los carbohidratos, el alcohol, las drogas, la promiscuidad, etc.

La razón es esta, existe una fuerza antagonista que quiere destruirte, que quiere neutralizarte.

Una de las principales fuerzas antagonistas a la que te enfrentarás es la resistencia. La resistencia es esa fuerza que, en el concepto de inercia que expliqué en el capítulo anterior, desea mantenerte en

estado de reposo. La resistencia es lo que permite que tu carro no se vaya solo cuesta abajo cuando lo estaciones en una pendiente o que un avión logre detenerse antes de que se acabe la pista de aterrizaje. Pero también es la fuerza que te mantendrá anclado en el sofá. Es esa fuerza que te dará una palmadita en la espalda cuando decidas ver tu programa favorito de televisión en vez de comenzar a escribir tu tan soñado libro. Ella te dirá: te lo mereces, estás cansado.

¿Alguna vez te has comprometido a entrenar, o escribir un libro, o despertarte cada mañana a orar, solo para darte cuenta de que se te hace tan difícil, por no decir imposible, levantarte de la cama? ¿Alguna vez tomaste la decisión de comer sanamente solo para darte cuenta de que esa semana tus colegas del trabajo trajeron torta y rosquillas todos los días? ¿O alguna vez decidiste que definitivamente ibas a honrar el amor a tu esposa e ibas a parar de ver toda pornografía en internet solo para darte cuenta de que cuando estás cambiando de canal en tu televisión te aparece un comercial de Victoria's Secret? Pues te presento a la resistencia.

Steven Pressfield, en su libro *La guerra del arte,* hace uno de los mejores manifiestos que he leído sobre la resistencia. En su libro él escribe:

La Resistencia es la fuerza más tóxica del planeta. Es causa de más tristeza que la pobreza, la enfermedad y la disfunción eréctil. Rendirse ante la Resistencia deforma nuestro espíritu. Nos paraliza y nos hace menos de lo que somos y estamos destinados a ser. Si crees en Dios, debes reconocer el carácter maligno de la Resistencia, pues nos evita alcanzar la vida que Dios nos reservó cuando nos asignó nuestro Genio a cada uno de nosotros [...]

Lo que es particularmente insidioso de las justificaciones que la Resistencia nos presenta es que muchas de ellas son ciertas. Son legítimas. Nuestra esposa realmente puede estar en su octavo mes de embarazo; realmente puede necesitarnos en casa. Nuestro departamento en realidad puede estar implantando un cambio de horario que quitará horas a nuestro día. En realidad puede tener sentido postergar nuestra tesis, al menos hasta que el bebé nazca.

Lo que la Resistencia no nos dice, desde luego, es que todo esto no significa nada. Tolstoy tenía trece hijos y aun así escribió *Guerra y Paz*. Beethoven estaba sordo y aun así escribía sinfonías [...]

Si la Resistencia no pudiera ser vencida no existiría la Quinta Sinfonía, ni Romeo y Julieta; tampoco existiría el puente Golden Gate. Derrotar la Resistencia es como parir. Parece completamente imposible hasta que recuerdas que las mujeres lo han estado haciendo con éxito, con ayuda y sin ella, desde hace cincuenta millones de años.[1]

A la resistencia se le vence solamente con la acción. La resistencia manipulará tus sentimientos como no te imaginas: te hará sentir que has perdido el amor por tu esposo o esposa; te hará sentir que no tienes nada que escribir; te convencerá de que retrasar tu proyecto un día más no significará ningún problema; te invitará a quedarte en el calor de tus sabanas una mañana más. El gran problema está en que muchas personas no saben que existe esta fuerza antagonista y, en consecuencia, piensan que es simplemente la manera de vivir la vida.

La realidad es que si quieres hacer algo grande con tu vida necesitas convencerte de que tienes un enemigo que está buscando neutralizarte. Y solo con dar un paso al frente y actuar, estarás desarmándolo y quitándole toda su fuerza.

Hace aproximadamente doce años leí un libro llamado *El hombre más rico de Babilonia*. En ese libro el autor enseñaba que uno debía ahorrar un diez por ciento de todo lo que ganaba. El concepto me pareció interesante y me propuse aplicarlo. Los primeros meses fueron sencillos pero con el tiempo, un problema aquí y otro allá, un viaje que quería hacer o un juguete que «necesitaba» comprar, me llevaron a descuidarlo y, finalmente, olvidarlo.

Diez años más tarde estaba compartiendo con un compañero de trabajo con el cual había desarrollado una amistad. En la conversación tocamos el tema de nuestros planes de retiro y él me confesó que tenía más de doscientos cincuenta mil dólares ahorrados. Impresionado, quizás asumiendo que un familiar con mucho dinero se lo había regalado, le pregunté cómo había hecho para ahorrar tanto

dinero, y él me respondió: «Hace varios años leí un libro llamado *El hombre más rico de Babilonia*. De verdad te lo recomiendo. Habla de ahorrar un diez por ciento...».

Ahí estaba yo, sentado frente a una persona de mi misma edad, trabajando en la misma compañía que yo, de mi mismo nivel gerencial, con el mismo tamaño de familia que yo. La única diferencia era que él había vencido la resistencia, mientras que la resistencia me decía a mí: «Tranquilo, ahorras el próximo mes, tu vehículo necesita ese nuevo equipo de sonido. Disfruta hoy, no te preocupes por el mañana, realmente te lo mereces». A él le decía lo mismo, exactamente lo mismo. La diferencia no estaba en la resistencia, la diferencia estaba en la acción.

Las películas más poderosas que he visto son las que le presentan al héroe un dilema. ¿Por qué? Porque la elección entre el bien y el mal no es realmente una elección poderosa, es trivial. El dilema está cuando el héroe tiene opciones en las que cada una tiene aspectos positivos y negativos. ¿Por qué el episodio VI de *La guerra de las galaxias* tiene un final increíblemente más poderoso que su antecesora? Porque en el episodio IV Luke Skywalker destruye la Estrella de la Muerte (decisión entre el bien y el mal, no es realmente una poderosa decisión), mientras que en el episodio V, en el momento en que Luke va a acabar con Darth Vader, él le confiesa que es su padre. En ese momento, Luke enfrenta un dilema. ¿Acabo con el epicentro del mal, pero asesino a mi padre? ¿O tengo compasión por mi padre que me dio la vida, pero permito que el mal sobreviva? Este es un dilema. Este es un «final de película». Dilemas como este han creado poderosas historias. Películas como *El padrino* son un dilema, series como *Breaking Bad* [Hacerse malo] nacen de un dilema. Y necesitamos entender que nos enfrentaremos constantemente a dilemas como estos.

Una de las características más poderosas de la resistencia es que siempre se presenta en forma de dilema. Ella no te dice: «Quédate en la cama descansando y tira tus sueños a la basura»; ella siempre se presentará como un dilema: «Mereces descansar, el descanso refrescará tu mente, mañana estarás fresco y más productivo» o «No importa que no tengas el dinero, pídelo prestado, la vida es

para vivirla hoy, no mañana. Seguro podrás pagarlo sin problemas». La resistencia, fuerza astuta, siempre se te presentará en forma de dilema.

Hace miles de años otros habían escrito de esta fuerza. Las Sagradas Escrituras hablan de Satanás, George Lucas la llama la «fuerza del mal» y Steven Pressfield la llama «la resistencia». Cómo la llames es indiferente, lo importante es que sepas que existe y que no te quiere ver surgir.

Cuando estaba empezando a estudiar en la universidad trabajé en un campamento vacacional en los meses de verano. Estaba en una hacienda de ensueño. Uno de los lugares más hermosos que he visitado.

Ciertos días acostumbraba a aventurarme en bicicleta con los niños de mi cabaña por las sabanas y los llanos interminables de este inolvidable lugar. Nos perdíamos por horas, siempre a campo travieso, porque utilizar las sendas ya creadas era aburrido. Descubrimos nuevos ríos y lagunas, unos restos de una vaca muerta y algunos animales peligrosos. Debido a que la hacienda era tan grande, y para evitar perderme, decidí guiarme siempre por el sol. En las mañanas me aventuraba hacia el oeste y regresaba en la tarde en dirección al este. Lo hacía de esa manera para siempre tener el sol a mi espalda. Yo sabía que si el sol estaba atrás, iba en el camino correcto. En otras palabras, si nos parábamos a descansar y conversar, cuando necesitábamos retomar el recorrido, simplemente veía al sol, le daba la espalda, y comenzaba a pedalear.

De la misma manera veo a la resistencia, entiendo que siempre tengo que tenerla a la espalda y hacer fuerza en dirección contraria a ella. La resistencia se ha convertido para mí en la manera de confirmar si mi camino es el correcto. Cuando siento que me empuja en una dirección, yo empujo hacia la otra. Así de sencillo.

Necesitas conocer a la resistencia, necesitas aprender a reconocer su voz, necesitas aprender a detectar sus pasos cuando se avecina, necesitas aprender a descifrar sus mentiras; para que en el momento en que venga a ti, la veas como una confirmación de que estás en el camino correcto y de que necesitas tomar acción.

CAPÍTULO 10

EL CONFLICTO Y SU BELLEZA

CUANDO ESTAMOS EN MEDIO DEL conflicto solo vemos oscuridad, pero la realidad es que se nos está preparando para algo grande. Estamos creando una historia digna de contar.

Mientras más grande sea nuestro proyecto, sueño o llamado, más conflicto tendremos que superar. Es una ley universal de la vida. Sueños pequeños tendrán conflictos pequeños; sueños grandes tendrán conflictos grandes, caídas y barreras.

Pero el conflicto trae como consecuencia algo hermoso, algo que vale la pena. El enfoque no debe estar en el conflicto sino en lo que te conviertes en el proceso. Ese es tu mayor regalo. De la misma manera que un atleta paga un precio altísimo durante años por la oportunidad de pararse con una medalla olímpica en sus hombros, nosotros necesitamos hacerlo también. Hay una medalla allá afuera, que solo te será entregada después de que pases por la prueba, después de que enfrentes el conflicto.

Existen innumerables beneficios del conflicto, a continuación te muestro algunos de ellos:

1. El conflicto te ayuda a apreciar la vida misma. Yo crecí en Venezuela. Este país tiene uno de los mejores climas del mundo.

Caracas, la ciudad donde crecí, siempre está soleada, con un clima alrededor de los treinta grados centígrados a lo largo del año. Recuerdo ir a la playa en cualquier momento del año, sin importar si era diciembre o julio, siempre estaba a la perfección.

Había crecido allí desde bebé, así que siempre pensé que eso era lo normal y lo tomé por garantizado. Tener un buen clima era, sencillamente, el clima. Así era y punto.

Al moverme a Cincinnati me enfrenté a una realidad que no esperaba jamás: un invierno infernal. Temperaturas de menos cuarenta grados centígrados y peor, por meses. En ocasiones pasé semanas sin ver el sol, siempre tapado por una gruesa capa de nubes grises que, sin darte cuenta, te llevaban a la depresión. Llevar chaquetas que pesaban kilos constantemente, y qué decir si tu carro tocaba una capa de hielo negro.

Accidentes frecuentes, frío infernal, palear la nieve para poder moverte, y lo peor de todo: estar encerrado en tu casa por la mayor parte de cinco meses.

Pero como dicen, «no hay mal que dure mil años», eventualmente el frío se acaba y llega la primavera.

Recuerdo un día en que me estaba levantando para ir a trabajar cuando de repente, escucho unos pájaros cantar. «¿Escuchaste eso?». Le pregunto a mi esposa con un poco de emoción. Lo que pasa es que en el invierno no escuchas a los pájaros, y luego de varios meses te acostumbras al silencio de la temporada. Pero cuando llega la primavera, comienzas a apreciar ese sonido otra vez.

Y no solo el sonido de los pájaros, también recuerdo comenzar a apreciar los días en que había un cielo azul. El simple hecho de poder ver el sol se percibe como algo hermoso, como un milagro. Si a eso le unías un poco de calor, una brisa refrescante, los pájaros y una buena parrilla al aire libre, te sentías literalmente en el cielo.

Lo extraño del asunto es que el calor, la brisa refrescante, la parrilla y los pájaros, yo los tuve en Venezuela toda mi vida, cada día. Pero como era lo común, ya no lo apreciaba.

¿Alguna vez te has fracturado un hueso o cortado un dedo? Estoy seguro de que eso afectó todo lo que necesitabas hacer y ahora no

podías, por ese problema temporal. Todas eran actividades que simplemente diste por garantizadas.

Una persona que me impactó profundamente fue Tony Meléndez. Tony nació sin brazos. Un día se enamoró de una guitarra que le vio a su papá, pero nunca pensó en lo que el futuro le deparaba. Su papá lo crio para ser un hombre independiente y nunca le permitió a su hijo utilizar su discapacidad para ponerse excusas. Tony comenta que su papá siempre le decía: «Tony tienes que tratar, tienes que hacerlo solo».

Él siempre tuvo una pasión por la música. Su mamá cantaba y su papá tocaba la guitarra. Tony, sin brazos, practicaba de seis a siete horas al día, hasta que la música empezó a surgir. En el año 1987, le tocó una hermosa canción al papa Juan Pablo II frente a miles de personas a lo largo y ancho de Estados Unidos.

Tony Meléndez dice que las personas le preguntan por qué él se siente tan entero, a lo cual responde: «Porque tengo estas (refiriéndose a sus piernas) que hacen de todo, tengo a mi familia que es preciosa, mi corazón quiere bailar, quiere cantar, quiere vivir la vida porque en los ojos de mi Dios yo estoy completo».

Más tarde en su entrevista comenta: «Yo veo a personas como usted que tienen brazos, que tienen pies, que tienen todo [...] y dicen no puedo, no puedo [...] sí pueden ¡sí pueden! Me han preguntado a mí "¿y dónde están los milagros?" Y yo siempre digo esto: cuando veo una mano, veo un milagro».[1]

Una situación tan dura como haber nacido sin brazos, unida a la lucha constante que estoy seguro Tony tuvo que enfrentar durante toda su vida, lo llevaron a apreciar la vida a un nivel que posiblemente pocos han logrado.

Cada día miles de personas se despiertan y salen a sus rutinas sin apreciar la vida misma que se desenvuelve ante sus ojos: el clima, los pájaros, el aroma del café, las piernas, los brazos, la salud, el sol, la lluvia, la mirada de tus hijos, la sonrisa de un extraño, el simple hecho de estar vivo.

El conflicto revive todo eso. El conflicto te regala de nuevo la vida que la rutina y el día a día te robaron. El conflicto te abre los ojos a un nuevo nivel. El conflicto te ayuda a volver a vivir.

2. El conflicto te lleva a evolucionar. Pregúntale a cualquier persona exitosa cuáles han sido los momentos de su vida que formaron lo que esa persona es hoy, y en su mayoría te hablarán de sus conflictos, barreras y caídas.

Nadie crece en un jacuzzi en un hotel de Hawái mientras recibe un masaje en la espalda. Nada de eso está mal, y de hecho me encantaría un día recibir un masaje en la espalda mientras me tomo una piña colada en un jacuzzi en Hawái. Pero la realidad es que esos no son los momentos de crecimiento. Momentos como estos son hermosos, momentos de celebración, descanso, restauración y disfrute, pero normalmente, no serán los momentos que saquen lo mejor de nosotros. Eso está reservado para el conflicto.

Las mejores películas son las que muestran la evolución del héroe de forma clara, y cómo el conflicto lo afecta y lo ayuda a evolucionar. En *El señor de los anillos* vemos cómo Frodo, Pippin, Merry y Sam comienzan la aventura como un grupo de amigos inmaduros y cobardes que por un incidente inductor externo son forzados a entrar en la historia.

A lo largo de la historia su carácter cambia y desarrollan liderazgo y valentía. La aventura por destruir el anillo los cambia. Ya nunca más serán los mismos, su evolución ha sido del cielo a la tierra. Son ahora unos hobbits totalmente diferentes.

El conflicto te cambia. Las personas que no entienden que el conflicto es un proceso necesario, de evolución, pueden desarrollar aspectos negativos como el cinismo, la frustración e inclusive, la depresión. Pero las personas que entienden el propósito del conflicto, simplemente se aprovechan de él para sacar lo mejor de sí y salir del conflicto como individuos más completos y realizados.

Una de las características más admirables que he visto en varios ejecutivos y empresarios de alto nivel es su instinto. Siempre me ha impresionado cómo, a pesar de las tendencias, la data, cualquier información que puedas darle, siguen a su instinto de una forma casi espiritual, y en la mayoría de los casos, tienen éxito.

Tratando de aprender de ellos, le pregunté sobre el tema a un alto ejecutivo de General Electric, quien me contó la siguiente historia:

Un reportero le pregunta a un alto ejecutivo sobre cuál es el secreto del éxito. El ejecutivo le responde:

—Tres palabras: toma decisiones correctas.

—¿Cómo aprendo a tomar decisiones correctas? —pregunta el reportero.

—Tres palabras: con la experiencia —responde el ejecutivo.

Y el reportero hace la última pregunta:

—¿Cómo obtengo experiencia?

El ejecutivo responde:

—Tres palabras: tomando decisiones incorrectas.

El instinto, la capacidad de tomar una decisión basada en un sentimiento interno y muchas veces no sustentado por la lógica, se desarrolla a través del conflicto. Necesitas equivocarte para aprender a hacerlo bien.

Escuché una vez a Rob Bell decir lo siguiente refiriéndose al poder de la evolución del conflicto:

Les aseguro que las personas que más los han impactado, a quienes más admiran, como ustedes realmente quieren ser, les aseguro que son personas que han sufrido, porque nadie obtiene un pase gratis.

Y les aseguro que son personas que, en medio de ese sufrimiento, en forma consciente o inconsciente, tomaron decisiones para convertirse en una clase de persona en particular, a fin de que el evento los forjara, y no intentaron darle la vuelta al sufrimiento, sino que se permitieron atravesar por ese proceso y salir del otro lado.

Y cuando las personas eligen vivir de esa forma, cuando confían en que a pesar de que esto hoy puede sentirse como una muerte, la resurrección está por venir. Cuando las personas eligen vivir con esa clase de confianza, lo cambia todo.[2]

Muchas veces cometemos el error de ver el conflicto como una señal de que el mundo se va a acabar, cuando realmente son señales de que el mundo está evolucionando. Grandes conflictos trajeron cosas

inmensamente positivas que muestran nuestra evolución como sociedad: la creación de los derechos humanos, la abolición de la esclavitud, la igualdad racial, las democracias y muchas más. Cuando las sociedades están pasando por profundos conflictos es cuando sus individuos necesitan creer en esta transformación y no dar su brazo a torcer ante el conflicto, sino más bien, enfrentarlo con la convicción de que ese proceso, aunque doloroso, los está llevando a un mundo mejor.

Quiero ser sensible en este punto. Entiendo que puedes estar pasando por un conflicto sumamente duro y que solo hay silencio y oscuridad a tu alrededor. Yo te entiendo perfectamente, también he estado ahí. Y cuando estás en el medio de la oscuridad es difícil entender el porqué cosas tan duras suceden: divorcios, muertes, enfermedades, quiebra, violaciones, esclavitud y muchas más. No pretendo con estas líneas tomar el lugar de Dios y convencerte de que la razón de todo conflicto es que evoluciones. La verdad es que existen muchos casos que yo tampoco puedo entender. Lo que sí te puedo asegurar es que el conflicto sacará de ti algo bueno, si lo dejas. De los momentos más oscuros han surgido las más hermosas historias, empresas y proyectos. De los momentos más oscuros han surgido las bendiciones más grandes de la humanidad. Cuando ya la noche no puede ponerse más oscura, es cuando comienza a amanecer.

3. El conflicto ayuda a que conectes con otros a través del dolor. Hace varios años viajé a Columbus, Ohio, para conocer a Rob Bell. Había leído un par de libros de él en el pasado que habían sacudido mi perspectiva espiritual profundamente. A pesar de que no estaba de acuerdo con todo lo que Rob decía, no podía dejar de admitir que él tiene un don especial para comunicarse y transmitir el mensaje de Dios en un lenguaje actual.

Ese viaje lo hice solo. No conseguí a nadie que me pudiera acompañar y no estaba dispuesto a perder la oportunidad de conocer en vivo a una persona que me había dado tanto.

Llegué esa noche fría a un teatro de Columbus, y me senté a esperar la conferencia «Drops Like Stars» [Gotas como estrellas] de

Rob Bell. El auditorio estaba bastante lleno, yo diría que había como unas dos mil personas, pero como estaba solo, pude conseguir un buen puesto a cinco filas del escenario.

Ya adentrada la conferencia, Rob hizo una pregunta que en ese momento consideré trivial. Tan trivial que no la recuerdo perfectamente. Pero la pregunta no viene al caso, digamos que preguntó algo como: «¿Podrían por favor ponerse de pie las personas que tienen un vehículo?».

Más o menos un ochenta por ciento del salón se puso de pie.

Rob pidió que nos mirásemos unos a otros. Yo di una mirada por el salón, vi que casi todo el mundo estaba de pie. Listo. Como te comenté anteriormente, sentí que la pregunta no tenía mucho sentido. Bastante irrelevante a mi parecer.

Pero Rob Bell no haría una pregunta irrelevante, como pude darme cuenta pocos segundos después.

A los pocos momentos, Rob hizo la siguiente pregunta: «Podrían por favor ponerse de pie las personas que han sido afectadas, directa o indirectamente, por el cáncer».

En ese momento un poco más de la mitad del salón se puso de pie. Rob nos pidió nuevamente que nos mirásemos unos a otros.

Esta vez fue diferente... profundamente diferente.

Si me permites contarte, yo perdí a una tía y a mi abuelo a causa de esa monstruosa enfermedad. También perdí a una gran amiga, Vanessa, que siendo muy joven, esta enfermedad nos la arrebató. Cuando yo pienso en cáncer pienso en dolor, que me llega muy profundo en el alma.

Ese día, cuando miré a las otras personas a los ojos, tuve una conexión espiritual. Era como si los conociera desde hacía mucho. Era como si ellos conocieran mi dolor, y yo conociera el suyo.

El cáncer nos había unido.

El dolor nos une, es una triste pero a la vez hermosa realidad. El sufrimiento nos une de una forma muy profunda, una forma que el éxito y la abundancia nunca lograrán.

Esa noche Rob Bell dijo:

Ustedes me enseñan a dos padres de posiciones políticas diametralmente opuestas, con creencias ampliamente diferentes de las cues-
tiones más básicas de la vida, con muy pocas cosas en común, pero
cada uno de ellos tiene una hija que padece un trastorno de la ali-
mentación, y yo les enseñaré a dos padres que tienen un vínculo
que trasciende todas sus diferencias. Ustedes me enseñan a dos
madres, de diferentes partes de la ciudad con entornos muy diferentes. Ustedes me enseñan a dos madres; cada una de ellas, una
vez al mes, va a la cárcel y visita a su hijo; y yo les mostraré a dos
madres que tienen un vínculo que trasciende todas sus diferencias.[3]

En la película *The Way*, que mencioné anteriormente, hay una
escena en la que Tom, ya listo para comenzar la peregrinación, coin-
cide con el capitán de policía que le informó sobre la muerte de su
hijo. El capitán le habla a Tom en varias oportunidades y Tom no
presta atención. Está ensimismado en su situación. Pero en un
momento, el capitán le dice a Tom: «Señor Avery, yo también perdí
un hijo». Esto sacude a Tom y lo saca de su ensimismamiento, y aunque sea por un segundo, ocurre una conexión.

Donald Miller nos dice: «Todo conflicto, sin importar lo difícil
que sea, se devuelve para bendecir al protagonista, si este enfrenta su
destino con valentía. Todo conflicto que el ser humano soporte pro-
ducirá una bendición».[4]

Conectar con otros será una de las bendiciones más grandes que
la vida te regalará porque serán las relaciones más profundas y dura-
deras que formarás en tu existencia.

4. El conflicto te ayuda a inspirar a otros. John Maxwell
dice: «Si quieres impresionar a otros, háblales de tus éxitos, si quieres
impactarlos, háblales de tus fracasos».[5]

Tal y como comenté en el capítulo anterior, la historia de tu vida
será tan interesante —y agrego: inspiradora—, como el nivel de
conflicto que estés dispuesto a superar.

Tony Meléndez, luego de aprender a tocar guitarra con los pies y
llegar a presentarse ante el papa, decidió dedicar su vida a inspirar a

otros. ¿Por qué escucharlo te inspira? Porque pasó por el conflicto para llegar a donde llegó. ¿Quieres inspirar a las personas? Necesitas atravesar y soportar el conflicto. Y cuando salgas del otro lado, tendrás una historia que contar que inspire a muchos.

Ejemplo de esto es Dave Ramsey, que hasta el día de hoy ha construido un imperio basado en la educación de las finanzas personales. Dave ha llegado a ser millonario dos veces. La primera vez lo perdió todo.

Después de haberse vuelto millonario en los negocios de bienes raíces, Dave tuvo que declararse en bancarrota a muy temprana edad. Basado en el dolor y el sufrimiento de esa experiencia, decidió dedicar su vida a ayudar a otros a salir de sus problemas financieros y generar riqueza.

Hoy en día tiene varios libros que han llegado a las listas de los más vendidos del *New York Times*, un show de radio que llega a cada rincón de Estados Unidos y una empresa con más de cuatrocientos empleados que se encargan de transmitir su mensaje a iglesias, organizaciones sin fines de lucro y empresas.

Pero lo más impresionante de Dave no son los libros que ha vendido o lo exitoso de su programa de radio o lo que ha crecido su empresa. Tuve la oportunidad de visitar su empresa y comprender miles de historias, todas escritas en cada pared, de personas que cambiaron su vida financieramente gracias a Dave.

¿A qué se debe el impacto de Dave? ¿A qué se debe que las personas al escucharlo, decidan cambiar su vida y poner orden a sus finanzas? ¿A qué se debe que una familia decida comer arroz y frijoles por dos años para pagar sus deudas por un futuro mejor? A que Dave caminó el camino. Él estuvo abajo y olió lo mal que huele. Él entiende al que está destruido, acabado. Cuando una persona llama a su show, hundido en la desesperación porque tiene cobradores siguiéndole los pasos, Dave estuvo ahí. Cuando una persona le viene con excusas, él no las acepta, porque él estuvo ahí.

El conflicto de Dave Ramsey lo transformó en una de las figuras más inspiradoras que yo he visto jamás, y que ha cambiado más vidas.

Imagina que un día tienes la oportunidad de conocer a una persona que ha tenido mucho éxito en el área donde tú quieres tener éxito también. Digamos que has estado batallando un par de años para sacar tu negocio adelante y no has tenido el éxito que esperabas. Te le acercas y le preguntas: «¿Oiga, disculpe, si le pudiera robar unos minutos de su tiempo, me podría por favor contar cómo hizo para llegar a dónde está?».

A lo cual este reconocido empresario, por poner un ejemplo, te responde: «La verdad que todo fue muy fácil y rápido. Un día me desperté con el deseo de ejecutar esta idea y me lancé. A los pocos meses no podía creer el éxito que había alcanzado. Todos los días me pellizco para ver si estoy vivo».

¿Imaginas esa respuesta? ¿Te inspiraría?

Imagina ahora que estás teniendo ciertos problemas matrimoniales y decides hablar con una pareja que ya tienen cincuenta años de casados, y que siempre te ha impresionado cómo se quieren.

Te les acercas, les cuentas tus problemas y les pides consejo. Ellos te responden: «De verdad que no entendemos por qué estás pasando por esa situación. Nosotros debimos haber tenido suerte porque nunca hemos peleado. Todo siempre ha sido color de rosa».

¿Qué te parece esa respuesta? ¿Qué puedes aprender de ella?

Si por el contrario, esta pareja te cuenta de los momentos duros, de aquella conversación en la que consideraron separarse y de cómo cambiaron para salvar su matrimonio. O este empresario te cuenta de aquella noche oscura cuando pensó que todo estaba perdido, o cuando un socio en el que confiaba lo estafó, o cuando tuvo que pararse cada mañana, por diez años, contra viento y marea, para lograr lo que ha logrado. ¿No sería diferente? ¿No sería inspirador?

Tus luchas, conflictos, barreras y problemas serán inspiración para muchos en el futuro. El conflicto nos ayuda a tener una vida inspiradora. Lo veo como un ciclo virtuoso: los que salieron del conflicto inspiran a los que acaban de entrar en él. Matrimonios que estuvieron al borde del divorcio inspiran a las parejas con problemas; personas que superaron enfermedades inspiran a los que acaban de ser diagnosticados; individuos que se levantaron después de la

bancarrota inspiran a los que están en problemas financieros; y empresarios exitosos inspiran a los que están a punto de renunciar a su sueño. Este es el círculo virtuoso del conflicto, y tú puedes participar de él y hacer una diferencia.

Las palabras más solidarias que la vida te permitirá decir son: yo sé cómo te sientes; yo entiendo por lo que estás pasando.

Elisabeth Kubler-Ross una vez dijo: «Las personas más bellas que me he encontrado son aquellas que han conocido la derrota, conocido el sufrimiento, conocido la lucha, conocido la pérdida, y han encontrado su forma de salir de las profundidades. Estas personas tienen una apreciación, una sensibilidad, una compresión de la vida que los llena de compasión, humildad y una profunda inquietud amorosa. La gente bella no surge de la nada».[6]

5. El conflicto te prepara para el éxito. Siempre he sido un apasionado de los deportes de montaña. Siento que de alguna manera, cuando estoy en la naturaleza, conecto con Dios y su creación. Así como me gusta ir a la montaña, he visto toda película o serie de televisión relacionada con el tema y especialmente si la montaña involucrada es el monte Everest.

El monte Everest es la montaña más alta del mundo con 8848 metros sobre el nivel del mar. Está en la frontera entre China y Nepal; de hecho, la frontera pasa exactamente por la cumbre.

Cada año, cientos de escaladores intentan coronar esta montaña, que se ha llevado la vida de más de ciento cuarenta personas a través de los años.

Como cualquier expedición de esta magnitud, necesita una planificación al detalle, incluyendo el tiempo exacto que tienes que pasar en cada campamento.

No se puede subir al Everest de un solo viaje, se necesitan hacer múltiples campamentos a lo largo de la ruta para asegurar que el cuerpo puede soportar la falta de oxígeno y baja presión que va a enfrentar.

Un detalle curioso que descubrí hace un tiempo es que las personas que quieren escalar el Everest necesitan pasar dos semanas en

el campamento avanzado, a seis mil quinientos metros sobre el nivel del mar.

Son dos largas semanas de dolor de cabeza, noches sin dormir, poco apetito, vómitos constantes, falta de energía y aburrimiento.

¿Por qué necesitan mantenerse dos semanas en el campamento avanzado? Porque están preparando su cuerpo para poder hacer la cumbre del Everest. Están pasando por un proceso de aclimatación.

Por la falta de presión, la cantidad de oxígeno es mucho menor a esas alturas. El cuerpo humano necesita tiempo para lograr aumentar los niveles de glóbulos rojos en la sangre para que sean capaces de transportar la mayor cantidad de oxígeno posible por el cuerpo.

Fallar en aclimatarse puede ser fatal. Por eso es infinitamente preferible soportar dos horribles semanas de dolor, fatiga, falta de apetito, vómitos y aburrimiento extremo para poder cumplir el sueño de subir a la cima del mundo.

El conflicto te prepara para el éxito, te prepara para la cima del Everest.

Si no pasas las dos semanas en el campamento avanzado disminuirás al extremo las probabilidades de pararte en la cima del Everest, tener la vista más hermosa que pudieras imaginar y volver a casa para contar la historia.

Una de las enseñanzas más comunes en el mundo del montañismo es la siguiente: bajar la montaña después de haber hecho cumbre es más peligroso que subirla, más personas han muerto bajando que subiendo.

No sé si el hecho de que más personas han muerto bajando sea verdad o no, pero hace sentido. Los alpinistas, en su pasión por alcanzar la cima, utilizan toda su energía para llegar a esta y luego, ya exhaustos, se descuidan en el proceso de bajada, que en algunos casos tiene un desenlace fatal.

Aclimatarte correctamente te ayuda no solo a tener la energía y el enfoque en la subida, sino también en la bajada. El éxito de una expedición de montaña no se mide solo por si lograron o no la cumbre, sino por si, después de lograr la cumbre, llegan todos sanos y salvos a casa.

La vida es exactamente igual. Estamos cansados de escuchar historias de personas que llegaron a tener éxito masivo muy rápido, solo para ver sus vidas destruidas en poco tiempo. Simplemente enciende la televisión y mira un programa de artistas de Hollywood o cantantes famosos. Verás historia tras historia tras historia de fracasos, de drogas, de alcohol, etc.

El éxito cambia a las personas y sería una estupidez pensar que no te puede cambiar a ti. Recuerdo haber visto hace un par de años a una familia que se ganó una lotería millonaria y al recibir el cheque dijeron que esa fortuna no iba a cambiar quienes eran.

Todo el mundo dice lo mismo, y casi todo el mundo cambia. Tú no quieres que tu llamado, tu pasión y tu éxito cambien tus valores y principios para mal. Por ello, necesitas «aclimatarte» a través del conflicto.

Tú quieres tener éxito sostenido y solo podrás lograrlo si construyes tu carácter, mantienes tu humildad y nunca olvidas de dónde vienes. Y como mencioné anteriormente, el carácter no se construye en el jacuzzi en Hawái, sino en la calle, en la arena, en la batalla. Cada «no» que recibes, cada golpe, cada herida, cada caída, eso es lo que está construyendo lo que eres realmente, está sacando de ti al verdadero héroe.

Cuenta la historia que, después de que el papa viera las estatua de David, de Miguel Ángel, le preguntó: «¿Y cómo supiste qué quitarle a la roca?». A lo que Miguel Ángel respondió: «Muy sencillo, solo le quité todo lo que no se viera como si fuera David».[7]

Eso es lo que el conflicto hace en tu vida, quita todo lo que no se vea como si fueras tú, y deja a la vista el verdadero héroe dentro de ti.

EL CONFLICTO Y LA SABIDURÍA

EN EL AÑO 2013 TUVE la oportunidad de conocer personalmente a John Maxwell. John es uno de los más grandes expertos en el tema de liderazgo que he conocido. Ha escrito más de setenta libros, de los cuales varios han llegado a ser reconocidos en las listas de mejor vendidos en el *New York Times*. En octubre de 2013 viajé a Ciudad de México para escucharlo en vivo.

Por esos regalos de Dios y la vida, mi amigo Spencer Hoffman, organizador del evento, me dio la oportunidad de tener un tiempo con él a la hora del almuerzo.

Más de quince años atrás había leído uno de sus libros, y después otro y después otro. No recuerdo exactamente cuántos he leído, pero son muchos. Es decir, conocerlo personalmente era un gran paso para mí, y estaba bien entusiasmado. Quince años antes jamás hubiera imaginado estar frente a frente con el autor del libro que estaba leyendo. A veces al leer un libro sentimos al autor tan distante, inalcanzable, como si fuera de otro planeta. Pero la vida te da bendiciones, y ese día recibí una de esas.

Después de almorzar, ya en un ambiente más íntimo, él decidió responder cualquier pregunta que tuviéramos. Después de unos segundos de silencio que muestran nuestra incapacidad y temor de dar el primer paso, alguien se atrevió y le hizo una pregunta.

A los segundos después de que John respondiera, surgió otra, y otra, y otra.

Yo estaba profundamente impresionado por la sabiduría de John.

Una cosa es escribir un libro, el cual puedes reeditar cien veces, corregir, pedir consejo, buscar información en internet y dedicar más de un año a escribirlo; o dar una conferencia que planeas con meses de anticipación, ensayas, corriges, mejoras. Una cosa es hacer un libro o dar una charla; otra cosa totalmente distinta es responder en vivo a preguntas profundas.

Momentos como estos son los que realmente muestran la sabiduría de una persona. Y John Maxwell me dejó impresionado. Era como si de cada respuesta pudiera escribir un libro, como si tuviera un archivo de años de información y sabiduría en su mente y, en cuestión de segundos, buscara la carpeta correcta, la uniera con la historia correcta y luego la explicara utilizando solo las palabras necesarias para comunicar el punto de la mejor forma posible. Y no solo era la información, eran las pausas, los altos y bajos de voz, el lenguaje no verbal, era todo.

Era sabiduría en su más perfecta expresión.

Lo interesante del asunto es que ese día en que tuve la oportunidad de escuchar a John, tanto en el almuerzo como en las tres plenarias que dio, solo habló de fracaso, sufrimiento y conflicto. Nos contó de sus primeras luchas como escritor, sus fracasos en los inicios como orador, inclusive nos contó de siete trabajos que tuvo que cambiar y que en cada uno ganaba menos dinero que en el anterior.

Cada conflicto, cada caída, cada segundo de sufrimiento le habían dado sabiduría.

Existe un proceso natural de crecimiento de la sabiduría del ser humano en cualquier actividad que desee tener éxito. Sin importar

si tu llamado a la aventura es que quieres ser músico, pintor o empresario, o mudarte a África para dedicar tu vida a darle agua limpia a los que necesitan de beber, existe una jornada, un proceso que necesitas pasar para alcanzar sabiduría y maestría en lo que te da pasión.

Y todo comienza después que aceptas tu llamado a la aventura. Después que el incidente inductor te lanza a la historia. En ese momento, todos estamos profundamente felices, hemos decidido comenzar a vivir la vida que una vez soñamos. Nos inscribimos finalmente en el concurso literario o de canto; nos arrodillamos ante nuestro amor; tiramos el último cigarro a la basura o terminamos esa relación abusiva que solo nos trajo lágrimas. En fin, en ese momento inicias una etapa donde estás «inconscientemente incompetente» y a la cual le siguen otras etapas:

1. Inconscientemente incompetente. En esta primera fase eres incompetente, pero aún no lo sabes. Es por ello que estás lleno de esperanza y motivación.

El día que me contrataron en mi primer trabajo, celebré. Cuando me transfirieron a Estados Unidos, celebré. Cuando firmé el contrato para hacer este libro, fui y celebré. Existe algo natural y positivo en las celebraciones que como seres humanos hacemos antes de comenzar la historia. Pero lo que muestra en realidad es nuestra ignorancia del conflicto que se avecina. En una película, tú nunca ves a Frodo celebrando porque ahora tiene que ir a combatir gigantes y ejércitos para destruir el anillo, o nunca ves a Rocky celebrando porque por fin va a poder pelear contra el gigante ruso, Drago. Los héroes de las historias entienden que están a punto de enfrentarse a una prueba, para la cual no están preparados y probablemente nunca lo estarán.

Sin embargo, nosotros celebramos.

No tengo nada en contra de celebrar pequeñas victorias, especialmente si ellas nos dirigen a una mejor historia. El problema está en que lo que celebramos no es el inicio de la aventura sino la culminación de ella, y pensamos que ese contrato de libro que

firmamos, ese ascenso que obtuvimos, ese nuevo cliente que ganamos, nos lo ganamos porque tenemos la capacidad de manejarlo; por el contrario, nos lo ganamos porque no tenemos la capacidad todavía y necesitamos crecer a través de la nueva aventura.

La etapa donde estás inconscientemente incompetente también es llamada «la luna de miel». Y vale la pena destacar que tendrás éxito, al menos por un tiempo.

La llaman la «luna de miel» porque se asemeja a esos primeros meses de matrimonio que vivimos. Si has estado casado, sabes a lo que me refiero. Todo es hermoso y perfecto. El viaje, la luna, la comida y la intimidad. Nada nos molesta, llegamos temprano del trabajo para estar con nuestra amada, somos flexibles, pensamos constantemente en el otro, etc.

El basamento de esta etapa es el entusiasmo. Como nuevo esposo o esposa, satisfaces profundamente a tu pareja por tu entusiasmo; como vendedor o nuevo empresario, influyes en tus clientes por tu entusiasmo; como nuevo músico o atleta, tienes progresos importantes por medio del entusiasmo.

Pero naturalmente comienzan a aparecer pequeñas frustraciones y fracasos. Ya no te gusta que tu esposo deje los interiores en el piso del baño y tienes una pequeña discusión; o un pequeño dolor en la pierna no te permite correr la meta del día; o uno de tus potenciales clientes ya no te atiende el teléfono y te manda un mensaje de texto para decirte que no va comprar lo que habían acordado; o tu blog no está recibiendo las visitas que pronosticaste; o resulta que aprender el piano no era tan fácil.

Son pequeños fracasos que empiezan a apagar tu entusiasmo. Y como esta etapa está basada en entusiasmo solamente, al irse el entusiasmo, todo se viene abajo.

La realidad es que en esta etapa siempre fuiste incompetente, tu nivel de incompetencia nunca cambió, simplemente es la primera vez que te das cuenta, que te miras al espejo y aceptas el hecho de que no sabes lo que haces.

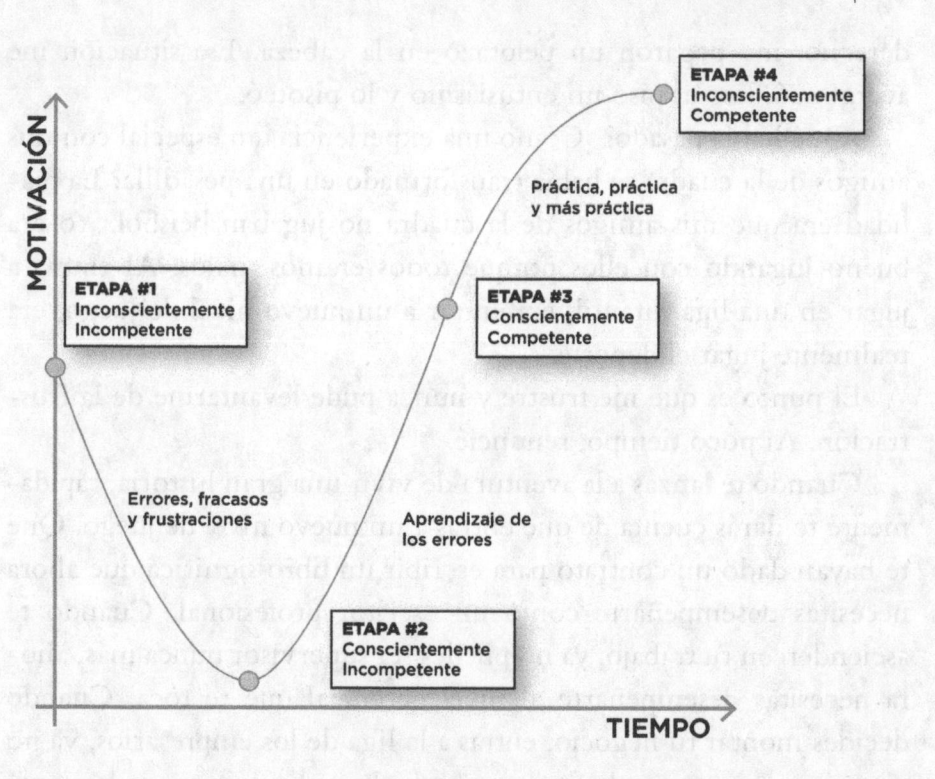

2. Conscientemente incompetente. ¡Nosotros somos incompatibles! Dicen muchos al referirse a su pareja cuando llegan a esta etapa. Frases como: yo no sirvo para vender, o no tengo oído musical, o no nací para ser empresario, o toda esta idea de lanzar mi blog fue un error, o construir el negocio antes era más fácil, inundan a individuos que se encuentran en esta etapa.

Recuerdo cuando decidí ser parte de un equipo de béisbol. Quizás tendría doce o trece años, la verdad no recuerdo, pero sí recuerdo la felicidad que sentí ese viernes al ir con mi papá a comprar unos zapatos, una pelota y un guante de béisbol.

Ese fin de semana jugué béisbol todos los días con mis amigos de la cuadra. Siempre me identifiqué con José Canseco, y en ese entonces, me imaginaba que era él. Estaba feliz, sentía que había nacido para el béisbol. Era inconscientemente incompetente.

Mi travesía por el béisbol no duró mucho, quizás un par de meses máximo. Desde el primer día la pasé mal cuando, jugando jardinero

derecho, me pegaron un pelotazo en la cabeza. Esa situación me avergonzó, tiro al piso mi entusiasmo y lo pisoteó.

¿Qué había pasado? ¿Cómo una experiencia tan especial con mis amigos de la cuadra se había transformado en una pesadilla? La realidad era que mis amigos de la cuadra no jugaban béisbol. Yo era bueno jugando con ellos porque todos éramos malos. Al entrar a jugar en una liga infantil, era entrar a un nuevo nivel de juego, era realmente jugar el deporte.

El punto es que me frustré y nunca pude levantarme de la frustración. Al poco tiempo, renuncié.

Cuando te lanzas a la aventura de vivir una gran historia, rápidamente te darás cuenta de que entras a un nuevo nivel de juego. Que te hayan dado un contrato para escribir un libro significa que ahora necesitas desempeñarte como un escritor profesional. Cuando te ascienden en tu trabajo, ya no puedes ser supervisor nunca más, ahora necesitas desempeñarte al nivel gerencial que te toca. Cuando decides montar tu negocio, entras a la liga de los empresarios, ya no es un juego, comprendes que no puedes basar tu negocio en las compras de tus amigos y tu mamá. Estás en otra liga.

Este es el punto en el cual la mayoría de las personas renuncia.

Existen tres errores que cometemos en esta etapa, que destruyen la posibilidad de seguir nuestro llamado.

El primer error es que no estamos conscientes de que esta etapa existe y estamos pasando por ella. Nos tomamos los resultados de forma personal. De ahí frases como «no somos compatibles», o «no tengo oído musical», o «yo no sirvo para vender». El resultado nos lo tomamos personal, como que de alguna manera, Dios hubiera dicho: «A ti te voy a dar el sueño de ser un gran empresario, pero te voy a quitar las fortalezas que necesitas para lograrlo» o «Te voy a dar pasión por la música, pero te voy a quitar el oído musical». No sé, sin ánimos de hablar por Dios, nunca me hizo sentido eso.

El mundo está lleno de «incompetentes», personas que ante los ojos del mundo no podían hacer esto o aquello, y que rompieron las reglas y los esquemas. Uno de ellos es Erik, a quien conocí personalmente hace unos años.

Ese día estaba medio aburrido en una conferencia de trabajo, pero a una o dos horas antes de terminar, anunciaron que Erik Weihenmayer venía a conocernos y contarnos un poco de su historia. Nos dijeron que Erik era un escalador, lo que inmediatamente llamó mi atención, como te lo podrás imaginar. Luego nos dijeron que Erik había escalado las montañas más altas del mundo, incluyendo el Aconcagua, el monte McKinley y el monte Everest. Ok, ahora sí tenía mi atención.

A los pocos segundos entró Erik.

Erik era ciego.

Nació con una extraña enfermedad que lo dejó ciego a la edad de trece años. Él nos contó que después de eso no pudo jugar con una pelota otra vez, pero cuando lo llevaron a una pequeña roca, descubrió que sus manos podían ser sus ojos, y ese día la escaló. Ese evento abrió ante Erik un mundo de infinitas posibilidades que lo llevaron a escalar el monte McKinley en 1995; a llevar la antorcha olímpica en 1996; a escalar el monte Kilimanjaro en 1997, el Aconcagua en 1999 y el monte Everest en 2001.

Debido a sus constantes expediciones, conoció a un grupo de niños ciegos en el Tíbet que estaban viviendo en un tipo de orfanato porque su falta de vista era considerada maldita y habían recibido el rechazo de sus padres, familiares y la comunidad en general. En el año 2004 Erik llevó a esos niños a hacer una caminata por los Himalayas para mostrarles el poder y la capacidad que había en ellos a pesar de su discapacidad.

Ese día que lo conocí, nos comentó lo siguiente:

El mundo escribe tantas cosas como imposibles muy rápido, simplemente porque no hemos encontrado los sistemas para sobrellevar el reto de una forma distinta a la convencional.

Yo creo que hay una línea borrosa entre lo que podemos hacer y lo que no. Y no hay nada más emocionante que ser un pionero. Atravesar esas líneas y derrumbar esas barreras que normalmente son concebidas en nuestras mentes.

Hubo un momento en que sentí que tenía las habilidades necesarias y la capacidad de subir el monte Everest. Muchas

personas se rieron, pero unos pocos creyeron y solo eso hizo falta. A veces hay que tomar las expectativas de otros, tirarlas en la basura y alcanzar tu máximo potencial.[1]

Si Erik puede escalar el monte Everest siendo ciego y Tony Meléndez puede tocar la guitarra sin brazos ante miles de personas y el Papa, entonces tú puedes hacer cualquier cosa que te propongas. Tú no naciste sin oído musical, o sin capacidad de ser un vendedor, o incompatible con tu pareja, o malo en el béisbol. Simplemente necesitas aprender a hacerlo bien. Este es el más grande error que he visto. No te lo tomes personal, es una etapa natural y necesaria en el desarrollo de tu historia. Va a llegar y va a pasar, y saldrás victoriosa o victorioso del otro lado.

El segundo error que cometemos en esta etapa es que nos comparamos con otros, especialmente individuos que ya pasaron esta etapa. Esto trae una gran frustración y desmotivación.

Reflexionando hacia atrás puedo ver cómo gran parte de mi frustración en el equipo de béisbol venía de la comparación de lo mal que yo jugaba con lo bien que jugaban ellos. Pero la realidad es que ellos tenían meses, o quizás años, jugando juntos. Era un proceso de crecimiento natural que necesitaba pasar, pero las comparaciones injustas me llevaron a dejarlo todo.

Una vez una persona se le acercó a John Maxwell y le dijo:

—Ya sé lo que quiero hacer con mi vida.

—¿Ah, sí? ¿Y qué quieres hacer con tu vida? —le pregunta Maxwell.

—Quiero hacer lo que usted hace. Estuve viendo el salón, hay como dos mil personas, yo sé lo que pagué por el boleto, lo cual me da una idea de cuánto usted gana por cada charla de esas. He visto cómo las personas compran sus libros afuera del teatro. Eso es lo que quiero hacer.

John se ríe y le dice:

—Ok, así que tú quieres hacer lo que yo hago —hizo una pausa—. La pregunta no es si quieres hacer lo que yo hago, sino ¿estás dispuesto a hacer lo que yo hice?[2]

El hecho de que John llene un teatro con dos mil, cinco mil o cuarenta mil personas no es por el trabajo que hace hoy. Es por el trabajo que ha hecho por más de treinta años. La razón de que su último libro llegue a la lista de los más vendidos no es necesariamente por el contenido o el mercadeo, sino por los más de setenta libros que ha publicado en el pasado.

Sin embargo, nosotros queremos comenzar una carrera como escritores y nos comparamos con John cuando en nuestro primer capítulo no podemos pasar de dos páginas.

No te compares con los demás. No te ayuda a ti ni a nadie. Recuerda que tú estás viviendo tu historia. Es personal y tuya. La lucha es contigo, la resistencia y nada más.

El tercer error que cometemos en esta etapa es tomar decisiones importantes, drásticas, mientras la atravesamos.

La vida tiene maneras de girar el destino de formas hasta jocosas. Al terminar mi universidad, Juan Carlos, uno de mis más grandes amigos y yo, tomamos caminos diferentes. Yo empecé a trabajar en Procter & Gamble mientras que Juan Carlos lo hizo en la también reconocida compañía Gillette.

Un par de años después Procter & Gamble compró Gillette y los empleados de esa compañía se mudaron al edificio donde yo trabajaba. Después de la reorganización, Juan Carlos pasó a ser el gerente de finanzas del departamento donde yo trabajaba. De hecho, nuestros escritorios pasaron a estar a menos de tres o cuatro metros.

Como toda transición, hubo momentos fuertes para los empleados de Gillette. Yo recuerdo hablando con Juan Carlos, cuando él estaba pasando por uno de esos momentos duros de la transición.

Ese día Juan Carlos me dio una lección que nunca olvidaré. Él me dijo:

—A veces estamos arriba y a veces estamos abajo —mientras me dibujaba con sus dedos en el aire la curva que quería representar.

—Yo aprendí —me dijo— que nunca tomo decisiones drásticas si estoy en la parte baja de la curva. Nunca. Yo nunca huyo de algo, yo corro hacia algo.

Y así lo hizo. Con el tiempo él renunció. Pero no lo hizo huyendo porque las cosas estaban duras, más bien lo hizo cuando había superado las circunstancias y las cosas estaban bien. Si vas a cambiar, no lo hagas huyendo de algo, hazlo corriendo hacia algo mejor.

Confía en lo que te voy a decir. Esta etapa va a pasar. Poco a poco aprenderás las habilidades, técnicas y actitudes que necesitas para crecer en el campo en el que tienes pasión. No hay atajos, necesitas pasar por ello.

Y de repente, en medio de la frustración, comenzarás nuevamente a practicar tu piano, y sin tú mismo esperarlo, saldrá tu melodía. Tomarás el teléfono una vez más dentro del desánimo y como por arte de magia, alguna persona te dirá sí. Te pondrás tus zapatos de correr y, aunque sea por unos minutos, te sentirás feliz. Empezarás a experimentar pequeñas victorias. Al principio, muchos fracasos con unas pequeñas victorias. Con el tiempo, algunos fracasos y algunas victorias. Y llegará el momento cuando las victorias empezarán a superar a los fracasos. Comenzarás a ser conscientemente competente.

3. **Conscientemente competente.** En esta etapa ya sabes lo que se necesita para tener éxito. Ya sabes que cuando haces las cosas de cierta manera, volteas los resultados a tu favor. En esta etapa necesitas estar enfocado, ser detallista, ejecutar todo bien pensado.

Lo bueno de esta etapa es que ya te están saliendo muchas cosas bien. Haz aprendido a hacerlo, pero necesitas una gran cantidad de energía y enfoque para que salga de la manera que lo deseas.

Cuando corrí mi primer medio maratón no disfruté el paisaje, el clima o la festividad que se veía alrededor de la carrera. Necesitaba estar enfocado. Nunca antes había corrido tal distancia, por lo tanto, toda mi energía estaba enfocada en mi desempeño en la carrera. Mi único objetivo era terminar.

Mi enfoque estaba en el mapa, mi reloj, el agua y las pulsaciones del corazón. Yo sabía que si seguía un patrón, debía llegar al final con éxito.

Esta etapa es como cuando tocas la pieza que trabajaste tanto en tu guitarra, pero tu mente está enfocada en la ejecución: tiempo, acordes, manos, etc. Tocaste la canción, pero realmente no la disfrutaste. Fue como cuando aprendiste a manejar un auto por primera vez. Tu mente estaba repleta de información y procesos: semáforos, volante, acelerador, freno, y en algunos casos, una canción de la radio.

De seguro has visto en alguna película o inclusive en la vida real, a estudiantes de artes marciales bien formados, practicando la misma patada o el mismo golpe de una forma interminable, una y otra vez.

Estos estudiantes han pasado por un proceso en el que se les enseña la técnica y la han aprendido. Ahora el maestro necesita que el puño y la patada surjan sin pensar, que se mueva del consciente al inconsciente.

La única forma de pasar de esta etapa a la siguiente es la práctica. Así como yo corría mi medio maratón enfocado en el mapa y los latidos del corazón, había personas que corrían disfrutando la vista, las personas, el momento.

En la etapa anterior (conscientemente incompetente) lo más importante era mantenerte y aprender de tus errores; en esta etapa, lo más importante es la práctica y más práctica. La práctica constante y el tiempo moverán el conocimiento que adquiriste de un estado consciente (necesitas estar pensando y enfocado) a un estado inconsciente (lo haces naturalmente).

¿Cómo John Maxwell puede abrir la oportunidad de preguntas al público y en cada respuesta dar un mensaje profundo y efectivo? Porque la práctica (haber hablado en miles de conferencias y haber escrito más de setenta libros) llevó todo su conocimiento de un estado consciente a un estado inconsciente.

4. Inconscientemente competente. Esta es la etapa de la sabiduría. Tu pasión, tus experiencias, aprendizajes, fracasos y éxitos se han internalizado en ti de una forma inconsciente. Ya no necesitas pensar para reaccionar. Ya puedes tocar la pieza en tu piano y disfrutar, ya puedes correr tu maratón y pensar en otra cosa, ya sabes hacer lo que se tiene que hacer, y lo haces bien de forma automática.

¿Recuerdas cuando aprendiste a montar bicicleta? El día que te regalaron tu bicicleta estabas lleno de entusiasmo. Veías a tus vecinos ir a toda velocidad por el vecindario y querías salir a utilizarla inmediatamente (inconscientemente incompetente).

Finalmente, papá o mamá te pusieron el casco y salieron contigo a vivir esa experiencia, que por alguna razón es mágica para todos nosotros.

Al comenzar a utilizar tu bicicleta, te diste cuenta de que mantener el equilibrio no era tarea fácil, que las caídas dolían y que pedalear causaba cansancio (conscientemente incompetente).

Estoy seguro de que en algún momento quisiste renunciar, lloraste, pataleaste y te molestaste. Lo que parecía tan hermoso y deseado, de repente se había transformado en una pesadilla: rodillas rotas, lágrimas, miedo y falta de creencia.

Pero luego, de repente y por un breve tiempo, casi de forma mágica e inexplicable, sentiste que mantenías el equilibro por primera vez. Intentaste nuevamente varias veces y volvió a ocurrir. Ya no te caías todas las veces, cada vez más estabas dominando tu bicicleta.

Más tarde pudiste montar tu bicicleta unos cuantos metros, quizás una vuelta a la cuadra nada más. Si te vieras la cara, estabas tan concentrado por no caerte que más que un disfrute parecía una penitencia (conscientemente competente)

Poco a poco, con la práctica, dejaste de pensar en el equilibro, los frenos y los pedales. Todo empezó a fluir de manera automática (inconscientemente competente) y pudiste empezar a enfocarte en el paisaje, disfrutar el viento que corría por tus cabellos cuando ibas a toda velocidad.

Todo lo que había sido un reto semanas antes, ya no lo era.

El conflicto te lanza por un proceso para alcanzar sabiduría. Independientemente de que tu llamado sea aprender un instrumento musical, convertirte en un empresario exitoso, comenzar un blog, convertirte en un actor de Hollywood o embarcarte en un velero para recorrer el mundo, necesitas pasar por estas cuatro etapas para alcanzar sabiduría.

Un día de 2011, cuando estaba paseando por los distintos programas de televisión, vi a Erik Weihenmayer otra vez (Erik es el individuo que escaló el monte Everest ciego). En esta oportunidad estaba compitiendo en un programa de televisión llamado «Expedición Imposible». En esta competencia, los participantes necesitaban correr, escalar, lanzarse por cascadas, nadar, pedalear y remar entre otros. Los competidores eran bomberos, militares, policías y otros atletas que me ganarían en cualquier actividad física a las que los retara.

Erik obtuvo el segundo lugar. Un hombre ciego le había ganado a más de una decena de los mejores atletas del mundo. A pesar de que no había llegado primero, se sintió así.

Malcolm Gladwell, en su fascinante libro *Fuera de serie (Outliers)*, descifra un factor común entre las personas más exitosas que te hayas podido imaginar. Estudia la vida de Bill Gates, Steve Jobs, Los Beatles y Mozart, inclusive. La maravillosa revelación que viene de sus estudios es que más que talento u oportunidad, la verdadera razón del éxito masivo de estas personas fue la práctica.

Él lo define como «la regla de las diez mil horas»; indica que para llegar a ser un experto de clase mundial, necesitas diez mil horas de práctica para lograrlo.

En su libro comenta sobre los resultados de un estudio que un psicólogo llamado Anders Ericsson realizó en 1990, donde, con el objetivo de determinar la razón del éxito de los músicos, comparaba a pianistas profesionales con aficionados. Respecto a los resultados, escribe:

Lo más llamativo del estudio de Ericsson es que él y sus colegas no pudieron conseguir ningún pianista con «talento natural», músicos que subían sin esfuerzo a la cima tan solo practicando una fracción de lo que sus compañeros practicaban. Tampoco pudieron conseguir «pianistas con mala suerte», personas que trabajaron tan duro como cualquier otro pero simplemente no tenían lo que necesitaban para llegar a la cima. Su investigación indica que luego de que el músico tiene la habilidad suficiente para entrar a la escuela de música, lo único que distingue a un pianista de otro es qué tan

duro él o ella trabajen. Eso es todo. Y algo más, las personas que estaban en lo más alto de la cima no simplemente trabajaban más duro que los demás. Trabajan mucho, mucho, mucho más duro.[3]

El neurólogo Daniel Levitin, en su libro *This is Your Brain on Music: The Science of Human Obsession* (*El cerebro y la música*), explica:

Las conclusiones de múltiples estudios siempre terminan en que diez mil horas de práctica son necesarias para alcanzar el nivel de experticia de clase mundial, en cualquier campo. En estudio tras estudio de compositores, jugadores de baloncesto, escritores de ficción, patinadores sobre hielo, pianistas, jugadores de ajedrez, criminales genios, etc., este número aparece una y otra vez [...] aparentemente le toma al cerebro todo ese tiempo para alcanzar el nivel necesario de verdadera maestría.[4]

Cuando Bill Gates fundó Microsoft, ya había programado más de diez mil horas. Cuando Mozart compuso la primera obra considerada «obra maestra» ya había practicado más de diez mil horas. Cuando Los Beatles comenzaron a hacerse famosos, ya habían practicado más de diez mil horas.

Práctica, práctica y práctica harán la diferencia. La práctica te llevará a ser inconscientemente competente, y cuando llegues ahí, el mundo estará de tu lado.

EL CONFLICTO Y EL FRACASO

EN LA ESCENA DE LA película *El hobbit* que mencioné anteriormente, Bilbo le pregunta a Gandalf si él puede prometerle que regresará, a lo cual Gandalf responde que no, pero que si regresa, nunca será el mismo.

Varias veces, diferentes personas me han hecho una pregunta similar. Luego de hablarme con entusiasmo de sus planes y sueños, de esta nueva aventura que quieren emprender, me preguntan algo como: si hago todo lo que hablamos ¿tú me garantizas que tendré éxito? Si decido seguir mi sueño, ¿me aseguras que estará del otro lado del camino?

Creo que la verdadera pregunta que quieren hacerme es algo así como: ¿crees que puedo fracasar? Esto me deja una fácil respuesta: claro que sí. La realidad es que nada nos garantiza que vamos a tener éxito tal y como lo imaginamos. Existe el miedo, la resistencia y, por supuesto, los planes de Dios.

La pregunta no es si vas a fracasar o no, sino cómo vas a reaccionar cuando fracases. No existe éxito sin fracaso. Nadie continuamente

gana, nadie continuamente tiene éxito. El éxito es un camino que está en subida todo el tiempo.

Todo héroe fracasa, Rocky es vencido; por culpa de Bilbo casi todos mueren; Maximus es encarcelado y vendido como esclavo mientras matan a toda su familia; Rudy falla varias veces en entrar a la universidad. En esos momentos dejaremos que el fracaso nos defina o nos prepare.

Estudiando el fracaso he llegado a las siguientes conclusiones:

1. No es lo mismo la palabra «fracaso» que «ser un fracasado». Algo que comúnmente observo en las personas cuando están atravesando el conflicto es que confunden la palabra «fracaso» con «fracasado», y evidentemente no es lo mismo.

Recuerdo mis más grandes fracasos como si fuera ayer. Estos eventos afectaron lo más profundo de mi identidad y me hicieron sentir que era un fracasado. La realidad es que el fracaso es un hecho, no una persona, y necesitamos hacer esa distinción. Necesitamos separar el hecho de la persona. El que hayas pasado por un fracaso no te hace un fracasado.

Michael Jordan es uno de los más grandes jugadores de baloncesto de la historia y uno de los mejores atletas del mundo. Entre sus logros está haber llevado a su equipo de los Toros de Chicago a ganar seis campeonatos de la NBA. Fue nombrado cinco veces el jugador más valioso de la liga profesional. Sus éxitos constituyen una larga lista que será difícil de igualar en el futuro.

En el año 1994, Michael Jordan escribió un pequeño libro llamado *Mi filosofía del triunfo* donde comentó: «He perdido 300 partidos, he fallado más de 9000 lanzamientos, 26 veces confiaron en mí para realizar el lanzamiento final para ganar el partido y fallé».[1]

Michael Jordan fracasó cientos de veces. Sin embargo, lo recordamos no como uno, sino el mejor jugador de baloncesto de la historia. Los fracasos son eventos, no personas.

No dejes que los fracasos te definan como un fracasado, porque no lo eres. Fracasaste en el pasado y fracasarás en el futuro. Pero tú siempre serás el héroe de tu historia.

2. No tengas miedo de fracasar, ten miedo de fracasar dos veces en lo mismo. Tal como comenté anteriormente, el fracaso es un evento, un hecho, no una persona. Un fracasado es una persona que al fracasar, hace de las excusas sus aliados. El fracasado siempre dirá que la economía, las nuevas leyes, mi esposa o esposo, mis hijos, etc. son las razones de sus fracasos. En consecuencia, el fracasado no aprende y cae nuevamente en el mismo error.

En mis primeros años en Procter & Gamble fui entrenado en un proceso de mejora continua bien conocido en la industria, llamado «Análisis Por qué – Por qué». El proceso se utilizaba cada vez que teníamos una falla de cierta importancia para la organización. Este proceso era bien sencillo, luego de detectar la falla, escribíamos las razones del porqué la falla había ocurrido. Luego hacíamos el mismo proceso con cada una de las razones, escribíamos por qué esas razones habían ocurrido, y así sucesivamente.

Ese proceso nos llevaba a crear un árbol de razones de por qué la falla había ocurrido y conseguir la causa raíz para poderla corregir. Un ejemplo hipotético podía resultar así:

—Tuvimos que parar las líneas de producción en nuestra planta.

—¿Por qué? Porque se acabaron los inventarios de la materia prima X.

—¿Por qué? Porque no se ordenó la cantidad que necesitábamos.

—¿Por qué? Porque hay una diferencia importante entre el pronóstico de la demanda y las órdenes de los clientes que recibimos.

—¿Por qué? Porque no colocamos en la demanda un evento especial que el cliente X iba a ejecutar.

—¿Por qué? Porque la información nunca fue comunicada desde el departamento de ventas al de planificación.

—¿Por qué? Porque no existe un proceso establecido mediante el cual el departamento de ventas informe al departamento de planificación de eventos especiales.

Al llegar a este punto, era sencillo determinar que una reunión mensual entre el gerente de planificación y el gerente de ventas en la cual revisaran los eventos especiales de nuestros clientes solucionaría el problema para siempre.

Este proceso ayuda a la compañía a evitar soluciones superficiales como «simplemente ordena más materia prima X», y crea soluciones permanentes que evitan caer en los mismos errores.

Cuando fracasamos, necesitamos hacer nuestros propios «Análisis Por qué - Por qué». Solo así podemos llegar a la raíz, la causa real del fracaso, aprender de él y movernos en la dirección correcta. Pregúntate el porqué de tu fracaso y no te conformes con una razón superficial, vuelve a preguntarte porqué y luego otra vez hasta que consigas la raíz del fracaso. En ese momento podrás realmente aprender y corregir el problema para siempre.

Recuerda, no tengas miedo a fracasar, ten miedo a fracasar dos veces en lo mismo.

3. Admite los fracasos rápidamente. En el momento en que fracasas en algo, mientras más rápido lo admitas, mucho mejor. Necesitas admitirlo ante ti primeramente, y luego ante las personas afectadas. Nunca debemos hacernos víctimas de la situación.

Convertirnos en víctimas de nuestras situaciones, golpes, barreras y fracasos no hace nada más que hundirnos cada vez más. Puede ser que por un momento sientas satisfacción en la atención, el cariño y la lástima de otros, pero esa satisfacción temporal la estás recibiendo a un precio muy alto. Un precio que no vale la pena pagar.

Sobre este tema, Steven Pressfield comenta la agresividad pasiva que se hace aparente cuando insistimos en ser víctimas. Cuando escogemos quedarnos víctimas, generalmente empleamos amenazas directas o indirectas con las cuales manipulamos a otros para que consigamos una gratificación. Es una gratificación obtenida sin esfuerzo honesto ni una contribución digna de nuestra parte a base de nuestro amor, entrega, experiencia u otro aporte. Este tipo de víctima controla a los demás por medio de una amenaza de miseria si no cumplen con lo pedido; usa su enfermedad o condición psíquica para obligar que otros vengan al rescate y luego que se queden rehenes de la condición malsana de la supuesta víctima.[2]

Convertirte en una víctima es exactamente lo opuesto a responder a tu llamado. Si lo estás haciendo, detente.

Por más que pienses que las razones de un fracaso fueron externas, siempre existe algo que fue tu responsabilidad. Asume esa responsabilidad. No te hagas la víctima, admite tus errores, aprende y muévete hacia adelante.

4. Comprende que si hay algo de lo cual está hecha la vida, es de segundas oportunidades. En el año 2013 tuve la maravillosa oportunidad de conocer a Diana Nyad. Diana fue la primera y única persona hasta la fecha que ha logrado nadar desde Cuba hasta la costa de Florida, en Estados Unidos. El recorrido es de un total de ciento sesenta y seis kilómetros.

Hacer esta travesía es casi imposible. Tienes que nadar por más de sesenta horas, noche y día, en un océano lleno de peligros, como las más peligrosas medusas y agresivos tiburones.

En 1978, a los veintiocho años, Diana viajó a Cuba para intentar su aventura. Luego de cuarenta y dos horas nadando, su equipo se vio forzado a sacarla del agua porque las fuertes olas la estaban haciendo chocar con una reja que habían construido para protegerla de los tiburones.

Luego de este fracaso, Diana no nadó más por más de treinta años. Permíteme repetir esto: Diana no nadó más por treinta años.

Cuando Diana tenía sesenta años, su mamá murió a los ochenta y dos años. La muerte de su madre llevó a Diana a reflexionar sobre su vida. Asumiendo que ella viviría una edad similar a la de su madre, concluyó que, años más años menos, le quedaban veintidós años de vida.

El día que Diana estaba contándonos su historia nos dijo: «Cuando cumplí sesenta años, y reflexioné en los años que me quedaban de vida, decidí que la mejor manera en que podía obtener el mayor valor de los veintidós años de vida que me quedaban era participar plenamente, era estar completamente viva y alerta y despierta en cada minuto de cada día. Era participar del ahora tan plenamente que no haya tiempo para arrepentirse del pasado».

Esa nueva manera de pensar la llevó a recibir un nuevo llamado a la aventura. Ella contaba que este le llegó de repente; un deseo de volver

a tratar de conquistar aquel sueño que había dejado en el baúl de los olvidos treinta años atrás. Tres décadas después, sin haber nadado nunca más, iba nuevamente a intentar nadar desde Cuba hasta Florida.

Cuando le preguntaron sobre su motivación para intentar la travesía nuevamente ella dijo: «Porque quiero probarles a las otras personas de sesenta años que nunca es muy tarde para comenzar a vivir tus sueños».

El 7 de agosto del año 2011, treinta y tres años después, Diana se lanzó al mar en las costas cubanas para convertir su sueño finalmente en una realidad.

Veintinueve horas más tardes, debido a fuertes corrientes, un dolor en el hombro y el inicio de un ataque de asma, Diana se vio forzada a abandonar su intento de conquistar su sueño.

El 23 de septiembre del año 2011, Diana volvió a intentarlo nuevamente, solo para renunciar cuarenta horas más tarde por un ataque severo de medusas que afectó su sistema respiratorio y la obligó a abandonar la travesía.

El 18 de agosto del año 2012, un año más tarde, Diana realizó su cuarto intento de llegar desde Cuba hasta las costas norteamericanas cuando nuevamente un ataque de medusas le impidió culminar su sueño, otra vez.

El 31 de agosto de 2013, Diana comenzó su quinto intento por ser la primera persona en nadar la ruta entre Cuba y la Florida. Cincuenta y tres horas después, el 2 de septiembre a las 1:55 de la tarde, Diana llegó finalmente a las costas de Key West, Florida.

Al salir del agua, entre cientos de admiradores y reporteros, le dijo al mundo: «Tengo tres mensajes. El primero, es que nunca, nunca debemos renunciar. El segundo, es que nunca es demasiado tarde para luchar por tus sueños. El tercero es, aunque parezca un deporte solitario, en realidad es todo un equipo».[3]

La vida le dio una segunda, tercera, cuarta y quinta oportunidad a Diana Nyad. La vida tiene una segunda oportunidad para ti. De eso está hecha la vida, de segundas oportunidades.

Lo hermoso de la vida está más en la lucha que en la misma victoria. El conflicto: las caídas, los golpes y fracasos son la mejor arma

que tienes para sacar el diamante que llevas dentro. De la misma forma que el oro es purificado a través del fuego, en lo que te conviertas al otro lado del proceso, será tu mejor regalo.

Una de las frases más profundas y reales que siempre me han inspirado la escribió Theodore Roosevelt. Se llama «El hombre en la palestra» y dice así:

> No es el crítico quien cuenta, ni el que señala con el dedo al hombre fuerte cuando tropieza o el que indica en qué cuestiones quien hace las cosas podría haberlas hecho mejor. El mérito recae exclusivamente en el hombre que se halla en la palestra, aquel cuyo rostro está manchado de polvo, sudor y sangre, el que lucha con valentía, el que se equivoca y falla el golpe una y otra vez, porque no hay esfuerzo sin error y sin limitaciones. El que cuenta es el que de hecho lucha por llevar a cabo las acciones, el que conoce los grandes entusiasmos, las grandes devociones, el que agota sus fuerzas en defensa de una causa noble, el que, si tiene suerte, saborea el triunfo de los grandes logros y si no la tiene y falla, fracasa al menos atreviéndose al mayor riesgo, de modo que nunca ocupará el lugar reservado a esas almas frías y tímidas que ignoran tanto la victoria como la derrota.[4]

Roosevelt ilustra de manera perfecta lo que es un héroe, es aquel que con su rostro manchado de polvo, sudor y sangre, lucha con valentía. Todo héroe necesita pasar por el punto más crítico del conflicto. Un cruce de caminos donde necesita tomar una decisión: o decide sacar fuerzas de donde no las tiene o renuncia por recibir el alivio inmediato de la vuelta al mundo ordinario. Todo héroe necesita pasar por el proceso de resurrección.

LA RESURRECCIÓN

LA RESURRECCIÓN

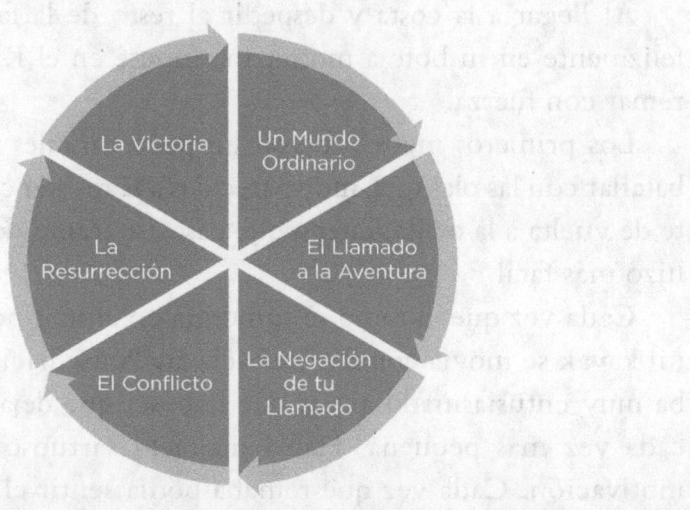

Diagrama circular con las secciones: La Victoria, Un Mundo Ordinario, El Llamado a la Aventura, La Negación de tu Llamado, El Conflicto, La Resurrección.

DESPUÉS DE MÁS DE CINCO años sin visitar a mi tierra pude volver. Más allá de sus problemas y dificultades, la patria se sentía como mía. O mejor dicho, yo me sentía parte de ella. Volver a ver a mis familiares y amigos había valido la pena. Cuando has estado tanto tiempo fuera de tu tierra, volver te da un gran sentido de pertenencia. Es como la historia del hijo pródigo que vuelve a casa y el padre lo recibe con los brazos abiertos. Así me estaba recibiendo mi Venezuela.

Como parte del viaje nos fuimos al parque nacional Morrocoy, una de las zonas más bellas de Venezuela. Este parque está lleno de playas de arena blanca, islas vírgenes y aguas cristalinas. Un verdadero regalo de la naturaleza.

Fuimos a visitar a una tía, hermana de mi papá, que hace varios años decidió huir de la locura de las ciudades congestionadas y moverse a este lugar. El paraíso que miles de personas solo disfrutaban unos días al año, ella lo convirtió en su constante realidad.

Una mañana, ya listos para salir y dirigirnos al bote a motor que iba a llevarnos a una de las islas, mi tía me propone irnos en kayak. La isla adonde íbamos se encontraba a uno o dos kilómetros de la costa, no estoy seguro, pero uno podía ver la isla desde la costa. A pesar de no estar entrenado como hubiera querido, no me pareció tan difícil y acepté el reto a la aventura.

Al llegar a la costa y despedir al resto de la familia que se iba felizmente en su bote a motor, me monté en el Kayak y empecé a remar con fuerza.

Los primeros metros fueron un poco difíciles porque tuve que batallar con las olas que, muy parecidas a la resistencia, querían traerte de vuelta a la orilla. Luego que pasé ese tramo de las olas, todo se hizo más fácil.

Cada vez que el remo se sumergía en el mar podía sentir como mi kayak se movía con fuerza hacia adelante, hacia mi meta. Estaba muy entusiasmado al ver que la costa que dejaba atrás se hacía cada vez más pequeña. Había un ciclo virtuoso de resultados y motivación. Cada vez que remaba podía sentir el progreso, y con solo mirar atrás, podía ver la costa cada vez más lejana. La isla a la que me dirigía, que antes apenas podía ver, se veía más clara, se veía más grande,

Todo iba marchando de maravilla cuando de repente empecé a darme cuenta de que algo estaba cambiando. Llegó un momento en que la costa que dejaba atrás ya no se hacía más pequeña y la isla a la cual me dirigía ya no se hacía más grande. Por más que remaba sentía que estaba en el mismo sitio. No había progreso y mis brazos estaban empezando a agotarse.

Cuando te embarcas en una aventura, desde remar a una isla hasta comenzar un gran proyecto o negocio, normalmente crees que va a pasar rápido.

Comenzamos proyectos soñando que vamos a cambiar el mundo. Iniciamos un negocio con la convicción de que vamos a ser libres financieramente. Empezamos una dieta o plan de ejercicios decididos a mejorar nuestra salud de forma permanente.

Pero todos llegamos a ese punto en el que por más que remas la costa que dejaste atrás no se hace más pequeña ni la isla adonde vas se hace más grande. Por más que remas nada pasa, los clientes se esconden y no devuelven las llamadas, los que prometieron apoyarte han huido, la balanza no muestra que bajas de peso, las cuentas por pagar se acumulan.

Entonces nos frustramos y renunciamos. Decidimos cambiar a una historia diferente, a una aventura más sencilla.

Existe un término comúnmente utilizado entre los corredores, especialmente los maratonistas, que se llama «la pared». Es un estado del cuerpo que ocurre aproximadamente a los treinta kilómetros de un maratón. Los corredores pasan a sentir una fatiga extrema y pérdida de energía. Algunos deportistas explican que es como si te pusieran un costal de veinte kilos en cada pierna. Cada paso se hace infernal.

La causa se debe a una merma de los niveles de glucosa en los músculos y el hígado. Esto causa una profunda sensación de pesadez en las piernas, dolor, cansancio muscular e inclusive puede llegar hasta niveles de depresión anímica.

«La pared» es el momento más difícil de un maratón. En ese momento vemos cómo las personas comienzan a caminar, se caen, desmayan o inclusive se sientan a llorar.

Este es el momento en que muchos renuncian.

Existe también otro término muy común en el mundo del deporte llamado «el segundo aire». Aunque la razón del «segundo aire» no ha sido muy comprendida en su totalidad aún, los testimonios de varios atletas señalan que es como una nueva ola de energía que llega, de forma casi milagrosa, y te carga hacia la meta.

El «segundo aire» lleva a los corredores a la meta.

No todo el mundo experimenta el «segundo aire». Lo que sí se ha comprobado científicamente es que los que no lo experimentan son los que renunciaron.

El «segundo aire» es como un regalo de Dios para los que persistieron, los que siguieron dando un paso más, los que continuaron remando a pesar de que la costa no se hacía más grande, los que siguieron vendiendo, practicando, ejercitando u orando. Para ellos, existe este momento mágico cuando lo que se veía oscuro cambia a la luz y lo que se sentía imposible se comienza a ver posible.

Entonces ese día, en el medio del mar, frustrado y cansado, continué remando. Cada vez que remaba sentía que no pasaba nada. Estaba atrapado en el medio del problema. La lógica y las leyes de la física no parecían funcionar para mí. Por un segundo paré. Necesitaba recuperar el aliento. Pero entonces recordé que las historias no se construyen si no llegas hasta el final. Si me venían a buscar en el bote no habría historia, y la historia había que protegerla. Si no llegaba, la historia no estaría en este libro, no la escucharían mis hijos y mis nietos. Así que decidí remar. Decidí creer y remar, y remar, y remar.

Y utilizando las mismas palabras de Donald Miller: «Continúas remando aunque piensas que ya no puedes más, que ya no avanzas. De repente, mucho después de lo que originalmente pensaste, la orilla de la isla empieza a crecer, y crece rápido. Las palmeras y los árboles se hacen más grandes, ya puedes ver los detalles de las rocas, y la orilla llega a ti y te da la bienvenida a casa».[1]

Ese «segundo aire» es lo que en el mundo de las historias se conoce como «la resurrección».

La resurrección es un punto de vida o muerte para tu sueño. Christopher Vogler dice: «La oscuridad y la muerte por fin se funden en un postrero y desesperado envite que precede a su derrota definitiva. Es una suerte de examen final para el héroe, que deberá superar una vez más para refrendar las lecciones aprendidas en el transcurso de la odisea. Estos momentos de muerte y renacimiento transforman al héroe».[2]

En las buenas películas se puede ver claramente este momento de resurrección del héroe: Luke Skywalker en *La guerra de las galaxias* está en apariencia muerto cuando milagrosamente sobrevive. Frodo en *El señor de los anillos* está inconsciente en una roca cuando inesperadamente logra despertarse y finalizar su acometido. Brad Pitt, personificando a la misma muerte en *¿Conoces a Joe Black?*, decide al último segundo devolverle la vida a un joven para que la historia de amor sea consumada. Inclusive en películas como *Gladiador*, la muerte de Maximus trae la reforma deseada por Marcos Aurelio en Roma.

Si piensas por un segundo en las personas que más han impactado el mundo de una manera significativa, verás que pasaron por un proceso de resurrección. Dave Ramsey se declaró en bancarrota, Steve Jobs fue despedido de la compañía que él mismo fundó. Nelson Mandela estuvo décadas en prisión sin cometer crimen alguno, más que desafiar al mal de este mundo.

Pero la realidad es que la lista de los que lucharon y resucitaron es mil veces más pequeña que los que renunciaron. La mayoría eventualmente renuncia y esa es la triste realidad.

Una de las historias más tristes y a la vez hermosas que conozco es la de John Kennedy Toole. John nació en el año 1937 en Nueva Orleans, en medio de una familia de clase media de la época. Desde pequeño tuvo pasión por las artes, especialmente la escritura. Poco después de terminar su universidad, Toole comenzó a escribir una novela que tituló *La conjura de los necios* que fue rechazada numerosas veces por publicadores de la época.

Sufriendo de depresión por el fracaso de su sueño, Toole se suicidó conectando una manguera del tubo de escape de su carro a la cabina. Toole murió a los treinta y un años de edad.

Ese día, en el pueblo de Biloxi en el estado de Misisipi, Toole no solo renunció a su sueño, sino que también renunció a la vida.

Pero la historia no terminó aquí.

Después del suicidio de Toole, su madre hizo la determinación de publicar la obra para probarle al mundo el talento de su hijo. Por un período de cinco años ella envió el manuscrito a siete publicadoras y una a una rechazaron la obra de Toole. Su madre decía que

cada vez que recibía una carta de rechazo, algo en ella moría un poco más.

Finalmente contactó a un novelista llamado Walker Percy y le demandó que leyera la obra literaria. A Percy le gustó y logró conseguir que imprimieran la novela por primera vez.

Luego de su publicación en el año 1980, la novela tuvo mucha atracción en el mundo literario y un año más tarde, John Kennedy Toole recibió, a título póstumo, el premio Pulitzer de literatura.

La conjura de los necios ha sido traducida a dieciocho idiomas y ha vendido más de un millón y medio de copias a nivel mundial.

John Kennedy Toole se rindió antes de tiempo. Toole, en su momento más oscuro, sucumbió ante el conflicto. Toole confundió el fracaso con ser un fracasado. Toole no entendió que el sufrimiento, el fracaso y el conflicto conformaban una etapa que había que superar. Toole no continuó remando.

Por el contrario, su madre, motivada quizás por el sentimiento más poderoso que vayamos a sentir jamás, que es el amor por un hijo, sí persistió. Luchó porque creyó en su hijo y su talento, creyó en ella y creyó que eventualmente el mundo estaría listo para la novela de su hijo. La mera posibilidad de la publicación de la obra de su hijo quizás se convirtió en la única manera de resucitar algo de él y regalárselo al mundo. El punto es que no desmayó hasta verlo hecho una realidad. La madre resucitó a su hijo, y la obra de su hijo resucitó a su madre.

Y al final se creó una historia. Una historia digna de contar. El trágico y tal vez cobarde suicidio de Toole dejó la historia incompleta. Y las historias incompletas simplemente mueren al pasar el tiempo. La madre de Toole terminó la historia, la llevó a resolución. Y gracias a ello, un Pulitzer, más de un millón de copias, y una historia que ha tomado parte de este libro y de seguro te ha impactado.

No dejes tu historia incompleta. No importa si es tan pequeña o insignificante como un paseo en un kayak, o tan grande e importante como una obra literaria digna del premio Pulitzer. Las historias sin terminar pasan al olvido. Nunca dejes tus historias incompletas.

De la misma forma que la literal resurrección de Jesús cambió el curso de la historia e impactó a millones de personas, el proceso de

resurrección que necesitas atravesar no solo será importante para ti, sino para muchos alrededor de ti.

Así fue la historia de Betty Waters, una historia de amor y de entrega como pocas. Una historia de resurrección.

En el año 1983, Kenny Waters, hermano de Betty, fue condenado a cadena perpetua por el supuesto asesinato de Katharina Brow, un horrible crimen que había sido perpetrado tres años antes en el estado de Massachusetts, Estados Unidos.

Kenny y Betty siempre habían sido muy unidos. A pesar de estar en prisión, conversaban cada semana. Betty, preocupada porque no había recibido la frecuente llamada de Kenny, se entera de que Kenny había tratado de suicidarse (incidente inductor).

Cuando Betty logra hablar con su hermano, él le dice que no puede vivir toda su vida encarcelado por algo que no hizo. Entonces concuerdan que si Betty va a la escuela a estudiar leyes y hacerse abogada, él promete mantenerse vivo.[3]

Esa se convirtió en una promesa, y así comenzó todo.

Betty, convencida de que su hermano era inocente, ya casada, con dos hijos y ahora comprometida con su hermano de que haría hasta lo imposible por comprobar su inocencia, decide volver a la universidad para estudiar leyes, graduarse de abogado y sacar a su hermano de la cárcel.

Su tiempo en la universidad no fue fácil, Betty enfrentó un divorcio, un hijo que decidió irse con su padre y las luchas comunes necesarias para graduarse uno.

Durante este proceso, Betty aprendió sobre las pruebas de ADN, que podrían confirmar que la sangre encontrada en la escena del crimen no era la de su hermano Kenny. Sin embargo, conseguir la antigua evidencia no fue fácil, y luego de probar que el ADN no era el de su hermano, la fiscal del distrito, alegando que existía suficiente evidencia adicional, se negó a darle la libertad a Kenny.

En este momento el sueño de libertad de Kenny y el de hacer justicia de su hermana habían sido destruidos. Con la evidencia científica de su inocencia, no lo dejaron salir. Este fue el momento de la muerte de la esperanza.

Pero también la resurrección.

Betty, obsesionada por hacer justicia, decide buscar y confrontar a las personas que habían atestiguado en contra de Kenny, las cuales con lágrimas en los ojos, confesaron que el Sargento Nancy Taylor, el que había arrestado a Kenny, los había amenazado de acusarlos de perjurio en el juicio de Kenny si no atestiguaban en contra de él.

Ya con la prueba de ADN en la mano y una declaración jurada de uno de los testigos, Kenny salió libre de la cárcel dieciocho años después.

Luego de que la historia de Betty y Kenny fuera conocida por los medios y llevaran a Betty a la fama, Betty volvió a su pueblo, a su trabajo, el que tenía antes de decidir estudiar leyes. No trabajó más como abogado, no ganó cheques gordos y no obtuvo más fama.

En un artículo del *New York Times*, Barry Sheck, un abogado que la ayudó en el caso, comentó al enterarse de que Betty había vuelto a su vida normal: «Al irla conociendo, yo la entiendo. Ella no se volvió abogada para ser abogada. Ella se volvió abogada para sacar a su hermano de la cárcel».[4]

Años más tarde, la historia de Betty y Kenny llegó a las pantallas de Hollywood en la película *Conviction* donde mostraron detalladamente las luchas y caídas de esta historia de la vida real.

El punto que quiero dejar es este: si Betty hubiera renunciado a la universidad; o hubiera renunciado cuando no se conseguía la antigua evidencia donde estaba la supuesta sangre de Kenny; o si hubiera renunciado cuando, a pesar de haber probado por pruebas de ADN que la sangre encontrada en la escena del crimen no había sido la de su hermano, la fiscal del distrito decidió no liberar a Kenny de todas maneras; si hubiera renunciado en cualquiera de esos momentos, no solo Kenny nunca hubiera recuperado su libertad, sino que nunca hubiéramos escuchado esta historia. Una historia que no solo ayudó a Kenny y a Betty, sino ayudó a generar consciencia de los cientos de casos de personas que están hoy en día en la cárcel por crímenes que nunca cometieron.

Cuando te preguntes cuándo vas a lograr tu sueño, la respuesta que debe emanar tu alma y corazón debe ser: cuando lo logre.

Cuando te preguntes hasta cuándo seguirás intentando, la respuesta debe ser: hasta que lo logre.

Vivimos en un mundo donde la mayoría de las personas no viven sus sueños porque en vez de contarte una gran historia prefieren contarte una gran excusa. Las excusas alivian, te muestran un camino en bajada de vuelta al mundo ordinario. La realidad es que las personas que han vivido grandes historias nunca se aceptaron excusas, nunca. Tuvieron un deseo casi obsesivo por ver sus sueños realidad. Entendieron que el cielo será un buen lugar para descansar, no la tierra, y dedicaron toda su energía en lograr vivir lo que querían.

Sin excusas, continuaron remando, continuaron buscando casas publicadoras que quisieran darse la oportunidad de publicar un premio Pulitzer, siguieron luchando contra un sistema corrupto para darle libertad al inocente. Lucharon, lucharon y lucharon, hasta que llegaron a la orilla, hasta que recibieron el premio en sus manos, hasta que vieron cómo su hermano dormía su primera noche en una cama de hotel, libre al fin.

Por mucho tiempo pensé en cómo podía cerrar un capítulo tan importante como este. Y una y otra vez las palabras de Steven Pressfield venían a mí. Decidí cerrarlo compartiendo estas palabras contigo:

> Si tú estás destinado a encontrar la cura del cáncer o escribir una sinfonía o descubrir la fusión fría, y no lo haces no solo te dañas a ti mismo, incluso hasta el punto de destruirte. Dañas a tus hijos. Me dañas a mí. Dañas al planeta.
>
> Avergüenzas a los ángeles que te protegen, le escupes a Dios, quien te creó a ti y solamente a ti con esos dones únicos, con el solo propósito de hacer avanzar a la raza humana un milímetro más en su camino de regreso hasta Dios.[5]

Nunca, nunca renuncies a construir una gran historia.

CAPÍTULO 14

LA VICTORIA

ERA EL 10 DE MAYO del año 1994. Más de cuatro mil personalidades habían sido invitadas a este magno evento y más de un billón de personas estaban pegadas a su televisor con la expectativa de no perderse un acontecimiento que estaba cambiando para siempre el curso de la historia.

Este día estaba tomando posesión de la presidencia de Sudáfrica el gran Nelson Mandela. En un inesperado vuelco de la historia, de

esos que solo pueden explicarse por medio de la intervención divina, en tan solo cuatro años Mandela pasó de ser un preso con cadena perpetua a ser el primer presidente de raza negra en gobernar dicho país.

Ese día de mayo las esperanzas de cambio llenaron al pueblo sudafricano. Por primera vez, y por elección popular, podían comenzar a reclamar lo que siempre fue suyo y había sido tomado por el régimen macabro y autoritario del apartheid.

Ese día de mayo fue un día de victoria.

Cientos de miles esperaban ansiosos que Mandela ejecutara la venganza que ciertamente merecían. El apartheid había sido un sistema de segregación racial que se sostenía con el objetivo de mantener en el poder a la minoría blanca. Ellos habían creado una separación entre blancos y negros mediante la cual los blancos disfrutaban de lugares exclusivos, derecho al voto y mucho más. Por décadas las personas de raza negra habían sido segregadas y marginadas sin derecho al progreso, la igualdad y democracia.

Este régimen, casi treinta años antes de este hermoso día de mayo, había colocado a Nelson Mandela en prisión de por vida, un encarcelamiento que le robó veintisiete años de su vida.

Veintisiete años en prisión. ¿Imaginas qué sería de tu vida si pasaras veintisiete años en una cárcel?

Definitivamente, pensaron muchos, Mandela sería el hombre indicado para ejecutar la merecida venganza.

Pero Mandela no fue el hombre que muchos creyeron. Mandela fue mucho más grande. Los años de lucha y sufrimiento lo habían transformado en el verdadero hombre que Sudáfrica necesitaba. Él entendió que la venganza no era lo que su nación necesitaba, sino por el contrario, un proceso profundo de reconciliación nacional.

Él se aseguró de que la población de raza blanca fuera protegida y se sintiera parte del país. Construyó una coalición en su gabinete providencia totalmente heterogénea. Durante su gobierno fomentó el perdón afirmando que los valientes no le temen al perdón si esto ayuda a fomentar la paz.

La victoria de Mandela no fue llegar a ser el presidente de Sud-áfrica. La victoria de Mandela fue en lo que se convirtió en el camino.

Antes en este libro dediqué un capítulo completo al tesoro. En ese capítulo comentaba que ningún héroe se lanza a la aventura sin un tesoro claro. Nadie se acerca, ni remotamente, al riesgo que conlleva una aventura sin definir la posible recompensa. En ese capítulo hablé de tus sueños y metas, y del poder de definirlos y escribirlos.

Ahora quiero revelarte el verdadero tesoro. Es un tesoro que nadie escribe porque no lo sabe o simplemente no le da importancia. Es un tesoro que solo se entiende cuando miras hacia atrás, no hacia delante. Es un tesoro que no necesariamente te motivará a luchar cada día, pero que un día te darás cuenta de que es el verdadero y más importante tesoro, la victoria real.

El verdadero tesoro no son tus metas y sueños. No es si logras esto o aquello (aunque la única manera de alcanzarlo es si logras esto o aquello).

El verdadero tesoro es en lo que te conviertes en el camino.

Esa es la verdadera victoria.

¿Hubiera actuado Mandela de la misma manera si hubiese alcanzado el poder antes de haber ido a prisión? Lo dudo mucho. Los años en la cárcel le sirvieron de maduración, crecimiento y entendimiento del mejor proceso para salvar a Sudáfrica de una guerra civil. Durante ese tiempo Mandela pudo ver cómo otros países africanos habían sido negativamente afectados cuando las minorías blancas desolaban las naciones donde habían perdido el poder. Él aprendió que la reconciliación era el único camino a la salvación de su país. La victoria de Mandela no era la presidencia, la victoria de Mandela era Mandela, era el hombre en que se había convertido.

El verdadero tesoro se gana en la jornada. El verdadero tesoro es la jornada.

Yo no te estoy vendiendo la idea de que al conseguir el tesoro todo va a ser mágico y perfecto, yo te estoy vendiendo la idea de que

la jornada es lo que hace la vida especial. Es la jornada, no el tesoro, de lo que se trata la vida, de lo que se trata este libro.

Hace ya varios años comencé a darme cuenta de algo interesante, por alguna razón que no comprendí en el momento, personas que habían sido exitosas en un área de su vida, lograban tener éxito en otras áreas mucho más fácilmente que los demás.

Debido a esto, comencé a estudiar el fenómeno un poco más a fondo y descubrí gran cantidad de atletas exitosos que luego tenían éxito en los negocios y viceversa, empresarios exitosos que lograban desarrollar un deporte a un nivel admirable con mucha facilidad. Noté cómo artistas que habían logrado el éxito también lo tenían en otras áreas de su vida. Me percaté de que gerentes y líderes de alto nivel podían caer en desgracia, solo para levantar sus proyectos y equipos nuevamente de una manera mucho más fácil que otros. Era como que tener éxito en un área se transfiera fácilmente a otra área de la vida.

Con el tiempo aprendí que los principios del éxito tales como disciplina, ética de trabajo, persistencia, establecimiento de metas, visualización, práctica, levantarse de las caídas, etc. eran exactamente los mismos principios independientemente del área donde quisieras tener éxito.

Por eso, lograr tener éxito en algo es garantía casi segura de que tendrás éxito en otras áreas también. Lo que aprendiste lo puedes transferir a tu siguiente reto, a tu siguiente meta.

Este es otro ejemplo de cómo el tesoro es la jornada. Cuando logras la victoria: llegas a esa meta de ventas que te habías puesto, logras sacar esa difícil pieza musical tal como te lo propusiste, logras el ascenso que tanto deseaste o abres esa carta que te indica que has sido aceptado en una prestigiosa universidad; ese día estás recibiendo mucho más que eso, estás recibiendo la consumación de un proceso de crecimiento que ahora es tuyo y nadie te puede robar. Te has convertido en un nuevo ser humano, has crecido a un nuevo nivel. Tienes algo dentro de ti que te puedes llevar a donde quieras y volverlo a utilizar cuando lo desees porque has aprendido la jornada, has aprendido a tener éxito.

La victoria es mucho más de lo que te imaginaste, por eso vale la pena que luches por ella.

Recuerda, al final no es el premio sino en lo que te convertiste en el camino lo que valorarás con todo tu corazón. Así que sigue adelante héroe, el mundo te necesita.

CAPÍTULO 15

DE VUELTA AL MUNDO ORDINARIO

DESDE LOS TRES AÑOS MI hijo Benjamín era un fanático de los bloques de construcción Lego. Recibió su primer Lego justamente en su tercer cumpleaños. Dos años más tarde ya tenía carros, tractores, aviones, casas y hasta una pizzería en miniatura. Permíteme corregirme, al menos tenía las piezas que una vez fueron carros, tractores, aviones y casas.

Al principio, cuando Benjamín recibía una caja nueva de Lego, yo me sentaba con él y se la armaba para que él pudiera jugar. Con el tiempo, él desarrollo la capacidad de armarla él mismo, lo cual me colocaba a mí tan solo como un consultor (al que él utilizaba a su conveniencia cuando no tenía idea de cómo terminar de armarlo).

Luego me empecé a dar cuenta de que a los pocos días de armar un Lego nuevo, lo encontraba hecho pedazos en alguna esquina de la casa.

Llegó el punto en que le prometí a Benjamín que no tendría más legos nuevos hasta que construyera nuevamente todos los que tenía, y los mantuviera armados, sin destruirlos. Debido a que él estaba deseoso de tener más legos nuevos, comenzó la ardua tarea de armar todos los que había destruido previamente. Al rato, me di cuenta de que la tarea era un tanto difícil, así que me uní a él y lo ayudé en el proceso.

Juntos, tardamos más de seis semanas en armar prácticamente todos los legos. Tuvimos que ir por un proceso de recolectar todas las piezas que andaban escondidas en cada esquina de la casa, dividirlas por color, buscar y ordenar los manuales para luego comenzar nuestra larga tarea de reconstruir la colección.

Llego el día en que estaban todos los legos armados, el avión, los carros, la torre de control, la mina de oro y también la pizzería. Nuestra obra había sido completada.

Dos semanas más tarde, todo estaba destruido otra vez.

Yo estaba enfurecido y sin saber qué hacer, me preguntaba: *¿Cómo mi hijo podía ser tan descuidado para tirar a la basura semanas de trabajo? ¿No aprendió ninguna lección luego de la ardua y lenta tarea que habíamos terminado? ¿Qué estaba pasando por su mente en el momento que destruía cada uno de sus legos?* Estaba completamente frustrado.

Unas semanas más tarde, estaba escuchando una entrevista a Seth Godin, uno de los pensadores más avanzados de nuestra época. Mientras lo escuchaba, me llegó la respuesta.

El error no había sido de mi hijo Benjamín, el error había sido mío. Había transformado un juguete diseñado para aventurarse, explorar, construir y destruir, en un museo. Lo había transformado en

algo estático. Le estaba enseñando a mi hijo que la vida se vive acorde a un manual, y que cuando llegas a terminarlo, lo dejas a la vista, solo con el objetivo de observar y mostrarles a otros tu gran obra.

Mi hijo se negaba a dejarse domar por ese modo de pensar. Por supuesto que él quería armar el avión, pero también quería destruirlo y luego armar un bote con las piezas restantes. Él quería armar un mundo distinto cada día, hoy de naves y planetas, mañana de barcos y piratas. Él no estaba dispuesto a quedarse en el mundo ordinario

Para mí, destruir era tirar a la basura horas y días de trabajo. Para Benjamín, destruir era la oportunidad de comenzar una nueva aventura. Era su oportunidad de poner un nuevo lienzo, blanco y limpio, y hacerse la maravillosa pregunta ¿qué quiero pintar hoy? ¿Qué quiero construir? ¿A dónde quiero viajar? ¿Qué quiero aprender? ¿Qué voy a explorar?

Conseguir la victoria es espectacular. Lograr tu sueño es algo maravilloso. Bien sea que puedas hacer crecer tu negocio al punto de que puedas despedir a tu jefe, o que puedas por fin tocar esa pieza musical que creías imposible. Es hermoso cuando tu pareja dice «acepto» o cuando una publicadora decide que sí quieren publicar tu libro. Todo eso es algo digno de luchar y te llena de una satisfacción enorme.

Pero no conviertas tu historia en un museo lleno de logros que una vez fueron. No llenes tu vida de «los tiempos aquellos». No construyas los legos para crear un museo. Aprende a recomenzar otra vez. Afina tu oído al nuevo llamado a la aventura.

La Jornada del Héroe es un ciclo que nunca acaba. La Jornada del Héroe no es una cumbre que alcanzar, sino más bien una cumbre que, cuando la alcanzas, te muestra nuevas cumbres que están al frente de ti, esperándote para ser conquistadas.

La vuelta al mundo ordinario tiene un objetivo y es muy importante que lo entiendas.

La vuelta al mundo ordinario está para celebrar y para restaurarte. Pero no para quedarse.

Luego de que escalé el pico Bolívar (historia que conté anteriormente sobre mi deseo de tener mi foto en la cumbre impresa al lado

de la de mi tío) volví a mi casa con un sinfín de fotos e historias que contar.

Cada vez que veía las fotos, algo hermoso renacía en mi interior. Por años tuve las fotos conmigo a donde fuera. Había unas cuantas de ellas bastante impactantes donde estaba en unas cuevas de hielo, escalando en la roca, y por supuesto, una en la cumbre al lado del busto de nuestro Libertador Simón Bolívar.

Durante muchos años mi amor por la montaña se limitó a esas fotos. Cada vez que las mostraba sentía como que revivía la aventura; pero la realidad es que estaba viviendo del pasado, estaba viviendo de lo que una vez fue y ya no es. Ya no había una nueva meta, ya no había un nuevo llamado a la aventura. No había nuevos picos que escalar o retos que conquistar.

Me había quedado en el mundo ordinario.

Por supuesto que tampoco hubiera sido divertido el extremo contrario: haber llegado a mi casa para inmediatamente comenzar una nueva aventura. Sí hubo algo especial y restaurador en imprimir mis fotos y contarle a mi familia y mis amigos sobre mi aventura. Hubo risas, aprendizajes y relaciones que se estrecharon, como siempre sucede cuando alguien tiene una aventura que contar.

También admito que llegar a la casa, dormir en una cama y darme un baño con agua caliente luego de más de siete días sin bañarme (sí, lo confieso), era necesario para mí y para otros. Necesitaba restaurarme, necesitaba recordar lo bien que se siente la comodidad del mundo ordinario y necesitaba convencerme de que luego de cada gran aventura, iba a llegar a ahí.

Un buen baño, una cama y una comida caliente se disfrutan mucho más luego de que llegas de una aventura como esta, que si nunca te atreves a salir en busca de una.

Pero, poco a poco, el buen baño caliente es simplemente un baño, y la comida caliente es simplemente comida, y la cama es simplemente una cama otra vez. Poco a poco, quizás sin darte cuenta, comienzan los días de las mismas rutinas, las mismas personas y los mismos lugares nuevamente.

Y comienza nuevamente la muerte del alma.

El regreso al mundo ordinario es como una medicina: en peque-ñas dosis tal y como indica tu médico te harán sentir mejor, pero si la tomas en exceso puede matarte.

Recuerda que el alma no puede vivir en el mundo ordinario. El mundo ordinario no tiene el tipo de oxígeno que el alma necesita. El mundo ordinario asfixia tu alma. Por eso, ten mucho cuidado de que te acostumbres. Ten mucho cuidado de perder el amor por la búsqueda de una nueva aventura.

¿Cuál es tu próxima aventura? Puede ser llevar tus sueños a un siguiente nivel. Quizás expandir tu negocio a nuevos territorios y oportunidades, o ¿qué tal aprender a tocar un instrumento musical? A lo mejor será el comprometerte finalmente a correr tu primer maratón o a darle el «sí» a quien que te está pidiendo que quiere pasar el resto de la vida contigo.

Seth Godin, el mismo que me abrió los ojos sobre los legos y una de las personas más sabias que he conocido, dice que él ve la vida como una serie de proyectos, no como una carrera profesional de cincuenta años. Cada uno de esos «proyectos» que Seth menciona yo los llamo aventuras, cada uno de ellos es un ciclo completo de La Jornada del Héroe. Inclusive si decides pasar toda tu vida en la mis-ma empresa o en la misma carrera, siempre podrás aprender cosas nuevas, forzarte a vivir nuevas aventuras, comenzar múltiples ciclos de La Jornada del Héroe.

Es por eso que personas como tú y como yo nunca nos retirare-mos. Cuando aprendes a escuchar el llamado a la aventura, ya nunca puedes parar. Aunque no lo creas, tú y yo nunca disfrutaremos com-prar una casa frente al mar e irnos a vivir y a echarnos en la playa por los próximos veinte años. Luego de un par de semanas estaremos aburridos y pensando qué inventar; empezaremos a preguntarnos qué aventura nos está llamado. Aprenderemos a pescar o nos sumer-giremos en las profundidades del océano para descifrar lo escondido del mar. Comenzaremos a pintar sobre óleo, o empezaremos a sacar-le notas a nuestro antiguo violín. La verdad no sé qué será para ti o para mí; pero la realidad es que buscaremos comenzar un nuevo ciclo de La Jornada del Héroe.

Y cuando lo hayamos terminado comenzaremos otro, y luego otro, y luego otro... y nuestra vida estará llena de momentos, experiencias, luchas, risas e historias que contar.

A partir de hoy tu vida nunca será igual. Bienvenido a la vida de héroe.

MIS CONSEJOS PARA TU JORNADA

CAPÍTULO 16

CONSIGUE UN MENTOR

RUDY RUETTIGER HIZO CASI LO imposible para un chico de su estatura, condición física e inclusive, su coeficiente intelectual. Desde muy pequeño anunció a su familia que él iba a jugar fútbol americano en la Universidad de Notre Dame. A tan solo segundos de revelar su sueño a sus padres y hermanos, la casa se llenó de risas debido a la imposibilidad de que su sueño se llevara a cabo.

Rudy venía de una familia laboriosa que toda su vida había trabajado en una planta de acero en el estado de Illinois, Estados Unidos. Su padre le había dedicado décadas a su trabajo en la planta, y su hermano mayor lo había seguido. La expectativa de la familia era que Rudy hiciera lo mismo: un trabajo seguro en la planta de acero de la ciudad por cuarenta años para luego disfrutar de un retiro sostenido por el seguro social de la nación.

Y así lo hizo Rudy, al menos por un tiempo. Al salir del colegio comenzó a trabajar con su padre tal y como se había planeado. Junto con él, también su mejor amigo Pete.

Un día como cualquier otro, una tragedia se llevó la vida de Pete. Esta situación golpeó fuertemente a Rudy (incidente inductor) y lo llevó a lanzarse a la aventura de su vida: estudiar en Notre

Dame y jugar fútbol americano en el equipo de tan prestigiosa universidad.

Renunciar a su trabajo y mudarse a South Ben, el pueblo donde se encuentra el campus de la universidad, fue solo el inicio del más duro conflicto que imaginó jamás. Noches sin dormir, y muchas sin un lugar donde dormir, múltiples fracasos para ser admitido en la universidad, poco dinero y un sinfín de barreras fueron solamente el principio de las luchas que no acabaron cuando por fin fue admitido en la universidad.

Ya adentro, las caídas continuaron. A pesar de haber sido admitido en el equipo de práctica de fútbol americano, se enfrentaba cada día a jugadores muchos más altos y con más del doble del peso de él. Golpes, lesiones y burlas se habían convertido en lo común de su vida.

Sin embargo, con el tiempo y la tenacidad, Rudy se ganó el corazón de sus compañeros de equipo, y con el tiempo también se ganó el respeto de su entrenador.

La película *Rudy*[1] termina con ese mágico momento en el que permiten a Rudy jugar por unos pocos segundos en un partido oficial del equipo de Notre Dame.

Con lágrimas, su padre, madre y hermano, lo ven y lo aplauden desde las gradas, donde estaban por primera vez.

Pero también ese día había otra persona en las gradas, alguien que había jurado no ver un juego nunca más, pero ese día estaba ahí, por Rudy.

Fortune fue uno de los pilares fundamentales del éxito de Rudy. Estoy convencido de que Rudy nunca hubiera podido tener éxito sin la ayuda de él.

Fortune fue el mentor de Rudy. Cuando Rudy no tenía trabajo, él lo ayudó. Cuando Rudy no tenía dónde dormir, él secretamente le dio una llave que le daba acceso a un cuarto con un baño y una cama. Y un día, cuando encontró a Rudy observando el campo de entrenamiento desde lejos porque había decidido renunciar, lo convenció de que no lo hiciera.

Fortune le contó a Rudy su historia. Le confesó que él mismo había renunciado al equipo de Notre Dame muchos años antes

convencido de que nunca lo dejarían jugar por su color de piel morena. Le explicó que inmediatamente después que renunció se arrepintió toda su vida, y le promete a Rudy que se arrepentiría toda su vida si concreta su renuncia.

Rudy hubiera renunciado si no hubiera sido por Fortune, si no hubiera sido por su mentor.

Toda gran historia tiene un mentor. Sin importar si es ficción o realidad, un mentor es el aliado principal que necesitas en el camino. Luke Skywalker en *La guerra de las galaxias* necesitó a Obi-Wan Kenobi. Frodo y Bilbo de *El señor de los anillos* y el hobbit respectivamente, necesitaron a Gandalf. Todo gran héroe, antes o en el medio del conflicto, necesita un mentor.

Tú necesitas tener un mentor.

Con los años he tenido la bendición de poder conocer a personas extremadamente exitosas, líderes de decenas de miles, y he descubierto dos aspectos como común denominador en todos ellos: todos leen y todos tienen al menos un mentor.

Tener un mentor es una pieza imprescindible en el rompecabezas de tu historia. Es necesario, es parte de toda gran historia. No es fácil de conseguir, pero definitivamente necesitas tener uno.

Existen varias razones por las cuales es necesario tener un mentor. A continuación te comento algunas:

1. Un mentor tiene más conocimiento que tú. Como ya he apuntado, en el año 2007 fui transferido desde Caracas para Cincinnati, Estados Unidos, por Procter & Gamble, la compañía que trabajaba para el momento. Solo la transferencia desde Caracas hasta Cincinnati multiplicó mi salario por tres. Por semanas no sabía qué iba a hacer con tanto dinero.

Yo nunca había vivido en Estados Unidos aunque sí había venido de vacaciones múltiples veces en el pasado. Hay una diferencia cuando uno vive en un lugar y cuando vas de vacaciones. Cuando vas de vacaciones todo te parece nuevo, llamativo y económico. Cuando vives en el lugar es otra historia. La vida real y la vida turística son totalmente diferentes.

Ya con un par de meses viviendo en Estados Unidos tuve una conversación con uno de mis mentores, Peter Blanco. Él me recomendó que me comprara un libro de finanzas personales escrito por el gurú de finanzas de este país, Dave Ramsey. También invirtió más de una hora explicándome la diferencia entre la zona turística y la vida real acá en Estados Unidos. Fue completamente transparente y honesto conmigo sobre sus errores y fracasos. Me contó vívidamente las consecuencias que esos errores trajeron en su vida y me dio sus más sinceros consejos sobre cómo tener éxito financiero en este nuevo país.

La razón principal por la cual tomé ciertas decisiones correctamente en mi vida financiera fue esa conversación con Peter. Sus consejos, vivencias y recomendaciones impactaron profundamente la vida que llevo hoy.

Un mentor es una persona que ha tenido o tiene más éxito que tú en el área que deseas ser guiado. En consecuencia, su experiencia y su sabiduría multiplican con creces la tuya. Tu mentor ha cometido errores que tú ya no cometerás por el simple hecho de escuchar su consejo.

Así como Peter me guio en el área financiera, un mentor te ayudará a maximizar las posibilidades de éxito en el lanzamiento de tu negocio o la escritura de tu libro, o a hacer correctamente un ejercicio que te evitará una lesión. Un mentor es la clave de la sabiduría: aprender de la experiencia de otros.

2. Un mentor tiene una visión más amplia que tú. A los diecinueve años, ya con dos años en la universidad, se me presentó una excelente oportunidad de negocio. Un año después ya estaba haciendo buen dinero, y a los dos años estaba haciendo mucho dinero, liderando un grupo de más de quinientos empresarios y viajando como conferencista por distintos países de Latinoamérica y Estados Unidos.

A los veintiún años sentía que el sueño de mi vida se había hecho realidad: dinero, tiempo y un poquito de fama eran mucho más de lo que hubiera imaginado a esa edad.

Con el tiempo, otras personas comenzaron a decir que yo, estudiando en la Universidad «Simón Bolívar», estaba ganando más

dinero que el rector de la universidad. Cada día se repetía más y más, hasta el punto en que yo mismo empecé a cuestionarme el hecho de terminar la universidad.

Para dejar algo claro, no sé si ganaba más dinero que el rector de mi universidad, y no creo que el punto de uno ir a la universidad es hacer más dinero que la máxima autoridad de la misma; sin embargo, este tipo de pensamientos alimentan tu ego y te pueden llevar a tomar decisiones incorrectas.

Cada día me preguntaba: *Si de verdad gano más dinero que el rector, ¿para qué terminar la universidad? Quizás mejor dejo la carrera, me enfoco en mi negocio y en dos años duplico mis ingresos y...*

Hasta que llegó el punto en que de verdad quise dejar la universidad. En serio, había decidido renunciar y dedicarme a mi negocio.

Gracias a Dios que tenía a otro mentor, mi mejor mentor en la tierra, una persona que me ama con todo su corazón, y para quien mis intereses son y siempre serán sus intereses: mi papá.

Si me permites hacer un paréntesis, quisiera comentar que tantas veces nos creemos la gran cosa, nos creemos que hemos logrado el éxito gracias a nosotros, creemos que todo fue la consecuencia de nuestro esfuerzo, y nos olvidamos de personas tan claves en el éxito de nuestra vida como nuestros padres, nuestros mentores, aquellas personas que abrieron una puerta para nosotros, y de Dios que nos dio la bendición de estar vivos.

Volviendo a mi historia, estuve a punto de renunciar si no hubiera sido por mi papá. Aquella noche, llegando él de trabajar, tuvimos esta conversación mientras él se alistaba para dormir (si, así fue, muchas veces las conversaciones profundas suceden en los lugares y momentos más inesperados, por eso debemos estar siempre alertas).

La conversación no fue larga, ni hubo lágrimas; pero sentí que mi papá me hablaba desde el fondo de su corazón. Ese día, por mí, por él, decidí terminar lo que había comenzado, y un par de años más tarde estábamos celebrando la graduación.

No estoy diciendo que la universidad sea el camino para todo el mundo, pero existe algo importante en terminar lo que se comienza.

Para mí, era necesario culminar, era necesario persistir aunque mi corazón no estuviera allí. Terminar la universidad me ayudó en todos los aspectos de mi vida: mi trabajo, mi matrimonio, mi relación con Dios y mucho más.

Pero todo fue gracias a un mentor, una persona que estuvo allí con una visión más grande que la mía. Una persona que era capaz de ver mucho más allá que el dinero que estaba ganando en el momento. Una persona que era capaz de ver la vida cuando yo solo era capaz de ver el próximo mes.

Un mentor tiene una visión mucho más amplia que tú. Él o ella entienden que a veces se pierde para ganar. Entienden que en las organizaciones existe la política, y que lo que aparentemente es un fracaso o pérdida de tiempo hoy, es el éxito mañana. Un mentor comprende cómo las cosas conectan, cómo una pequeña decisión en un departamento de la empresa, la afecta como un todo. Un mentor entiende los procesos, los sistemas de recompensas y los incentivos correctos para liderar una organización y llevarla hacia adelante, etc.

¿Quieres convertirte en una persona con visión? Sigue a un mentor. Conviértete en un seguidor. Todo héroe necesita de un mentor.

3. Un mentor exige cuentas. Como comenté anteriormente, un mentor es más exitoso que tú en el área donde estás buscando su mentoría. En consecuencia, a los mentores no les gusta perder tiempo. Ellos solo invierten tiempo y energía en las personas que ven que tienen potencial y que están dispuestas a hacer lo que se tiene que hacer para lograr el éxito.

Un mentor no acepta excusas. Él estuvo ahí primero que tú, y derrotar las excusas fueron la razón de su éxito. Él no aceptará las tuyas.

La relación mentor-héroe no es siempre color de rosa. Recuerdo en muchas ocasiones tratar de cancelar reuniones con mi mentor para evitar ser confrontado. Sin embargo, ese miedo a ser confrontado muchas veces me ayudó a dar el paso y moverme hacia delante.

El miedo de hacer lo que tenía que hacer era menor que el miedo que sentía de llegar frente a mi mentor con las manos vacías.

Conseguir un mentor es difícil, perderlo es sumamente fácil. Tener un mentor te compromete a hacer lo que sabes que tienes que hacer para alcanzar el éxito. Un mentor te dirá que le pidas perdón a tu esposa a pesar de no tener la culpa, que escribas una página más de tu libro a pesar de que no sientas ganas de escribir, que salgas a presentar tu plan de negocios o a vender tu producto una vez más aunque sientas que ya no hay esperanzas.

4. Un mentor tiene más conexiones que tú. El mundo se mueve por conexiones personales. Muchas veces creemos que podemos crear procesos que eviten el involucramiento de la falta de objetividad de los seres humanos, pero la realidad es que las relaciones humanas mueven al mundo.

Estoy seguro de que es mil veces más probable que compres un producto o un servicio si viene recomendado por tu mejor amigo que si lo viste en una magnífica pieza de publicidad en la televisión o el internet. La publicidad de boca en boca fue, es y será la forma de publicidad más poderosa que existe porque está basada en relaciones humanas.

Las conexiones que tengas te abrirán puertas que jamás imaginaste. Y tu mentor tiene muchas más conexiones que tú.

Este mismo libro que estás leyendo es producto de una conexión. Mi mentor, Andrés Panasiuk, me presentó con Larry Downs, el vicepresidente de HarperCollins y Thomas Nelson. Ahora bien, no estoy diciendo que el simple hecho de tener la conexión me llevó a publicar este libro. También hubo años de trabajo para construir mi plataforma, meses de esfuerzo para hacer una propuesta de publicación robusta e interesante y un sinfín de horas sin dormir escribiendo estas líneas.

Pero todo esto fue posible gracias a que Andrés me presentó con Larry, y Larry apostó por mí en la publicación de este libro. Andrés me abrió una puerta a la que pocos tienen acceso. Cientos de miles de propuestas de publicación y manuscritos son rechazados solo en Estados Unidos cada año. La gran mayoría de ellos ni siquiera son

leídos porque ninguna publicadora tiene la capacidad de leerlos todos. Sin embargo, la mía llegó directo a las manos de un vicepresidente gracias a mi mentor.

Un mentor tiene conexiones, a veces muchas. Y en la medida en que tú le demuestras a tu mentor tu compromiso con el éxito, él te va abriendo las puertas mientras las vas necesitando.

5. Un mentor puede llegar a convertirse en uno de tus más grandes amigos. Es difícil no sentir un compromiso de por vida con Peter Blanco, Andrés Panasiuk, mi padre, mi madre y muchos otros por sus consejos, por estar cuando los necesitaba, por abrirme puertas y presentarme a personas clave en esta jornada. Tener un mentor activa el ciclo del amor, de dar sin esperar recibir. Tener un mentor es la vivencia más cercana que he tenido de lo que es Dios para nosotros: darnos sin esperar nada a cambio.

Muchas veces me he preguntado por qué muchos de ellos hacen lo que hacen, por qué decidir ayudarme cuando no reciben ningún beneficio.

La respuesta es porque me están demostrando con sus vidas lo que realmente es amor.

Ese deseo tan profundo de reciprocar tanto beneficio recibido construye las más hermosas relaciones. Tus mentores muchas veces terminan siendo tus más grandes amigos.

Un buen mentor desea y lucha porque tengas éxito. Las relaciones que se forman durante la jornada llegan a ser unas de las relaciones más profundas de tu vida que estoy seguro valorarás más que el éxito mismo.

Te recordarás de mí en ese momento.

Dios como mentor

No puedo terminar este capítulo sin hacer referencia al mentor de los mentores, al dueño del pasado y del futuro, al que tiene una sabiduría infinita y es capaz de abrir o cerrar cualquier puerta: nuestro Creador.

Dios es gigantesco, infinito e imposible de comprender en su totalidad. Por ello, no voy a encajonarlo en un solo rol; pero sí puedo decir que uno de los roles de Dios es ser tu mentor.

Dios te ama profundamente de la misma forma que un padre y una madre aman a sus hijos. De la misma forma que estoy seguro mi padre deseó que yo tuviera la conversación sobre retirarme o no de la universidad con él en vez de con alguien más, Dios desea que tengas tus conversaciones con él cada día para guiarte, instruirte, confrontarte y animarte en tu jornada.

No existe plenitud más profunda que cuando te conectas con tu Creador en oración, meditación y lectura de su Palabra. Un mentor te dará fortaleza desde afuera hacia adentro, Dios te dará la fortaleza desde adentro hacia afuera.

Yo quiero que tú vivas una gran historia, pero también quiero que conozcas profundamente a tu Creador. Es más, no concibo cómo puedes vivir una gran historia sin tener a Dios de tu lado.

Uno de los puntos más importantes de este libro te lo diré a continuación: todo este libro se ha tratado de cómo tú puedes vivir una gran historia, una historia que vale la pena vivir y contar. Quiero que sepas que también existe otra gran historia, una mucho más grande sucediendo ahora mismo. Esta es una historia de redención y reconciliación entre Dios y el mundo. Entre Dios y tú.

Buscar a Dios y a su Hijo como tu mentor te mostrará algo sumamente especial: cómo tu gran historia se conecta con una historia mayor, con la historia de Dios.

Alejarte de Dios y no tomar en cuenta su Palabra y sus mandatos solo te llevarán a vivir una historia vacía y sin trascendencia. Por el contrario, entender y conocer a nuestro Creador te regalará una oportunidad de vivir realmente una gran historia y ser parte del plan superior de redención y reconciliación con el mundo.

No dejes de buscarlo, reconciliarte y conectar con Él hoy mismo. Recuerda esta gran verdad: Dios es el mentor de mentores. No existe mayor sabiduría que la de Él.

CAPÍTULO 17

CREA UNA COMUNIDAD

SAN FRANCISCO SE CONVIRTIÓ EN una de mis ciudades favoritas cuanto tuve la oportunidad de visitarla por primera vez a finales del año 2014. No solo por lo hermoso de la ciudad y sus vistas, el puente del Golden Gate y Alcatraz, sino por la unión perfecta que existe en una cultura punta de lanza en la tecnología, y la pasión que tienen por lo natural, lo orgánico y lo auténtico.

Estaba en San Francisco por razones de trabajo. Mi trabajo era reunirme con personas que se asemejaban a un grupo en particular para el cual estábamos diseñando un producto. Queríamos entender sus necesidades, deseos y frustraciones para asegurarnos de que diseñaríamos lo que ellos realmente necesitaban.

Las reuniones eran largas, como de tres horas cada una. Al salir de una casa, el chofer ya estaba listo para llevarnos a otra casa.

Mi chofer se llamaba Mikkael y era de Ucrania, aunque había vivido en San Francisco más de treinta años. Mikkael fue una persona muy especial en mi viaje de trabajo. A pesar de ser «trabajo», me hizo sentir que estaba en una vacación. Entre una reunión y otra, me contaba todo lo que sabía sobre San Francisco, y se paraba en cada

punto importante que podía. Gracias a Mikkael pude conocer tanto de esa hermosa ciudad.

Una tarde, al salir de mi última reunión, Mikkael decidió llevarme a Muir Woods National Monument, que queda como a treinta minutos al salir de la ciudad. Mikkael me dijo que no podía irme de San Francisco sin conocer los árboles más altos del mundo: los *redwood trees* (o secuoyas rojas).

La experiencia de pararte enfrente de un árbol de estos no se puede explicar. Es lo más cercano que he estado a entender mi condición temporal en este mundo comparándolo con el tiempo de vida de una secuoya roja.

Las secuoyas rojas son los árboles más altos del mundo. Pueden llegar a medir más de cien metros de altura (un edificio de más de treinta pisos) y su diámetro puede llegar a los ocho metros e incluso más. Estos árboles pueden llegar a vivir más de dos mil años.

Lo interesante de estos árboles es que sus raíces no son tan grandes y profundas como uno podría imaginarse. Sus raíces no llegan a los tres o cuatro centímetros de diámetro y ni siquiera crecen muy profundo. Físicamente es imposible que un árbol así se pudiera sostener por sí mismo.

La clave está en que la secuoya roja entrelaza sus raíces con los árboles que tiene a su alrededor. Cientos y miles de raíces se entrelazan entre sí creando una inmensa red que permite sostenerse gracias a la fuerza de los otros.

Las secuoyas rojas no pueden sostenerse solos. Se sostienen como una comunidad.

La criatura con vida propia más grande de todo el planeta no puede sostenerse por sus propios medios, necesita de una comunidad de árboles a su alrededor para apoyarse unos a otros. Estos árboles han sobrevivido intensos incendios (de hecho puedes ver las marcas en muchos de ellos), tifones, tormentas e inundaciones, y todo lo han podido soportar porque se tienen los unos a los otros.

Aunque exista la percepción errónea de que el héroe es un indiviso solitario, la realidad es que nadie en el mundo necesita más a una comunidad de apoyo que alguien que está en la aventura de su vida.

Tú y yo necesitamos una comunidad. Un grupo de héroes, hombres y mujeres que están luchando cada día en su jornada. No necesariamente necesitamos personas que estén caminando la misma jornada (mismos sueños, mismas metas, mismo negocio o industria), pero sí personas que estén caminando una jornada.

Era el lunes a las tres de la mañana cuando sonó mi despertador. Esta vez no tenía que ir al aeropuerto, era la señal para reunirme con mi comunidad. Cada dos semanas, a las tres de la mañana, enciendo mi computador y me conecto en Skype para reunirme con este grupo. Varios de ellos viven en España y un par en otros países, por eso el problema del horario. Pero no importa, lo que estoy buscando es el poder de la comunidad. Cada dos semanas al reunirnos, conversamos sobre nuestros proyectos, nuestras metas, nos comprometemos con el grupo en lo que vamos a ejecutar en las siguientes dos semanas y dedicamos un tiempo a recibir retroalimentación.

Como puedes ver, no necesitas estar en la misma ciudad ni en el mismo país. Si es presencial, magnífico; si no, magnífico también. Lo importante es que crees una comunidad de héroes, un grupo de personas que tomaron la decisión de dejar el mundo ordinario y aceptaron su llamado a la aventura.

También te puedo hablar de otra comunidad. Esta aún más especial. Mientras escribía este libro recibí una noticia devastadora, de esas que te dan tan duro que no sabes ni qué pasó. Inmediatamente entendí que estaba comenzando para mi vida un profundo y largo conflicto. Inmediatamente llamé por teléfono a un grupo de cinco personas: una comunidad de personas que me guiaran, me dieran aliento y oraran fervientemente por mí y por mi nueva lucha. Lo más hermoso de todo es que recibí un profundo amor, compasión y compromiso de ese grupo a estar a mi lado, orando conmigo cada día, todos los días. Eso es una comunidad de héroes.

Necesitas comenzar a crear esa comunidad de héroes en tu vida. Ambos, tú y yo, necesitamos invertir tiempo y energía en que se haga una realidad.

Esta comunidad de héroes comenzará a crear una red de raíces que no se ven, que están bajo la tierra. Esa red de raíces hará que nos

sostengamos los unos a los otros en los momentos duros. Recuerda que la vida siempre te invitará de vuelta al mundo ordinario. En tu jornada siempre habrá un atajo en bajada donde se te promete descanso, placer y comodidad. Una banda de héroes te ayudará a no caer en la tentación de volver al mundo ordinario o desistir en tu lucha. Llegará el momento en que las raíces serán tan fuertes que aunque quieras devolverte, no podrás, tu comunidad de héroes te mantendrá en la jornada.

CAPÍTULO 18

APRENDE A DEFINIR LO ESENCIAL

HACE UNOS AÑOS RECIBÍ POR correo electrónico un documento que mostraba la estrategia para ganar en el mercado de una reconocida marca de P&G. Al abrir el documento, rápidamente noté que tenía más de ciento veinte páginas, lo cual inmediatamente me convenció de que no iba a leerlo.

Sin embargo, decidí echarle un vistazo a las primeras páginas y luego irme rápidamente a las últimas dos que estaban bajo el título «conclusiones y recomendaciones».

El primer punto que leí me llamó muchísimo la atención. Este punto indicaba la estrategia principal para ganar: «Necesitamos ganar en todos nuestros productos (de la marca X)».

Este punto causaba más daño que ayuda a la organización. ¿Cómo podemos ganar en todo? ¿Cuál es la prioridad? Si los recursos se hacen escasos (como siempre sucede), ¿dónde nos enfocamos?

A lo largo de mi vida he visto muchos gerentes, dueños de negocios y personas en general con este tipo de pensamiento. Ellos creen que pueden ganar en todo.

La realidad es que necesitas escoger tus batallas. Debes decidir en qué de seguro necesitas ganar y en cuáles cosas estás dispuesto a perder. A qué le vas a decir «no», para poderle decir «sí» a otras cosas.

Un caso digno de admirar es la aerolínea Southwest Airlines. Ellos tienen un modelo de negocios con una claridad al extremo de a qué le dicen no y a qué le dicen sí. Saben que no van a ganar en todo, pero estando claros en qué cosas ganarán, están llegando a tener muchísimo éxito.

Contrario al modelo común de las aerolíneas comerciales, donde ofrecen virtualmente todos los destinos del mundo, múltiples aviones, comida, televisión, etc., Southwest Airlines solo ofrece un número limitado de destinos, solo usa el mismo tipo de avión y eliminó todos los extras. Debido a esto, lograron bajar sus costos operativos de una manera significativa y pueden ofrecer pasajes muy competitivos. El resultado, una aerolínea que da ganancias y crecimiento año tras año en un mundo donde las otras aerolíneas están sangrando financieramente. La capacidad del liderazgo de Southwest Airlines de construir la empresa en base a «lo esencial» los llevó a tener un éxito masivo.

Tal como comenté anteriormente, Starbucks se vio forzado a volver a lo esencial para sobrevivir y continuar creciendo.

Nosotros necesitamos aprender a podar. Necesitamos volver a lo esencial.

En su magnífico libro *Esencialismo: logra el máximo de resultados con el mínimo de esfuerzo*, Greg McKeown define el esencialismo como la disciplina de hacer las cosas correctas. Al respecto, comenta:

> El camino del esencialist [...] consiste en hacer una pausa constantemente para preguntarte: «¿Estoy invirtiendo en las actividades adecuadas?» [...]
>
> El esencialismo no consiste en hacer más cosas; consiste en hacer las cosas *adecuadas*. Tampoco significa hacer menos por el simple hecho de hacer menos. Consiste en invertir de la manera más inteligente posible el tiempo y la energía para dar nuestra mayor contribución al hacer sólo lo que es esencial [...]
>
> El camino del esencialista rechaza la idea de que podemos ocuparnos de todo y, en cambio, nos pide que lidiemos con tratos de «perder para ganar» y que tomemos decisiones difíciles.[1]

Uno de los riesgos más grandes que existen luego de que comprendes y aplicas a tu vida la Jornada del Héroe, es que puedes comenzar múltiples jornadas simultáneamente creyendo de manera errónea que todas te llevarán a la victoria eventualmente.

Uno de los aprendizajes más importantes de todo héroe, y lo discutimos en el capítulo del tesoro, es que necesita clarificar lo que quiere y enfocarse en las actividades esenciales que lo llevarán a su destino. Si no está enfocado puede caer en lo que se llama: la paradoja del éxito.

La paradoja del éxito

La paradoja del éxito es un proceso que muestra cómo tener éxito puede llevarte al fracaso si no estás enfocado en lo esencial: lo que te llevó al éxito en primer lugar. Este es el proceso:

Fase 1: Tenemos una claridad de propósito. Hacemos un gran esfuerzo en las actividades críticas para tener éxito en nuestra meta. Nuestro enfoque y persistencia nos llevan a comenzar a tener éxito.

Fase 2: Nuestro éxito empieza a ser notado por otros. Comenzamos a crecer y nos convertimos en «los expertos». Muchos desean acercarse a nosotros por consultoría y consejo.

Fase 3: Comienzan a aparecer una gran cantidad de oportunidades gracias a nuestro éxito. Necesitamos cada vez más enfocarnos en actividades «más gerenciales» que las anteriores. Otras actividades «de expertos» empiezan a demandar nuestro tiempo y energía.

Fase 4: Nos distraemos de las actividades que nos llevaron al éxito en primer lugar. Nuestro *momentum* comienza a decaer y empezamos a perder el éxito que una vez tuvimos. Nuestro éxito se convirtió en la razón de nuestro fracaso.

Recuerdo cuando comencé un negocio de venta directa que me llevó a tener mucho éxito. Mi entusiasmo diario me llevaba a

presentar el plan de negocios y la línea de productos con disciplina y persistencia.

Al pasar un tiempo, mi organización había crecido a cientos de distribuidores. Con el éxito financiero, llegaron también compromisos con la organización. También llegó el reconocimiento y otras oportunidades como orador en otras organizaciones. Estas oportunidades me llevaron a desenfocarme de las actividades originales que me habían llevado a tener éxito por «aprovechar» otras oportunidades que me daban dinero y reconocimiento.

Con el tiempo, el *momentum* de crecimiento de mi organización se frenó y un poco más tarde comenzó a decaer. Al final, el éxito que una vez tuve me llevó a fracasar por la inhabilidad de definir lo esencial en mi jornada.

Desarrollar la capacidad para definir lo esencial y mantenerte aferrado a la disciplina de ejecutar esas actividades evitando caer en la tentación de las «nuevas» oportunidades, será uno de los pilares de tu éxito sostenido en tu jornada.

Uno de los grandes ejemplos del enfoque en lo esencial lo aprendí al leer sobre Jim Sinegal. Jim es uno de los fundadores de Costco, una cadena de productos al mayoreo que factura más de cien billones de dólares al año.

Aparte de ser el fundador, Jim también ejerció como CEO de la compañía hasta el año 2011, y ha sido uno de los CEO más admirados del mundo. Él fue nombrado por el periódico *Business Week* como uno de los mejores gerentes de 2003. Fue también nombrado por la revista *Time* como uno de los cien hombres más influyentes del mundo, y por más de doce años ha sido nombrado como uno de los CEO más respetados en la revista *Barron's*.[2]

En su tiempo como CEO, a pesar de tener las ocupaciones normales de un CEO de ese nivel, siempre entendió que visitar sus tiendas (ir y caminar en el piso de trabajo) era esencial para mantenerse en contacto con el negocio y asegurarse de que su visión se llevaba a la realidad.

Ahora bien, cuando digo que visitar las tiendas era considerado como esencial, puede sonar lógico para un negocio que tiene

dos, tres o cuatro tiendas. También hace sentido si todas las tiendas están en la misma ciudad o la misma región. Sin embargo, Jim viajaba personalmente a más de doscientas tiendas cada año entre Estados Unidos, Canadá, México, Europa y hasta Japón y Australia. Visitar doscientas tiendas al año significa que la mayoría de tu tiempo estás en un avión y caminado por los pasillos de las tiendas, conversando con los empleados y revisando la mercancía.

Pero para Jim Sinegal invertir la mayoría de su tiempo en esto era mucho más importante que largas juntas en las oficinas corporativas. Para Jim, esto era esencial y así lo demostró durante toda su vida como líder de esta gigantesca organización.

Los amantes de la montaña entienden este concepto muy bien. Recuerdo mi primer viaje a la montaña cuando tuve que preparar mi primer morral con suministros necesarios para una caminata de varios días. La primera vez que preparas un morral crees que es algo sencillo: si vas a estar en la montaña por cinco días, pues necesitas cinco mudas de ropa, comida, equipos, todos tus implementos de aseo personal, una muda extra en caso de una emergencia, un par de suéteres, un par de pijamas, etc.

Todo marcha muy bien hasta que te colocas el morral en la espalda y sientes el peso que comprime los huesos de tu columna vertebral. En ese momento te das cuenta de que jamás vas a poder caminar más de una hora con tanto peso en la espalda.

Estos son los momentos en que algún amigo o guía más experimentado te ve y se ríe. Saca todo de tu morral y comienza a enseñarte lo que realmente es esencial. Solo necesitas una pequeña porción de tus implementos de aseo personal, solo una franela que rotarás y utilizarás por cinco días. Ni te cuento de la ropa interior. Inclusive rompe el mango del cepillo de dientes para que no tengas que cargar ese peso. Le quita las etiquetas a tu ropa. Disminuye todo el peso posible. Llena tu morral con lo realmente esencial: un proceso minimalista.

Muchas veces nosotros vivimos la vida llena de cosas innecesarias: teléfonos, carros, casas, equipos, reuniones, compromisos, actividades, etc. Vivimos la vida como si lleváramos un morral con

cincuenta kilos en la espalda que nos comprime los huesos con cada paso. Nos sentimos ahogados al punto de que no podemos disfrutar las vistas del camino por el dolor de la carga que llevamos.

¿Cómo sería nuestra vida si lleváramos lo esencial? ¿Cómo caminaríamos nuestra jornada del héroe si estuviéramos livianos? ¿Imaginas una vida con mínimos compromisos, sin cosas innecesarias y sin actividades que nos agregan poco valor? ¿Cómo sería la vida si aprendieras a decir «no»?

Nunca olvides que la sociedad, la familia y los amigos tratarán toda la vida de definir lo que el éxito debe ser para ti. El gran error que puedes cometer es vivir tu vida para cumplir las expectativas de otro y solo para llegar al final de tus días y darte cuenta de que la escalera que subías estaba en la pared equivocada.

Uno de los grandes problemas es que nosotros no estamos diseñados para eliminar, sino para agregar. Vamos al mercado para llenar un refrigerador y la despensa sin primero eliminar lo que ya no necesitamos. Compramos nuevas prendas de vestir sin eliminar las viejas, agregamos nuevas responsabilidades a nuestra vida sin sentarnos a priorizar y eliminar lo que ya no está dando resultado.

Mi objetivo en este capítulo es convencerte de que «eliminar» cambiará tu vida, te hará mil veces más productivo y te ayudará a lograr lo que realmente quieres de la vida.

Todo parte de algo llamado el «principio de Pareto», un principio descubierto por Wilfredo Pareto.

Wilfredo Federico Pareto fue un ingeniero, economista y sociólogo italiano que descubrió el principio 80/20. Su primer descubrimiento fue que el 80% de las tierras italianas estaban en manos del 20% de la población.

El principio 80/20 (como también se conoce) se extrapoló a una gran cantidad de áreas de la sociedad, los negocios, el manejo del tiempo y recursos, entre otros.

He aquí unos ejemplos:

Tiempo: el 20% de nuestro tiempo produce el 80% de los resultados.

Productos: el 20% de tus productos es responsable del 80% de las ventas.

Lectura: el 20% de un libro tiene el 80% del contenido. (Y espero que esto no sea real para este libro, sino que sientas que cada página te agrega valor.)

Trabajo: el 20% de tu trabajo/proyectos aportan el 80% del resultado.

Clientes: el 20% de los clientes representan el 80% de tus ventas.

Generalizando el concepto, nos indica lo siguiente: el 80% de los resultados que obtienes, vienen del 20% del esfuerzo. En otras palabras, el otro 80% del esfuerzo que realizas, solo te trae el 20% de resultados.

Luego de ese 20% de actividades que te traen el 80% del resultado, todo lo restante entra en el llamado «punto de retorno decreciente» en el que a medida que haces más esfuerzo, obtienes menos resultados.

La clave está en detectar ese 20% de actividades importantes, y luego eliminar todo lo demás.

Una cosa que no debes perder de vista es que el objetivo final no es solo eliminar, el objetivo final es reemplazar ese tiempo, esfuerzo y recursos, en actividades más productivas. Actividades que te lleven adonde quieres llegar.

Eliminar liberará espacios, tiempo y recursos de tu vida que te permitirán reinvertirlos en la reflexión, la imaginación, la innovación, las actividades que te llevarán más rápidamente a tus sueños o, inclusive, el tiempo, en cantidad y calidad, con las personas que más amas.

Recuerda esto: aprende a viajar liviano. No permitas que ni tú ni nadie comience a colocar cosas pesadas en tu morral. Enfócate en el veinte por ciento que te da el ochenta por ciento de los resultados. Camina con poco peso. No necesitarás tantas cosas como crees, y a muchas personas no les importará que les digas «no». Disfruta tu jornada.

APRENDE A RECOGER LAS FLORES DEL CAMINO

EN UNA MAÑANA FRÍA DE enero, un hombre entró a una estación del metro en Washington D.C. y comenzó a tocar un viejo violín. Eran cerca de las ocho de la mañana, hora pico del tren, y cientos de personas se apresuran para llegar a sus trabajos.

Este hombre tocó seis piezas por alrededor de cuarenta y cinco minutos. En ese tiempo, pasaron frente a él más de mil personas, de las cuales solo siete se pararon por unos segundos para escuchar y luego continuar su camino. Cerca de veinte personas le dejaron una propina permitiéndole a este hombre juntar un poco más de treinta y dos dólares en su presentación.

Salvo una mujer que lo escuchó por alrededor de dos minutos, todos los demás no lo escucharon más de treinta segundos para seguir su camino. Al finalizar, este hombre guardó su violín y se retiró de la estación. Nadie lo notó, nadie aplaudió y no hubo ningún reconocimiento.

Lo que nadie sabía era que ese violinista era Joshua Bell, uno de los mejores violinistas del mundo entero. Un hombre que tres días

antes había llenado todo un teatro donde cada boleto costaba por encima de cien dólares. No solo eso, sino que estaba utilizando un violín hecho en 1713 por Antonio Stradivarius con un valor de más de tres millones y medio de dólares.

Entre las seis piezas que Joshua Bell había tocado se encontraba «Chaconne», de Bach; esta era considerada una de las piezas más difíciles del mundo. Por cuarenta y cinco minutos, más de mil personas habían pasado frente a uno de los mejores violinistas del mundo, tocando una de las piezas más difíciles del mundo con uno de los violines más costosos del mundo, y solo siete personas se detuvieron para escuchar.[1]

Esta fue una historia real, fue un experimento organizado por el *Washington Post* para entender la percepción, los gustos y las prioridades de las personas. Por eso lo habían puesto de incógnito en una de las zonas más concurridas de la ciudad. ¿Serían las personas capaces de detenerse y apreciar la belleza?

Mientras planificaban el experimento, Leonard Slatkin, director musical de la Orquesta Nacional, comentó que de seguro una multitud de personas se pararían a escuchar y que como mínimo lograría acumular ciento cincuenta dólares. La realidad es que no hubo ninguna multitud y tampoco hubo mucho dinero.

Una de las conclusiones del experimento fue la siguiente: ¿si no tenemos un momento para pararnos, detectar y escuchar a uno de los mejores músicos del mundo tocando unas de las piezas más complejas de la historia, qué otras cosas nos estamos perdiendo?

Tanto tú como yo vivimos en un mundo que se mueve rápidamente. Vivimos muchas veces absorbidos por las actividades diarias y los compromisos que tenemos que cumplir. Estamos como en una carrera de ratas donde corremos y corremos en la rueda sin darnos cuenta de que afuera hay un mundo que está poniendo ante nuestros ojos un regalo de belleza cada día, todos los días.

¿Qué te estás perdiendo?

Creo que Dios y la vida nos regalan piezas de Joshua Bell tocadas en violines millonarios cada día y nosotros simplemente les pasamos de largo porque tenemos algo urgente que hacer.

La Jornada del Héroe es una jornada que nunca acaba, es un ciclo que te llevará a despertar tu héroe interior, lograr tus sueños y vivir una vida que valga la pena; pero no podemos olvidar que la belleza de la vida está en los momentos, no podemos enfocarnos tanto en el futuro que olvidemos el hoy. No podemos perdernos a Joshua Bell tocando una hermosa pieza cuando nos crucemos en su camino.

Hace ya varios años quise mostrarle a mi hijo un riachuelo que había descubierto en un parque cerca de nuestra casa. Ese día le conté de este río y le prometí que lo iba a llevar a conocerlo esa tarde.

Al llegar al parque, me coloqué a mi hijo en los hombros y comenzamos nuestra aventura en el bosque hacia el río.

No había dado más de diez pasos cuando mi hijo, apenas aprendiendo a hablar, me dijo: «Papi, quiero flor, quiero flor» refiriéndose a una flor silvestre que estaba a un lado del camino. En ese momento me agaché, la recogí y le di la flor.

Seguimos caminando y dos pasos más adelante por supuesto que vio otra flor y me dijo: «Papi, mira la flor, quiero la flor», yo me agaché y lo ayudé a recogerla otra vez, y después me dijo: «Papi, mira otra flor y otra y otra...».

En este momento yo pensaba que no podía estar parándome cada dos pasos y agachándome cada minuto, entonces le dije: «Hijo, no vamos a poder llegar al río a tiempo, recuerda que vamos al río».

Sin que fuera extraño para mí, no me escuchó ni una palabra y siguió pidiéndome cada flor que veía en el camino.

Luego de más de treinta minutos y una gran cantidad de paradas a recoger las flores, tantas que había perdido la cuenta, llegamos al río.

Y el río estaba seco.

Había ocurrido una sequía muy fuerte en esas últimas semanas y no había nada que quedara del río. Las aguas se habían reducido a un hilo casi imperceptible y una gran cantidad de rocas.

Frustrado, di media vuelta y comencé a caminar en dirección al parque. Tal y como era de esperarse, mi hijo comenzó a detectar todas las flores que había pasado por alto en el camino hacia el río, y, por supuesto, tuve que pararme, agacharme, recoger la flor y dársela a mi hijo que todavía descansaba en mi espalda.

Al salir del bosque, yo estaba todo frustrado, pero al mirar a mi hijo noté que él no lo estaba. De hecho lo veía inmensamente feliz.

Mi hijo tenía sus manitas llenas de flores.

Para él, este había sido el mejor evento del día: ir con papá a recoger flores.

En la vida sucede exactamente lo mismo. Nos ponemos una meta, nos ponemos un objetivo. Queremos tener éxito en este negocio, queremos un ascenso en el trabajo, queremos este carro, o esta casa, o esta otra cosa.

Y muchas veces cuando llegamos resulta que «el río estaba seco».

Y nos frustramos.

Y creemos que la solución es el siguiente río.

Para mi hijo la vida es diferente. Para mi hijo el placer está en descubrir lo hermoso de la vida, las cosas nuevas para él, lo que él no ha visto, lo que a veces tú y yo dejamos de ver u olvidamos que está.

Para mi hijo la vida se trata de las flores, los pájaros, la luna, las estrellas, el sol.

Hoy quiero decirte algo: tú vas a llegar a tu meta, vas a cumplir tu sueño. Si eres determinado, persistente y constante, lo vas a lograr. Todo el objetivo de compartir La Jornada del Héroe contigo es que puedas comprender el proceso, dónde te encuentras y hacia dónde debes ir.

Vas a lograr la victoria. A lo mejor llegas un poco después o inclusive antes de lo que esperabas. Es importante que te convenzas de que lo vas a lograr.

Pero la realidad es que a veces, sin saberlo, nos colocamos metas que creemos nos traerán felicidad y la verdad es que muchas veces son ríos secos. Por eso, por si acaso, solo por si acaso, si llegas y te das cuenta de que el río está seco, no te olvides de ver, de oler y de recoger las flores del camino.

Y cuando llegues al final de tu vida, sin importar qué tanto logres, qué tanto alcances o en quién te conviertas; cuando llegues al final de tu vida...

...tendrás tus manos llenas de flores.

No olvides estar presente, vivir el ahora, disfrutar la melodía de Joshua Bell o las hermosas flores silvestres que Dios te regala en

medio del camino. Aprende a desarrollar la imprescindible habilidad de mirar hacia adelante mientras dejas un tiempo para parar, oler y recoger las flores del camino.

Tal como dijo Facundo Cabral: «Nacemos para vivir, por eso el capital más importante que tenemos es el tiempo, es tan corto nuestro paso por este planeta que es una pésima idea no gozar cada paso y cada instante, con el favor de una mente que no tiene límites y un corazón que puede amar mucho más de lo que suponemos».[2]

CAPÍTULO 20

CREA HÁBITOS Y ACUÉSTATE A DORMIR

EN LO QUE NOS CONVIRTAMOS al final de nuestra jornada depende enormemente de las pequeñas acciones que hacemos día a día. Grandes éxitos y grandes desastres no se construyen (o se destruyen) por un esfuerzo gigantesco en un corto período de tiempo, sino por el contrario, por pequeños esfuerzos y acciones diarias que eventualmente construyen cosas grandes e inimaginables.

Hace un tiempo conseguí este poema en el internet. Por más que busqué e investigué nunca logré dar con su autor. Así que se los comparto de parte de un autor desconocido:

Yo soy tu constante compañero.
Yo soy tu mejor ayuda o tu peor carga.
Yo te empujaré hacia adelante o hacia el fracaso.
Yo estoy completamente bajo tus órdenes.
La mitad de las cosas que tú haces, deberías dármelas a mí,
Yo las haré más rápido y correctamente.

Me puedes manejar fácilmente. Simplemente sé firme conmigo.
Enséñame exactamente cómo quieres que se haga algo,
Y luego de unas cuantas lecciones lo haré automáticamente.
Yo soy el sirviente de los grandes hombres y mujeres,
Y también, de los peores fracasados.
Los que son grandes, los he hecho grandes.
Los que son fracasados, los he hecho fracasar [...]

Tú me puedes usar para producir ganancias o para llevarte a la
    ruina;
Da lo mismo para mí.

Tómame, entréname, sé firme conmigo
Y pondré el mundo a tus pies.
Sé débil conmigo, y te destruiré.

¿Quién soy?
¡Soy un hábito![1]

Uno de mis más grandes amigos se llama Alberto Jiménez. Es un hombre apasionado por Dios y también por la aviación. Desde pequeño siempre soñó con volar hasta que se convirtió en piloto de avión. Alberto es una de esas personas que cuando no está trabajando (volando un avión) está jugando con su simulador de vuelo en la casa. Es decir, cuando no está trabajando, está jugando a trabajar.

Un día que nos vimos en un viaje que hice a la Florida, me invitó a dar una vuelta en el avión que pilotea. Por mantenimiento, estaba forzado a volar el avión durante un tiempo, así que me invitó a mí y a mi familia a «dar una vuelta» por los cielos de Miami.

Ese día me sentí como un millonario llegando a un aeropuerto privado y montándome en un avión privado donde cada asiento era de primera clase. Cada detalle del avión era de lujo. Así sí provocaba viajar.

Otra cosa interesante fue que tuve la oportunidad de estar muy cerca de la cabina y pude ver el despegue y el aterrizaje como lo ve

un piloto. También tuve la oportunidad de ver las mil cosas que Alberto hacía y preguntarle cada detalle para saciar mi curiosidad.

Una de las cosas interesantes que me explicó fue que después de colocar el plan de vuelo en el sistema del avión (en una computadora colocan el código del aeropuerto actual, el aeropuerto de destino, la altura en que vas a volar, etc.), despegar y llegar a la altura deseada, colocaba el avión en piloto automático.

Este piloto automático lleva el avión al destino deseado manteniendo la altura definida. Antes del momento del aterrizaje, el piloto nuevamente toma el control.

Algo que me llamó muchísimo la atención es que el piloto automático es una magnífica ayuda si (y solo si) defines claramente el plan de vuelo (a dónde quieres llegar, cómo quieres llegar y cuándo quieres llegar). Si no tienes el plan de vuelo claro, el piloto automático es inútil o inclusive peligroso.

La realidad de la vida es que queramos o no, todos nosotros tenemos activado un «piloto automático». El problema está en que si no tenemos claro el plan de vuelo, terminamos en un lugar totalmente distinto al que deseábamos.

Ese «piloto automático» son nuestros hábitos.

Todos estamos manejados por nuestros hábitos. Si no existieran los hábitos, tendríamos que pensar antes de cada acción en todo momento. Los hábitos nos ayudan a descargar la mente consciente de decisiones que ellos toman automáticamente. Son nuestro «piloto automático».

El agua, gota a gota, rompe la roca. Tus hábitos te harán una persona saludable o enferma, una persona próspera o pobre, una persona llena de amigos o solitaria. Día a día, definirán tu destino.

Si logramos dominar nuestros hábitos, ellos nos llevarán a donde queremos llegar. Crear un nuevo hábito positivo no es tarea fácil, pero es la mejor inversión que puedes hacer en tu vida. Después que logras transformar una actividad en un hábito, ya no necesitas pensar en ello, ya no necesitas esforzarte, ya ocurre de manera automática para ti.

Existen múltiples investigaciones que tratan de explicar el tiempo que se necesita para desarrollar un hábito. Yo he escuchado desde

veintiún días hasta seis semanas. En mi experiencia personal, veintiún días no ha sido suficiente, treinta y un días ha sido perfecto. Te explico a continuación el proceso de desarrollar un hábito:

Días uno al tres: en estos primeros días ejecutar la actividad que deseamos desarrollar como hábito es sumamente fácil. Está completamente manejada por nuestro entusiasmo. Nos despertamos temprano para leer, meditar o salir a hacer ejercicios. El entusiasmo nos da la energía y motivación para hacer lo que necesitamos hacer.

Días cuatro al siete: días de dificultad extrema. En estos días necesitamos utilizar toda nuestra voluntad. Si comenzamos a hacer ejercicios, los músculos nos duelen. Levantarnos temprano de la cama para leer o escribir ya no es fácil como antes. En este punto la mayoría de las personas desisten.

Días ocho al catorce: días de dificultad media. A pesar de que todavía es difícil, se nos hace un poco más fácil que antes. Empezamos a notar que algunos días nos sentimos con entusiasmo aunque en otros no.

Días quince al veintiuno: días de dificultad baja. El hábito está comenzando a formarse. La inercia que está trabajando en nuestra contra va perdiendo poder. Empezamos a sentir que estamos en control.

Día veintiuno: momento de inercia cero. Este es el momento que tanto esperábamos. La fuerza de inercia que nos impedía levantarnos temprano, comer sano, ejercitarnos, ha sido vencida. El gran error que podemos cometer es bajar la guardia en este punto. El hábito todavía no se ha creado, simplemente la inercia se ha vencido. El hábito se creará en los siguientes diez días.

Días veintidós al treinta y uno: creación de inercia positiva y *momentum*. Establecimiento del hábito. Estos son los días de oro. Son los días en que estás escribiendo tu destino. Necesitas esforzarte para seguir construyendo el hábito en este momento. Descuidarnos puede voltear la inercia de nuevo en contra de nosotros.

Día treinta y uno: hábito creado.

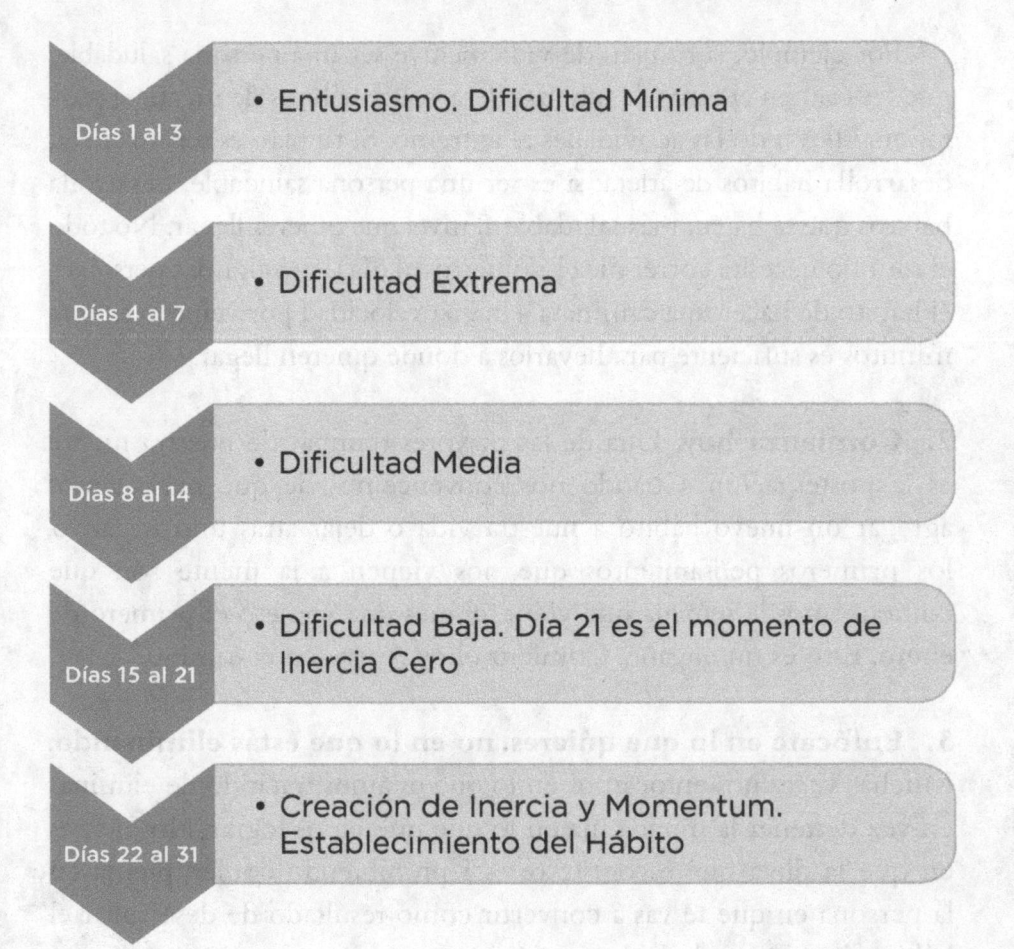

Días 1 al 3
- Entusiasmo. Dificultad Mínima

Días 4 al 7
- Dificultad Extrema

Días 8 al 14
- Dificultad Media

Días 15 al 21
- Dificultad Baja. Día 21 es el momento de Inercia Cero

Días 22 al 31
- Creación de Inercia y Momentum. Establecimiento del Hábito

Ya que sabes el proceso para crear hábitos, es importante desarrollar hábitos positivos, hábitos que te llevarán a tu destino. A continuación presento seis consejos que han sido claves para el desarrollo de hábitos positivos en mi vida y también para dejar atrás hábitos que me estaban llevando lejos de donde quería llegar:

1. Conecta el cambio que quieres hacer con tu tesoro. Es importante comprender que existen infinitos hábitos positivos, desde hacer ejercicios, meditar y orar, hasta tomarte un té verde en la mañana. Es común que las personas comiencen a trabajar en buenos hábitos por el simple hecho de que son buenos hábitos, sin conectarlos con el tesoro que están buscando en la jornada de su vida. A la larga esto puede traer frustración y fracaso.

Por ejemplo, si tu plan de vida incluye ser una persona saludable, puedes caer en el error de intentar desarrollar hábitos de un atleta profesional llevando las actividades al extremo. Si tu plan es ser un atleta, desarrolla hábitos de atleta; si es ser una persona saludable, desarrolla hábitos que te hagan más saludable al nivel que quieres llegar. No todo el mundo necesita correr diez kilómetros al día. Para algunas personas, el hábito de hacer una caminata a buena velocidad por veinte a treinta minutos es suficiente para llevarlos a donde quieren llegar.

2. Comienza hoy. Una de las mayores trampas de nuestra mente es la postergación. Cuando nos convencemos de que necesitamos agregar un nuevo hábito a nuestra vida o dejar atrás uno negativo, los primeros pensamientos que nos vienen a la mente son que comencemos la semana que viene, el mes que viene o el primero de enero. Esto es un engaño. Comienza hoy. Ajusta en el camino.

3. Enfócate en lo que quieres, no en lo que estás eliminando. Muchas veces nos enfocamos en lo que estamos tratando de eliminar en vez de tener la mirada fija en lo que queremos lograr. No pienses en que la dieta que escogiste te está prohibiendo comer, piensa en la persona en que te vas a convertir como resultado de desarrollar el hábito de comer saludable.

Recuerda, no te enfoques tanto en el sacrificio, enfócate en el logro. Te hará el camino mucho más fácil.

4. Enfócate en pocos cambios a la vez. Uno de los errores más comunes es que las personas deciden cambiar toda su vida de la noche a la mañana. Deciden que no soportan más vivir así y dejan el cigarro, comienzan a comer saludable, se inscriben en un gimnasio, se compran un buen libro para retomar la lectura, tiran el televisor a la basura y donan el diez por ciento de su ingreso a una causa noble.

La triste realidad es que, salvo pocas excepciones, estas personas no logran los resultados y vuelven a los antiguos malos hábitos rápidamente.

La clave está en no olvidar que los malos hábitos se desarrollaron poco a poco a lo largo del tiempo y se mantuvieron por muchos meses o inclusive años. De la misma manera necesitamos ir desarrollando los buenos, poco a poco, uno a la vez.

Independientemente de que quieras cambiar todo en tu vida, comienza con uno o dos hábitos hasta que los domines, luego agrega otro y cambia poco a poco. Recuerda que no es una carrera, es la jornada de tu vida.

5. Sé preciso en qué hábito quieres desarrollar. Proponerse desarrollar hábitos ambiguos no ayuda mucho. Por ejemplo, desarrollar el hábito de la generosidad es ambiguo. Desarrollar el hábito de donar el 10% de tu ingreso a tu iglesia, caridad o alguien necesitado es un hábito mucho más preciso.

¿Ser saludable? Ambiguo. ¿Caminar treinta minutos por cinco días a la semana? Mucho mejor. ¿Desarrollar una vida espiritual más profunda? Ambiguo. ¿Orar todos juntos como familia antes de acostarnos cada noche en acción de gracias por el día que nos fue dado? Mucho mejor.

Asegúrate de especificar cuál es la acción que necesitas ejecutar en el hábito.

6. Crea un ecosistema de soporte. Con el objetivo de comer más saludable, mi esposa y yo decidimos eliminar los carbohidratos procesados de nuestra dieta seis días a la semana (y el sábado es la recompensa, podemos comer lo que queramos).

¿Cómo desarrollamos un ecosistema de soporte? No compramos carbohidratos procesados cuando vamos al mercado. Me llevo la comida lista al trabajo (ahorro dinero y elimino la tentación de salirme de la dieta), nos apoyamos mutuamente en los momentos duros, etc.

El punto que quiero transmitir es que necesitas desarrollar una atmósfera que facilite la creación del hábito y te aleje de la tentación de volver atrás. Algunos ejemplos interesantes que he visto son:

- Cortar y botar a la basura las tarjetas de crédito para poder salir de deudas.
- Irse a la cama con la ropa de hacer ejercicio para estar listos al despertarse.
- Colocar el reloj despertador alejado de la mesa de noche para obligarnos a pararnos en el momento correcto.
- Apagar el celular al llegar a la casa para no distraerse con cosas triviales como las redes sociales y el email.
- Estacionar el automóvil varias cuadras lejos del trabajo para forzarse a caminar.

Recuerda lo que dije anteriormente: el agua, gota a gota, rompe la roca. Tus hábitos te harán una persona saludable o enferma, una persona próspera o pobre, una persona llena de amigos o solitaria. Día a día definirán tu destino.

Crea hábitos y luego te puedes acostar a dormir.

CAPÍTULO 21

DESARROLLA EL AMOR POR LA LECTURA

DESCUBRÍ LA LECTURA A LOS diecinueve años. Antes de eso, era un analfabeto funcional. Leía lo mínimo necesario y solo los temas que necesitaba aprender para graduarme de la universidad. A esa edad, por primera vez se abrió este nuevo mundo ante mis ojos.

El primer libro que leí fue *Los 7 hábitos de la gente altamente efectiva*, del doctor Stephen Covey. Este libro cambió mi vida, no solo por la información que me dio, sino por el descubrimiento de que tanta sabiduría estaba a mi disposición para el resto de mi vida entre las tapas de un buen libro.

Después de ese libro, leí otro, y luego otro, y luego otro. Comencé a darme cuenta de algo interesante: podía convertirme en uno de los mejores del mundo en cualquier área que decidiera si me comprometía a la lectura. ¿Por qué? Porque la mayoría de las personas no lee. Descubrí que leer me daba una ventaja competitiva magnífica en cualquier área que deseara aventurarme.

Con tan solo leer un par de buenos libros de un tema, sabía más que el noventa por ciento de las personas sobre ese tema específico.

De verdad me impresionaba que las personas no quisieran leer, no entendía por qué estaban tranquilas de dejar a un lado tanto potencial de sabiduría y crecimiento.

Una vez escuché a alguien decir: «El lugar en donde estés en diez años dependerá de las personas con las que te asocias y de los libros que leas. La lectura, o la falta de ella, es uno de esos factores que definirá tu jornada».

Desde los diecinueve años, ya quince años más tarde, han pasado por mí cientos de libros, por ello te quiero dejar ciertos aprendizajes que creo te ayudarán en tu proceso de lectura:

1. Lee libros, no solo blogs, periódicos y revistas. Leer blogs, periódicos y revistas es importante, pero nunca deben tomar el lugar de los libros. Los blogs, periódicos y revistas son publicaciones cortas (que para cierto tipo de información es perfecta), pero un buen libro te lleva a niveles mucho más profundos de entendimiento que nunca encontrarás en el contenido corto que recibes día a día en tu blog favorito.

Entre los beneficios que te dan los libros contra las publicaciones cortas están:

- Desarrollan tu capacidad de análisis y entendimiento de los problemas. La mayoría de nosotros estamos inundados de las noticias que nos muestran los problemas del mundo. El problema está en que es difícil conseguir la solución a un problema si no entendemos el problema a profundidad, y solo un libro puede ayudarte a comprenderlo al nivel necesario. Las publicaciones cortas te mostrarán que existe un problema; un libro te ayudará a comprenderlo a profundidad para entonces poder hacer algo para resolverlo.
- Desarrollan tu perspectiva del mundo. En un buen libro, al autor se le da el espacio y el tiempo para comunicarte su perspectiva de algún tema en específico. El espacio y el tiempo te permiten aprender nuevas perspectivas y expandir tu visión del mundo. En un buen libro, el autor te transmite tanto de él y de su vida (escribir un libro es un trabajo largo y arduo) que la información que deja a tu disposición tiene un valor incalculable.

- Aumentan tu capacidad de concentración. Todo el día somos bombardeados por cientos de pedazos de contenido que nos llevan a una vida con falta de concentración y enfoque. Un libro te obliga a desarrollar nuevamente el músculo de la concentración y el enfoque.
- Desarrollan tu capacidad creativa. El solo hecho de leer un buen libro de ficción llevará a tu mente a crear escenarios, paisajes y personajes. Ese proceso de forzar a tu mente para imaginar, desarrollará tu capacidad creativa y de innovación.

2. El momento perfecto para leer probablemente nunca llegue. Así que lee, así sea un poco cada día.

Todos vivimos vidas ocupadas. No esperes el lugar perfecto para leer. Simplemente lee. Ten tu libro siempre contigo. Si estás esperando a alguien, lee. Si estás en el baño, lee. Si estás a punto de dormir, lee un par de minutos antes de acostarte. Aprovecha las pequeñas oportunidades de tiempo en el día para leer. Es mejor leer dos páginas al día que no leer por meses porque «no tienes tiempo».

3. Lee lo que quieras. Una de las claves fundamentales para desarrollar mi amor por la lectura fue cuando uno de mis mentores me dijo: «No necesariamente leas lo que la gente te recomienda, lee lo que tú quieras».

Si vas a una librería y un libro te atrapa, cómpralo y léelo. No hay nada más aburrido que leer un libro obligado. Lee lo que te entusiasma. Recuerda que leer requiere un esfuerzo mucho mayor que ver televisión y revisar tu Facebook, por eso, asegúrate de leer lo que te apasiona. Te hará el camino inmensamente más fácil.

4. No te obsesiones por terminar un libro. Este fue uno de los mayores consejos que recibí. Si el autor es bueno, no te podrás despegar. Si el autor es mediocre, perderá a los lectores.

Si un libro no me atrapa en los primeros dos a cinco capítulos, lo dejo por otro. Es preferible estar constantemente leyendo libros que te entusiasman y que te tienen atrapado, que parar de leer por meses

porque estás comprometido a terminar un libro en el cual perdiste interés.

Si estás leyendo esto, quiere decir que este libro te pareció útil de alguna manera, espero que no te hayas sentido obligado a terminarlo, sino por el contrario, que te haya mantenido entusiasmado.

5. Destruye el libro, ráyalo, subráyalo, anota en el borde, dobla las páginas. Los libros no son para crear una hermosa biblioteca en tu casa con el objetivo de que tus invitados se impresionen de todo lo que leíste y de tu sabiduría. No hace falta cuidar los libros como si fueran para coleccionar. Léelos, subráyalos, dóblalos, escribe en ellos. Es más, si algún día la vida me concede el honor de conocerte cara a cara, me encantaría ver que tienes este libro subrayado, con notas y realmente utilizado.

6. Agrega libros de ficción a tu lectura. Yo leo mayormente no ficción. Siempre me han apasionado los libros de liderazgo y crecimiento personal. Pero hace un tiempo aprendí el poder de agregar ficción a mi lectura.

Tal como comentaba anteriormente, leer un buen libro de ficción obliga a tu mente a generar escenarios, paisajes y personajes. Te obliga a convertir las descripciones en objetos reales creados por tu mente. Esa capacidad de crear e imaginar es como un músculo que se desarrolla con su uso, y un buen libro de ficción es el mejor ejercicio para desarrollar esa capacidad de creatividad e imaginación.

7. Lee con otra persona (tu pareja, un amigo o un grupo). Leer en grupo o con tu pareja o un amigo es genial. En varias ocasiones unos amigos y mi esposa hemos escogido un libro, lo leemos individualmente y luego nos reunimos una vez a la semana para conversar al respecto.

Ese proceso me permitió aprender nuevas perspectivas sobre el mismo tema, profundizar mi relación y mantenerme motivado a continuar leyendo. Tal como hablaba en el capítulo de la comunidad, tener una es clave para el éxito en cualquier área de tu vida, incluyendo la lectura.

8. Transmite a otros el mensaje más importante del libro. La mejor manera de aprender, de internalizar un tema, es enseñando a otros. Cuando leas un libro, un capítulo o inclusive una frase que te impactó, transmítelo a otros. Enseña a otros lo que aprendiste. De esa manera no solo colaborarás con el desarrollo de otros individuos sino que influirás en ellos el hábito de la lectura.

9. Motiva a otros a leer. Yo siempre estoy tratando de motivar a otros a leer. Estoy convencido de los beneficios. Una de las cosas que hago es que cuando las personas me preguntan sobre algún tema, los dirijo a un libro. Lo hago por lo siguiente:

- Un buen libro dará una mejor y más completa explicación que yo.
- Un libro requiere compromiso, y yo quiero saber si la persona está realmente interesada en la respuesta, en crecer y cambiar, o solo pregunta por preguntar.
- Si logro que esa persona desarrolle pasión por la lectura, sé que ayudé a transformar profundamente a ese ser humano.

10. Pon lo leído en acción: podrás leer bibliotecas enteras y presentarte ante el mundo como el gurú de algún tema específico; pero al final, lo importante es cómo la lectura influyó en tu vida para bien. Por ello, siempre pon lo leído en acción.

Ese es mi consejo del camino, lee, nunca dejes de leer.

SEXTA PARTE

PALABRAS FINALES

CAPÍTULO 22

DEL ÉXITO AL SIGNIFICADO

EN EL AÑO 2000 BILL Gates decidió renunciar a su cargo como CEO de Microsoft, una compañía que él había fundado veinticinco años antes y que lo había llevado a ser el hombre más rico del mundo por más de cinco años.

En el año 1975 Bill Gates junto a su compañero Paul Allen fundaron Microsoft, una compañía de software para computadoras personales que nació con la visión de que cada hogar tendría una computadora personal. Una visión que, aunque parezca lógica en este momento de la historia, no era creíble para la época en que Bill y Paul habían decidido fundar su compañía de software.

En las siguientes tres décadas, Microsoft lideró el mercado de software para computadoras personales y revolucionó el mundo tecnológico con el lanzamiento de Windows, Office y unos años más tarde el lanzamiento de Xbox, una video consola creada con el objetivo de dominar cada sala de cada casa alrededor del mundo.

El éxito de Microsoft convirtió a Bill Gates en el hombre más rico del mundo en el año 1995, y lo mantuvo en el primer lugar prácticamente hasta el día de hoy (salvo en el año 2008 y entre 2010 y 2013 cuando fue superado por Warren Buffett y Carlos Slim). Para

el momento en que escribo estas líneas, la fortuna de Bill Gates está estimada en más de ochenta billones de dólares.

¿Por qué, entonces, Bill Gates estaba renunciando en el año 2000 a la compañía que había sido su sueño y lo había llevado a ser el hombre más rico del mundo? ¿Por qué Bill Gates estaba disminuyendo su cargo y meses más tarde anunciando la disminución de horas de trabajo en Microsoft para dedicarse a otra cosa? ¿Por qué se estaba alejando solo cuando estaba en la cúspide del éxito?

¿Será que estaba recibiendo un nuevo llamado a la aventura? ¿Será que estaba comenzando una nueva Jornada del Héroe? ¿Qué lo estaba llamando?

A lo largo de este libro he definido al héroe como aquella persona que quiere algo y está dispuesta a atravesar el conflicto para conseguirlo. Ahora quiero hablarte un poco más de su real definición. Luego de leer múltiples libros y documentos sobre la definición de la palabra «héroe» llegué a una conclusión: esta palabra significa «el que protege y sirve». Es decir, un héroe solo puede llegar a ser héroe si dedica su vida a una causa más grande que su propio tesoro, un héroe necesita dedicar su vida a una causa que sirva y proteja a los demás.

Todo héroe tiene tres características:

1. **Crecimiento.** Un héroe pasa por un proceso de evolución y crecimiento a lo largo de su jornada, como vimos en el capítulo del conflicto y la victoria. Todo héroe es una persona diferente, más madura y con un carácter superior cuando termina su jornada.

2. **Acción.** Un héroe actúa, no solo piensa. Tal como comentaba anteriormente, en una película no se puede comunicar la intención de los personajes, solo la acción. Si el director quiere comunicar que un personaje es generoso, tiene que hacer un acto de generosidad en la película para que la audiencia lo comprenda. Un héroe es así en la vida real, un héroe entiende que no es la intención, sino la acción lo que lo convierte en héroe.

3. Sacrificio. Todo héroe entiende que debe dejar algo de valor a un lado (incluyendo sus propios sueños o inclusive su vida) por un ideal o bien común. Por llevar a la humanidad a un mejor lugar.

Nadie es inspirado por una historia de un héroe que lucha toda su vida por un objetivo egoísta. Nadie desea ver la película de una persona que dedicó años de trabajo, atravesó cientos de conflictos para poder comprarse un BMW.

No hay nada malo con querer y tener un BMW, pero al final es un objetivo personal, no es un tesoro que inspira y lleva a la humanidad a un mejor lugar. Las personas son inspiradas por héroes que se sacrifican por el bien común, por héroes que entienden lo que significa ser un héroe: proteger y servir.

Rob Bell dice que necesitamos buscar sufrimiento en el mundo y hacer algo al respecto. De lo contrario, nos volveremos miserables.

Existe algo maravilloso cuando personas dedican su vida a hacer algo por los demás. Es como si del cielo te asignaran finalmente el nombre de «héroe».

¿Sería esto lo que le pasó a Bill Gates? ¿Sería esta la razón por la cual estaba dejando atrás su sueño y la compañía que lo hizo el hombre más rico del mundo? ¿Sería que consciente o inconscientemente, estaba buscando convertirse en un verdadero héroe?

En el año 2000, Bill y su esposa Melinda fundaron la Bill & Melinda Gates Foundation, una fundación sin fines de lucro con el objetivo de atacar problemas complicados del mundo como la pobreza extrema y la deficiencia de salud en los países en desarrollo, y corregir las fallas del sistema educativo de Estados Unidos.[1] Bill Gates había dejado su sueño por un nuevo sueño. Uno más grande que crear el mejor software o la mejor consola de video juegos. Un sueño que sana, que salva vidas y que mueve a un país al desarrollo.

Entre las muchas cosas que han logrado en su fundación está la inversión de más de diez billones de dólares para la investigación, creación y entrega de vacunas a los países más pobres del mundo; más de cinco billones de dólares invertidos con el objetivo de

erradicar la enfermedad de la polio para el año 2018 (India fue ya declarada tierra libre de polio) y más de un billón de dólares para becas universitarias en los próximos veinte años.

Tal impacto tuvo la fundación de Bill y Melinda Gates que Warren Buffett, el segundo hombre más rico del mundo, decidió donar más de treinta billones de dólares a la fundación en el año 2006. Esta fue una de las donaciones más grandes de la historia.

El punto es que la historia de Bill Gates es inspiradora no por haberse convertido en el hombre más rico del mundo, sino por haberse convertido en el hombre que está dedicando su vida y su fortuna a erradicar las enfermedades más complejas del planeta, ayudar a países pobres a desarrollarse y corregir el sistema educativo de Estados Unidos, entre otros aspectos.

¿Quieres convertirte en un verdadero héroe? Entonces necesitas ajustar tus sueños y metas (tu tesoro) para que ayudes a la humanidad de alguna manera. Solo así podrás vivir una historia que valga la pena vivir y contar.

Muchas personas creen que la única opción es dejar a un lado tus sueños y mudarte a África para darle de comer al necesitado, y aunque creo que esa puede ser la opción para algunos, también creo que tanto tú como yo podemos conseguir la manera de adaptar nuestro día a día, nuestros sueños y metas para hacer el bien a los demás en la medida que caminamos nuestra jornada.

Nunca olvidaré aquella reunión en Procter & Gamble con el presidente de P&G Venezuela para ese momento, Edward Jardine. Como equipo le estábamos planteando una oportunidad de último minuto en la que necesitábamos una fuerte inversión para tener un producto listo para uno de nuestros clientes. Significaba un buen impulso a las ventas, aunque un golpe a nuestro margen de ganancia debido a todo lo que teníamos que pagar a último minuto para tener el producto listo.

Edward Jardine no estaba muy feliz con la idea de golpear nuestros márgenes de ganancia y poner a la organización a correr para suplir esta necesidad específica de un cliente que ya acostumbraba a ponernos a correr por su deficiencia en sus procesos de planeación.

Sin embargo, había algo en el corazón de Jardine que lo había comprometido a utilizar la inmensa influencia que tenía como la cabeza de una organización tan grande para hacer el bien a la humanidad. En ese momento, Jardine dijo:

—Ok, estoy dispuesto a invertir en producir el producto pero solo si contratas a personas con síndrome de Down para correr la línea de producción.

—¿Cómo? No creo que tengamos todo el producto listo a tiempo si lo hacemos de esa manera —respondió el gerente de logística.

—Pues contrata a más personas —respondió Jardine—. Si quieres poder suplir el producto para el evento, solo lo aprobaré si les damos la oportunidad a las personas con síndrome de Down. Solo así lo apruebo, punto.

Y así se hizo.

Él quería utilizar su influencia y poder para hacer el bien a la humanidad. Tú y yo podemos hacer eso cada día con nuestros trabajos, negocios y ocupaciones. Necesitamos dedicarnos a las personas, necesitamos entregar nuestras vidas para llevar a la humanidad a un mejor lugar.

Eso te convertirá en un verdadero héroe.

Recuerda esto, La Jornada del Héroe solo tendrá sentido si tu tesoro es para el bien de la humanidad. Es la única manera.

Cuando te entregas a otros comienzas realmente a construir un legado en las mentes y los corazones de los demás. Y como escuché una vez decir a Scott Mautz, un ejecutivo de Procter & Gamble, cuando creas un legado vences a la muerte. Cuando mueres, realmente nunca mueres; solo te divides en miles de pedazos que viven en el corazón de todos los que tocaste a lo largo de tu vida.

Decide ser eterno. Decide vivir para siempre en el corazón de miles de personas. Decide ser un verdadero héroe. Esa es la única manera en que te moverás del éxito al significado.

CAPÍTULO 23

EL NACIMIENTO DE UN MOVIMIENTO

EL MUNDO TE NECESITA. EL mundo necesita ver y escuchar tu historia.

Permíteme, ya para finalizar, contarte sobre mi sueño.

Este libro es la conclusión de cientos de horas de trabajo, mucho sudor y más de una lágrima. Para escribir estas líneas me enfoqué completamente y traté de dar todo lo que tenía en mi corazón con el objetivo de enseñarte La Jornada del Héroe y motivarte para que te lances en la aventura de tu vida. Uno de mis más grandes deseos es que vivas una vida que valga la pena vivir y contar.

Pero mi sueño es aún más grande. No solo se trata de ti sino de lo que tú puedas hacer por otros.

Mi sueño es crear un movimiento: una legión de héroes.

Y necesito de tu ayuda para lograrlo.

Este libro no puede quedarse solo contigo. Todo lo que acabas de leer y aprender les será de mucha utilidad a otras personas que no han entendido el propósito de su vida, tienen miedo de lanzarse en la búsqueda de sus sueños, se encuentran en el medio del conflicto sin

entender el porqué o están atrapadas en las comodidades de su mundo ordinario.

Existen millones de personas que están viviendo vidas neutralizadas, aburridas, personas que si hicieran una película de su vida, se confrontarían con una triste realidad. Personas que están caminando día a día hacia su tumba y no tienen miedo de llegar allá con la canción todavía en ellos.

La mismísima razón por la cual escribí este libro, abrirles los ojos a las personas para que vivan su vida al máximo; esa misma razón, la tienes ahora tú en tus manos.

Este libro no puede quedarse contigo.

Regálalo a quienes lo necesiten; si lo sientes propio porque lo llenaste de anotaciones, entonces compra otros para regalárselos a las personas que más amas. Apréndete La Jornada del Héroe, enséñala a otros.

Así como te motivé a convertirte en un héroe, ahora te motivo a que te conviertas en un mentor.

¿Te imaginas si todo tu equipo de trabajo fuera una legión de héroes? ¿Cómo sería si tu familia entendiera La Jornada del Héroe y estuviera luchando día a día por su tesoro? ¿Cómo sería el mundo si las personas entendieran que ser un héroe significa sacrificarse por llevar a la humanidad a un mejor lugar?

¿Cuántas personas conoces que están en medio de un conflicto y que se verían beneficiadas al leer los capítulos sobre el conflicto que escribí en este libro?

Ayúdame a compartir el mensaje, ayúdame a correr la voz.

Hoy quiero invitarte a que seas parte de un movimiento que tiene como objetivo no solo vivir una gran historia, sino enseñar y motivar a otros a hacer lo mismo.

Ayudemos a otros a despertar su héroe interior.

Por mucho tiempo estuve pensando cómo cerrar el capítulo más importante de este libro, el capítulo final. Luego de mucho pensar decidí terminar con lo siguiente:

¡Gracias! Gracias por leer estas palabras que con tanto esfuerzo y amor escribí para ti. Espero haber llegado a la altura de lo que

esperabas. Espero haberte ayudado en la jornada de tu vida. Ese es el mejor regalo que puedo recibir. De todo corazón, ¡mil gracias!

Le pido a Dios que un día nos podamos conocer cara a cara y que me puedas contar tu historia. Quiero escucharla, aprender sobre tus sueños, tu pasión y tu tesoro; me encantaría que me contaras sobre tu miedo y cómo lo venciste, y también sé que tendremos una profunda conversación sobre el conflicto que atravesaste. Quiero escuchar sobre cómo estás ayudando a llevar a la humanidad a un mejor lugar. Quiero ser impactado e inspirado por tu historia.

Quiero mirarte a los ojos y decirte: te felicito. Eres el héroe de tu vida. Gracias por inspirar mi vida.

Recuerda que un día, cuando partamos de este mundo, tu vida pasará frente a tus ojos...

...Asegúrate de que valga la pena mirar.

CONTACTO

¿Quieres contactarme? Me encantaría escuchar tu historia.
No dejes de visitarme en:
www.victorhugomanzanilla.com

o

www.liderazgohoy.com
También me puedes seguir en twitter en @vhmanzanilla
¡No olvides contarme tu historia!

NOTAS

Capítulo 1

1. Donald Miller, *Un largo camino de mil años* (Nashville: Grupo Nelson, 2011), pp. 27–28. Material de *Un largo camino de mil años* por Donald Miller, copyright © 2011 por Grupo Nelson, se usa con permiso de Grupo Nelson. www.gruponelson.com. Todos los derechos reservados.
2. Frase erróneamente atribuida a Henry David Thoreau. Para más información ver «The Henry D. Thoreau Mis-Quotation Page», The Walden Woods Project, https://www.walden.org/Library/Quotations/The_Henry_D._Thoreau_Mis-Quotation_Page.

Capítulo 2

1. *Corazón valiente*, guion por Randall Wallace, dirigida por Mel Gibson (Icon Entertainment International, 1995).
2. Steven Pressfield, *La guerra del arte* (Nueva York: Black Irish Books, 2013), p. 49.
3. John Eldredge, *Salvaje de corazón: descubramos el secreto del alma masculina* (Nashville: Grupo Nelson, 2003), pp. 13–14.

Capítulo 3

1. Joseph Campbell, *El héroe de las mil caras: psicoanálisis del mito* (México, D.F.: Fondo de Cultura Económica, 1959), p. 10.
2. Christopher Vogler, *El viaje del escritor* (Barcelona: Robinbook, 2002), p. 37.

Capítulo 4

1. *Cadena perpetua*, novela por Stephen King, guion por Frank Darabont, dirigida por Frank Darabont (Castle Rock Entertainment, 1994).

Capítulo 5

1. Scott Harrison, «Founder, Scott Harrison, Explains charity: water's Role in Solving the Water Crisis, at the 2013 Inbound Conference», http://www.charitywater.org/about/scotts_story.php.

2. Ibíd.
3. Curtis Martin, «Best of Curtis Martin Hall of Fame Speech», http://www.nfl.com/videos/nfl-hall-of-fame/0ap2000000046274/Best-of-Curtis-Martin-HOF-speech.
4. Marco Ayuso, «Descubrir tu pasión es encender tu luz. Hacer lo que te apasiona es iluminar al mundo con ella», 19 febrero 2014, http://marcoayuso.com/descubrir-tu-pasion-es-encender-tu-luz.

Capítulo 6

1. Ver John Goddard, «Otra marca en la lista», en *Caldo de pollo para el alma*, eds. Jack Canfield y Mark Victor Hanses (México, D.F.: Diana, 1996), pp. 135–39.
2. John Goddard, *The Survivor: 24 Spine-Chilling Adventures on the Edge of Death* (Deerfield Beach, FL: Health Communications, 2001), p. xi.
3. «John Goddard – Dateline NBC», entrevista disponible en http://www.johngoddard.info/.
4. Howard Schultz, citado en «Starbucks CEO Howard Schultz Talking about His Return as CEO», 30 junio 2011, http://starbucksmelody.com/2011/06/30/starbucks-ceo-howard-schultz-talking-about-his-return-as-ceo/.

Capítulo 7

1. Robert McKee, *El guión: sustancia, estructura, estilo y principios de la escritura de guiones*, trad. Jessica Lockhart (Barcelona: ALBA, 2011), capítulo 1, edición digital.
2. *El hobbit: un viaje inesperado*, guion por Fran Walsh, Philippa Boyens, Peter Jackson y Guillermo del Toro, dirigida por Peter Jackson (New Line Cinema, Metro-Goldwyn-Mayer, Wingnut Films, 2012).
3. J. R. R. Tolkien, *El hobbit* (Barcelona: Minotauro, 1982), p. 64.
4. Pressfield, *Guerra del arte*, p. 58.
5. Charles Duhigg, *The Power of Habit* (Nueva York: Random House, 2012), pp. 109–111 [*El poder de los hábitos* (Barcelona: Urano, 2015)].
6. Roald Amundsen, *The South Pole*, vol. 1 (Nueva York: Lee Keedick, 1913), p. 370.

Capítulo 8

1. *The Way*, guion por Emilio Estévez, dirigida por Emilio Estévez (Filmax Entertainment, 2010).
2. Ibíd.
3. Miller, *Largo camino*, pp. 113–14.
4. Ibíd., pp. 130–31.
5. Ibíd., p. 160.
6. Tolkien, *El hobbit*, p. 64.
7. Pressfield, *Guerra del arte*, p. 19.

Capítulo 9

1. Pressfield, *Guerra del arte*, pp. 18, 73, 75.

Capítulo 10

1. «Biografía de Tony (español)», http://www.tonymelendez.com/Espanol/VIDEOS. html.
2. Rob Bell, «Drops Like Stars», conferencia en Columbus, Ohio, 2010.
3. Ibíd.
4. Miller, *Largo camino*, p. 188.
5. John Maxwell, Conferencia de Liderazgo, Ciudad de México, 2014.
6. Elisabeth Kubler-Ross, *Death: The Final Stage of Growth* (Nueva York: Simon & Schuster, 1975), p. 96.
7. Chanpory Rith, «What Michelangelo Can Teach You About Good Design», 29 enero 2008, http://www.lifeclever.com/ what-michelangelo-can-teach-you-about-good-design.

Capítulo 11

1. Erik Weihenmayer, Conferencia Latinnovation, 2007. Cincinnati, Ohio, EE.UU.
2. John Maxwell, Conferencia de Liderazgo, Ciudad de México, 2014.
3. Malcolm Gladwell, *Fuera de serie (Outliers)* (Madrid: Punto de lectura, 2013), capítulo 2, posición 406, edición digital.
4. Daniel Levitin, *This is Your Brain on Music* (Nueva York: Penguin, 2006), p. 197 [*El cerebro y la música* (Barcelona: RBA, 2008)].

Capítulo 12

1. Michael Jordan, *Mi filosofía del triunfo* (México, D.F.: Selector, 1995), p. 16.
2. Pressfield, *Guerra del arte*, p. 45.
3. Diana Nyad, citado en Matt Sloane, Jason Hanna y Dana Ford, «"Never, Ever Give Up:" Diana Nyad Completes Historic Cuba-to-Florida Swim», CNN, 3 septiembre 2013, http://www.cnn.com/2013/09/02/world/americas/ diana-nyad-cuba-florida-swim/.
4. Theodore Roosevelt, «Citizenship in a Republic», conferencia dada en París, Francia, 23 abril 1910, http://design.caltech.edu/erik/Misc/Citizenship_in_a_Republic.pdf.

Capítulo 13

1. Miller, *Largo camino*, p. 182.
2. Vogler, *Viaje del escritor*, p. 54.
3. Robin Pogrebin, «From Waitress to Brother's Savior, Then Hollywood Hero», *The New York Times*, 12 octubre 2010, http://www.nytimes.com/2010/10/13/ movies/13waitress.html.
4. Ibíd.
5. Pressfield, *Guerra del arte*, p. 179.

Capítulo 16

1. *Rudy*, guion por Angelo Pizzo, dirigida por David Anspaugh (TriStar Pictures, 1993).

Capítulo 18

1. Greg McKeown, *Esencialismo: logra el máximo de resultados con el mínimo de esfuerzo* (Barcelona: Aguilar, 2014), capítulo 1, edición digital.
2. Christopher Sampson, «CEO 101: Legendary Costco Leader Talks Business with UW-Green Bay Students», University of Winsconsin Green Bay, 3 abril 2014, http://news.uwgb.edu/featured/leading-learning/04/03/sinegal-costco-leader-talks-to-students.

Capítulo 19

1. Gene Weingarten, «Gene Weingarten: Setting the Record Straight on the Joshua Bell Experiment», *The Washington Post,* 14 octubre 2014, http://www.washingtonpost.com/news/style/wp/2014/10/14/gene-weingarten-setting-the-record-straight-on-the-joshua-bell-experiment.
2. Facundo Cabral, «Intensamente vivo», 13 marzo 2008, http://www.facundocabral.info/literatura-texto.php?Id=83.

Capítulo 20

1. Autor desconocido, «The Habit», tomado de Natalie Conrad, «A Poem – The Habit», Organized Habits, http://www.organizedhabits.com/a-poem.

Capítulo 22

1. «Who We Are – History», Bill and Melinda Gates Foundation, http://www.gatesfoundation.org/Who-We-Are/General-Information/History.

BIBLIOGRAFÍA

Campbell, Joseph. *El héroe de las mil caras*. México, D.F.: Fondo de Cultura Económica, 1959.

Canfield, Jack y Mark Victor Hanses. *Caldo de pollo para el alma*. México, D.F.: Diana, 1996.

Duhigg, Charles. *El poder de los hábitos*. Barcelona: Urano, 2015.

Eldredge, John. *Salvaje de corazón*. Nashville: Grupo Nelson, 2003.

Gladwell, Malcolm. *Fuera de serie (Outliers)*. Madrid: Punto de lectura, 2013.

Jordan, Michael. *Mi filosofía del triunfo*. México D.F.: Selector, 1995.

Levitin, Daniel. *El cerebro y la música: el estudio científico de una obsesión humana*. Barcelona: RBA, 2008.

McKee, Robert. *El guión: sustancia, estructura, estilo y principios de la escritura de guiones*. Barcelona: ALBA, 2011.

McKeown, Greg. *Esencialismo: logra el máximo de resultados con el mínimo de esfuerzo*. Barcelona: Aguilar, 2014.

Miller, Donald. *Un largo camino de mil años*. Nashville: Grupo Nelson, 2011.

Pressfield, Steven. *La guerra del arte*. Nueva York: Black Irish Books, 2013.

Tolkien, J. R. R. *El hobbit*. Barcelona: Minotauro, 1982.

Vogler, Christopher. *El viaje del escritor*. Barcelona: Robinbook, 2002.

ACERCA DEL AUTOR

VICTOR HUGO MANZANILLA ES GERENTE de mercadeo con más de quince años de experiencia en la creación de marcas multimillonarias en empresas Fortune 500 y en el desarrollo de equipos de alto desempeño. Su pasión por el liderazgo, la gerencia, el emprendimiento y el desarrollo personal lo llevaron a fundar LiderazgoHoy.com, un blog y podcast visitado por más de un millón de personas cada año. Victor Hugo se ha posicionado como uno de los mayores líderes del pensamiento en el campo y es internacionalmente reconocido como uno de los oradores más inspiradores de la actualidad. Vive en Florida, Estados Unidos con su esposa Eliana y su hijo Benjamín.